D0673567
BASTEI
LÜBBE

Lester del Rey

Nervensache

Science Fiction-Roman

BASTEI-LÜBBE-TASCHENBUCH
Science Fiction-Bestseller
Band 22 032

Deutsche Lizenzausgabe 1981
Bastei-Verlag Gustav H. Lübbe, Bergisch Gladbach
Originaltitel: NERVES
Ins Deutsche übertragen von Harro Christensen
Titelillustration: Line Grafik
Umschlaggestaltung: Quadro-Grafik, Bensberg
Druck und Verarbeitung:
Mohndruck Graphische Betriebe GmbH, Gütersloh
Printed in Western Germany
ISBN 3-404-22032-3

I

Unbarmherzig drang das Schrillen des Telefons in Doktor Ferrels Schlaf. Er grub den Kopf tiefer in die Kissen und wollte es nicht wahrhaben, aber er registrierte es nur um so deutlicher. Am anderen Ende des Zimmers hörte er Emma sich unruhig bewegen. Schemenhaft erkannte er im trüben Licht des anbrechenden Tages ihre Umrisse unter den Laken.

Niemand hatte das Recht, ihn um diese Zeit anzurufen!

Wut stieg in ihm hoch und verscheuchte endgültig den Schlaf. Er mühte sich auf die Beine und suchte im Halbdunkel seinen Morgenrock. Er ging schon auf die Sechzig zu, sein Haar war ergraut, und von rank und schlank war nicht mehr zu reden. Warum, verdammt, gönnte man ihm nicht seinen Schlaf! Das Telefon klingelte rücksichtslos weiter. Als er die Treppe erreichte, fürchtete er fast, das Läuten würde aufhören. Das hätte gerade noch gefehlt.

Er torkelte die Treppe hinab und griff nach dem Hörer. »Ferrel hier.«

Die Stimme am anderen Ende klang müde aber erleichtert. »Hier spricht Palmer, Doc. Habe ich Sie geweckt?«

»Nein. Ich wollte gerade zu Abend essen«, sagte Ferrel bissig. Palmer war der Manager des Atomkraftwerks, in dem der Doc arbeitete, und wenigstens formell war er sein Boß. »Was ist denn los? Hat Ihr Enkel Bauchschmerzen, oder ist die Anlage in die Luft geflogen? Was geht mich der Quatsch um diese Zeit an? Im übrigen habe ich heute frei, und Sie waren einverstanden.«

Palmer stieß einen unterdrückten Seufzer aus, als ob er die Reaktion des Doc vorausgeahnt und sich darauf eingestellt hätte. »Ich weiß. Deswegen rufe ich ja an. Wenn Sie allerdings Pläne gemacht haben, die Sie nicht umstoßen können, kann ich es nicht ändern. Sie haben weiß Gott einen freien Tag verdient, aber . . .«

Der abgebrochene Satz hing in der Luft, und Ferrel erkannte

den Köder. Wenn er jetzt Interesse zeigte, hing er am Haken. Er wartete. Wieder seufzte Palmer.

»Natürlich hätte ich Sie nicht anrufen sollen, Doc. Allerdings traue ich Dr. Blakes Taktgefühl nicht so recht. Vielleicht kann ich ihn noch überzeugen, daß allzu smartes Auftreten bei diesem Frühstücksbesuch der Kongreßabgeordneten nur schaden könnte. Aber kapiert er das? Was soll's. Schlafen Sie weiter. Tut mir leid, daß ich Sie gestört habe.«

»Moment«, sagte Ferrel rasch. Er schüttelte den Kopf und wünschte, er hätte eine Tasse starken Kaffee getrunken. Er war immer noch nicht ganz wach. »Ich dachte, die Untersuchungskommission sollte erst nächste Woche kommen.«

Wie jeder gute Angler gab Palmer ein wenig Leine, bevor er den Haken wieder anzog.

»Sollte sie auch, aber man hat umdisponiert. Nun sind sie für heute vormittag angesagt, und zwar mit einem ganzen Schwarm Experten und natürlich Reportern. Und ausgerechnet jetzt liegt dieser Gesetzesantrag dem Kongreß vor . . . Na ja, ich wünsche Ihnen einen angenehmen Tag, Doc.«

Ferrel unterdrückte einen Fluch. Warum legte er nicht einfach auf? Schließlich war die Kommission allein Palmers Angelegenheit. Er leitete das Werk, das allerdings weit in die Wüste verlegt werden müßte, falls dieses verdammte Gesetz durchkam. Seine eigene Aufgabe war lediglich die Gesundheit und Sicherheit der Leute. »Das muß ich mit Emma bespechen«, brummte er endlich. »Wo erreiche ich Sie in zehn Minuten?«

»Ich bin im Werk.«

Der Doc sah auf die Uhr. Es war kurz nach sechs. Wenn Palmer die Angelegenheit für so wichtig hielt . . . Sein Sohn Dick war auf einen kurzen Besuch von der medizinischen Hochschule nach Hause gekommen, und heute war sein letzter Tag. Schon seit einer Woche war der Tagesablauf für heute geplant. Emma hatte sich so sehr auf den Tag gefreut.

Ein Geräusch von oben ließ ihn aufschauen. Emma stand in ihrem zerschlissenen Morgenrock aus Kattun und ihren ausgetretenen Hausschuhen an der Treppe. Ohne Make-up und mit aufgelösten Haaren wirkte sie wie ein kleines Mädchen, das über Nacht alt geworden war, ohne es noch recht zu wissen. Ihr Gesicht war völlig ausdruckslos. Schon in den Tagen, als Ferrel noch eine Allgemeinpraxis betrieb, hatte sie gelernt, sich ihre Gefühle nicht anmerken zu lassen. Nur ihre straff gespannten Halsmuskeln und die Art, wie sie sich den Gürtel um den zu mageren Leib schlang, verrieten, daß sie zugehört hatte und wie sie empfand.

Sie zuckte die Achseln. Gequält lächelnd kam sie dann die Treppe herunter, wobei sie versuchte, ihre kranke Hüfte so wenig wie möglich zu belasten.

»Mit dem Frühstück dauert es noch«, sagte sie ruhig. »Versuche, noch ein wenig zu schlafen. Ich weck Dick und sag's ihm.«

Sie wandte sich zur Küche, und er ging an den Apparat zurück. »In Ordnung, Palmer. Ich komme. Ist neun Uhr früh genug?«

»Neun Uhr wird reichen, Doc. Vielen Dank«, antwortete Palmer. Der Doc wollte in die Küche, wo Emma schon den Kaffee bereitete. Dann zögerte er. Sie hatte recht. Er brauchte den Schlaf dringend.

Aber der Schlaf wollte sich nicht mehr einstellen. Er hatte nicht mehr die Spannkraft der Jugend. Selbst die eingefahrenen Gewohnheiten seiner mittleren Jahre schienen nicht mehr zu funktionieren. Vielleicht hatte Blake recht mit seinen Witzeleien; vielleicht wurde er tatsächlich alt! Wehmütig dachte er an die muskulöse Gestalt seines Sohnes. So hatte er auch einmal ausgesehen. Wenn er dagegen heute in den Spiegel sah . . .

Immer häufiger kreisten seine Gedanken um das Werk. Früher hatte er sich wenig darum gekümmert, daß der Widerstand der Öffentlichkeit gegen Atomenergie ständig heftiger wurde. Aber in jüngster Zeit waren auch unter den Arbeitern die Spannungen gewachsen. Die Angst vor atomaren Anlagen wurde fortwährend neu geschürt. Davor konnte man die Augen nicht mehr verschließen. Überall entstanden Bürgerinitiativen, und eine Anzahl von unausgegorenen Gesetzesvorlagen war im Kongreß eingebracht worden. Wurden diese Gesetz, müßte man die meisten atomaren Anlagen in unbewohnte Gebiete auslagern. Er hatte geglaubt, der ganze Wind sei nur von Spinnern aus verschiedenen Randgruppen entfacht worden. Wenn aber Palmer die Sache so ernst nahm, hatte er sich vielleicht geirrt. Schlimm war es eigentlich erst nach der Panne im Atomkraftwerk von Croton geworden. Dort hatte es eine relativ geringfügige Betriebsstörung gegeben, aber immerhin hatte sie eine leichte Verseuchung durch radioaktive Strahlung zur Folge gehabt, die ein über 160 Quadratkilometer großes Gebiet betroffen hatte. Eigentlich war niemand an diesem Unfall schuld gewesen, aber die Presse hatte tagelang darüber berichtet und die Angelegenheit zu einem Skandal aufgebauscht. Das wiederum hatte alle verborgenen Ängste geweckt und das latente Mißtrauen gegen Atomenergie erneut auf den Plan gerufen.

Endlich gab Ferrel auf und begann sich anzukleiden. Er war ganz erstaunt, daß es schon so spät war. Der Duft von heißem Gebäck zog durch die Wohnung. Emma schien aus der letzten Mahlzeit mit ihrem Sohn ein wahres Fest machen zu wollen. Er hörte, wie sie Dick weckte und ihm, während er sich rasierte, über den Stand der Dinge berichtete. Dick war nicht halb so enttäuscht wie Emma. Kinder nehmen so etwas nun mal nicht so tragisch wie ihre Eltern.

Der Junge saß schon am Tisch, als der Doc herunterkam. Er las in der Frühstücksausgabe des *Kimberly Republican*. Nun schaute er auf und reichte seinem Vater die Hälfte der Zeitung. »Hallo, Dad. Schade, daß was dazwischenkommt. Mom und ich fahren dich in meinem Wagen zur Arbeit. Dann sind wir noch ein bißchen zusammen. Diese verrückte Antiatombewegung wird langsam unangenehm, was?«

»Palmer macht sich Sorgen. Das ist alles. Er muß übervorsichtig sein. Das bringt sein Job mit sich.«

Im Augenblick interessierte sich der Doc mehr für Kekse mit Honig.

Dick schüttelte den Kopf. »Du solltest lieber mal den Leitartikel lesen«, schlug er vor.

Ferrel tat es, obwohl er die gestelzten Leitartikel des Blattes sonst ignorierte. Dieser, so wurde ausdrücklich gesagt, spiegelte die von der Zeitung selbst vertretene politische Ansicht wider. Er betraf die Gesetzesvorlage, die die Verlegung sämtlicher mit der Herstellung von radioaktiven Isotopen oder mit atomarer Kernumwandlung befaßten Werke vorsah. Diese Werke sollten von Städten mit über 10 000 Einwohnern mindestens 50 Meilen entfernt sein. Oberflächlich betrachtet stellte der Artikel eine vorurteilsfreie Würdigung der Gesetzesvorlage dar, aber er setzte den von der Industrie geschaffenen Wohlstand in Beziehung zu der bei etwaigen Unfällen durch freiwerdende Radioaktivität bedrohten Gesundheit von Kindern. Intellektuell bewies er die Notwendigkeit der Anlagen; emotionell sagte er das genaue Gegenteil aus. Es ist aber bekannt, daß die meisten Menschen mit dem Gefühl denken statt mit dem Verstand.

Auf der Titelseite stand ein Bericht über eine Bürgerschaftssitzung, in der die Vorlage behandelt wurde. Die genannten Anwesenheitszahlen und die Liste der Sprecher waren ein zusätzlicher Schock. Bevor National Atomic Products in der Nähe von Kimberly gebaut wurde, war die Stadt ein unbedeutender Ort gewesen, wie viele andere in Missouri. Heute aber zählte sie nahezu 100 000 Einwohner und verdankte ihren Wohlstand fast ausschließlich der National. Es gab zwar andere Industrien, aber alle waren Kinder der National. Diejenigen, die keine künstlichen Isotope benötigten, waren immerhin auf den Billigstrom angewiesen, der sozusagen als Nebenprodukt anfiel.

Wenn andere Zeitungen jammerten, andere Städte verrücktspielten, mochten sie das tun, aber die Reaktion hier am Ort war geradezu unglaublich.

Angewidert warf er die Zeitung beiseite. Er las nicht einmal mehr die Baseballergebnisse. Wütend sah er auf die Uhr. »Es wird langsam Zeit.«

Emma schenkte Kaffee nach und humpelte die Treppe hinauf. Unglücklich beobachtete Ferrel sie dabei. Vielleicht hätten sie lieber einen dieser eingeschossigen Bungalows kaufen sollen, die wieder groß in Mode waren. Noch besser wäre ein Aufzug gewesen, aber Dicks Ausbildungskosten ließen nicht genug übrig. Vielleicht in einem Jahr, wenn der Junge mit dem Studium fertig war . . .

»Dad.« Dick machte ein ernstes Gesicht und sprach leise, damit seine Mutter nichts mitbekam. »Dad, wir haben an der Hochschule darüber diskutiert. Schließlich stellt National auch Isotope für medizinische Zwecke her. Also geht es auch uns an. Über eines mache ich mir Sorgen. Was ist, wenn du vor dem Kongreß über die Gefährlichkeit aussagen mußt?«

Daran hatte Ferrel noch nie gedacht. »Wenn ich aussagen muß?« Denkbar wäre es schon. Er war genauso bekannt wie jeder andere Fachkollege. »Ich habe nichts zu verbergen. Also kann ich ihnen jederzeit die Wahrheit sagen.«

»Wenn sie die überhaupt hören wollen. Und wenn dein Boß nicht lediglich auf eine gute Presse scharf ist.« Seine Empörung ließ ihn die Stimme heben. Dann schaute er zur Treppe und schwieg. Emma begann ihren mühsamen Abstieg.

Der Doc trank den Rest Kaffee und folgte dem Jungen zu dessen kleinem Kabriolett mit Turbinenantrieb. Sonst zog er den langsameren aber zuverlässigen Werksbus vor, aber heute konnte er wirklich nicht mit Emma streiten. Er schob sich auf den Rücksitz und murmelte vor sich hin, während der Fahrtwind ihm ins Gesicht peitschte. An eine Unterhaltung war kaum zu denken, denn der Luftstrom pfiff heulend über die gewölbte Windschutzscheibe, und das Brüllen der Turbine tat ein übriges. Der Junge hatte den halben Auspuff abgesägt, um durch größeren Lärm eine höhere PS-Zahl vorzutäuschen. Ob er den Mädchen an der Hochschule damit wohl imponierte? Mit solchen Mätzchen doch sicherlich nicht. Aber wieder mußte er daran denken – wahrscheinlich wurde er ganz einfach alt.

Der Weg zum Werk betrug ungefähr 25 Kilometer. Er sah die Häuser an beiden Seiten der Straße vorüberziehen. Längst hatten die Wohnblocks einer endlosen Reihe von Behelfsunterkünften Platz gemacht, die an allen Ecken und Enden von Kimberly errichtet worden waren. Die meisten waren vorgefertigte Kästen, in denen man die Räume verändern konnte. Die Grundstücke, auf denen sie standen, hatten alle die gleiche Größe, und man sah den Häusern an, daß ein Camping-Anhänger für sie Modell gestanden hatte. Einige standen sogar noch auf den Fahrgestellen, auf denen man sie hergeschafft hatte. Möglicherweise glaubten die Leute schon, daß ihre Beschäftigung hier nicht von Dauer sein würde.

Die Straße war verstopft. Stellenweise kamen sie nur im Schneckentempo voran. Aus einem anderen Wagen wurde auf beste Missouri-Art geflucht. Eine Hupe gellte, und ein anderer Fahrer brüllte: »Haut ab, ihr verdammten Atomtrottel! Wir wollen euch hier nicht!«

Atomtrottel! Vor drei Jahren waren die Leute von der atomaren Anlage noch hochangesehen und kreditwürdig gewesen. Die Zeiten waren anscheinend vorbei.

Näher zum Werk hin machten sich noch weitere Veränderungen bemerkbar. Auffallend viele Unterkünfte lagen verlassen da. Früher hatte es für die Grundstücke in der Nähe der Anlage erhebliche Zuschüsse gegeben. Inzwischen aber wog die Sorge um die Sicherheit ihrer Familien bei den Arbeitern offenbar schwerer als alle Vorteile. Nicht einmal die mit der National eng verbundenen Menschen waren mehr gegen die wachsende Unruhe immun.

Ferrel war fast erleichtert, als sie von der Hauptstraße in die Zufahrt zum Werk einbogen. Die ausgedehnten, scheinbar regellos durcheinander gebauten technischen Anlagen, die Büros und die Schutzmäntel der Konverter nahmen ein riesiges Areal ein. Sie lagen über eineinhalb Kilometer jenseits des Schlagbaums der Einfahrt. Das dazwischenliegende Land wurde nicht genutzt. Arbeiter hielten lediglich das Unkraut unter Kontrolle. Diese Sicherheitszone um das Werk herum war heute schon gesetzlich vorgeschrieben. Dieser Vorschrift war die National allerdings ohne jede Schwierigkeit gerecht geworden. Hinter der Anlage dehnte sich eine weite Fläche Ödland bis an einen kleinen Fluß mit Brackwasser aus, der weiter hinten in ein Sumpfgebiet mündete. Das war ein Vorteil, denn die Gegend diente als Deponie für nichtradioaktive Abfälle. Selbst die Eisenbahnabzweigung zum Werk hin war über drei Kilometer lang.

Ursprünglich diente das Werk nur der Erzeugung von Kernenergie. Es war als eines der ersten für die Versorgung von St. Louis gebaut worden. Statt Öl oder Kohle zu verbrennen, setzte man hier die Kernspaltung ein. Später jedoch hatten die beiden jungen Wissenschaftler Link und Hokusai völlig neue atomare Anwendungsbereiche erarbeitet und waren hergekommen, um die Verfahren zu testen.

In der Frühzeit der Nuklearwissenschaft hatte man entdeckt, daß es sich bei Uran nicht um das schwerste mögliche Element handelte. Man konnte solche von höherem Atomgewicht herstellen – zum Beispiel Plutonium oder Neptunium –, indem man den Kern eines Uranatoms mit Neutronen bombardiert. Der Kern schluckt zwar die Neutronen, hat aber die Tendenz, instabil zu werden. Schließlich spaltet er sich in zwei Teile auf, wobei Energie und zwei oder drei neue Neutronen frei werden. Diese beiden Wissenschaftler hatten nun entdeckt, daß man die produzierten Elemente auf einer bestimmten Ebene wieder stabilisieren kann, wenn es gelingt, den Beschuß mit Neutronen fortzusetzen. Solche superschweren Atome hatten in der Natur nie existiert, viele von ihnen besaßen jedoch außerordentlich wertvolle Eigenschaften.

Durch die Entwicklung und Herstellung der schweren Isotope hatte die Firma National ihre heutige Größe und Bedeutung erlangt. Die Stromgewinnung war heute praktisch ein Nebenzweig, obwohl alle in Kimberly benötigte Energie von der Anlage produziert wurde.

Ferrel sah, daß Emma fast erstarrte, als sie sich der Einfahrt näherten, aber Dick wußte Bescheid und bremste schon. Sie hatte eine fast krankhafte Angst, das Werk zu betreten. Sie war fest davon überzeugt, daß sie bei ihrem zweiten Kind nur wegen der Strahlung hier eine Fehlgeburt erlitten hatte, was natürlich unrealistisch war. Das Werk verschaffte ihr die schlimmsten Alpträume. Schon lange hatte der Doc es aufgegeben, mit ihr zu argumentieren, und sie hatte sich ihrerseits mit der Tatsache abgefunden, daß er nun einmal hier beschäftigt war.

Er stieg aus und gab Dick ein wenig verlegen die Hand. Dann sah er den beiden nach, als sie rasch wieder davonfuhren. Sofort nahm ihn die solide Vertrautheit der Umgebung wieder gefangen, und seine Angst verlor sich. Die Anlage war eine Welt für sich, geschäftig und dicht bevölkert. Sie schien unerschütterlich. Er winkte dem grinsenden Wachmann zu und nahm den Anblick, die Geräusche und den Geruch dieser, seiner Welt in sich auf.

Wie immer um neun Uhr wimmelten die Kieswege von kräftigen jungen Leuten, deren Schicht gerade beginnen sollte. Die Werkskantine war voll von Männern, die in letzter Minute noch einen Kaffee trinken wollten. Als er eintrat, machten ihm die Leute freundlich Platz. Sie dachten nicht daran, ihre Albereien einzustellen, wie sie es beim Erscheinen eines anderen leitenden Angestellten wohl getan hätten. Für sie war er immer nur ganz einfach der Doc gewesen. Ferrel freute sich darüber.

Gut gelaunt nickte er den Umstehenden zu, schob sich durch die Menge und trat in den Gang hinaus, der zur Krankenstation führte. Er ließ sich Zeit. In seinem Alter sollte man eine gewisse Gelassenheit kultivieren und jede Unruhe meiden. Nach dem guten Frühstück hatte er schon gar keine Lust, sich schnell zu bewegen. Er betrat die Räumlichkeiten durch den Seiteneingang und hielt dabei aus alter Gewohnheit die Zigarre in der Handfläche verborgen. Tatsächlich hatte er die Rauchverbotschilder schon vor Jahren entfernen lassen. Er ging durch den Behandlungsraum zu einer Tür mit der Aufschrift:

ROGER T. FERREL
Leitender Arzt

Wie immer hing kalter Zigarrenrauch in der Luft, und es herrschte die übliche Unordnung. Sein Assistent war schon da und durchsuchte mit der ihm eigenen Dreistigkeit Ferrels Schreibtischschubladen. Es machte Ferrel nichts aus. Auf Blakes ruhige Hand und seinen klaren Verstand war in jeder schwierigen Situation Verlaß.

Blake sah hoch und grinste unverschämt. »Hallo, Doc, wo zum Teufel haben Sie Ihr Feuerzeuggas? Ach, hier ist es ja! . . . Sie haben doch heute frei.«

»Schön wär's.« Ferrel nahm die Zigarre wieder in den Mund, ließ sich in den alten Ledersessel sinken und schüttelte den Kopf. »Palmer rief mich mitten in der Nacht an. Wir haben wieder einen Notfall.«

»Und der bleibt wieder an Ihnen hängen. Abgesehen davon weiß ich nicht, warum wir überhaupt hier sind – es gibt nie etwas Ernsthaftes. Denken Sie an gestern. Ich hatte drei Fälle von Fußpilz – ich habe es schon notiert, die sollen die Duschräume besser desinfizieren – einer hatte Nasenbluten, und dann die üblichen Simulanten. Einer hatte sich sogar einen Splitter in den Daumen gerissen! Die kommen mit jedem Mist. Wenn sie könnten, würden sie auch noch ihre Babys herschaffen.« Er schnippte mit den Fingern. »He, fast hätte ich's vergessen. Falls Sie heute abend Zeit haben, Anne und ich sind seit zehn Jahren zusammen. Das wollen wir feiern. Sie will gerne, daß Sie und Emma uns besuchen. Soll doch der Kleine hier Dienst schieben.«

»Hört sich gut an. Aber Sie sollten Jenkins nicht immer den Kleinen nennen.« Ferrel verzog die Lippen zu einem dünnen Lächeln. Er dachte an die Zeit, als er selbst noch alles genauso ernst genommen hatte wie der neue Arzt; aber nach nur einer Woche Praxis konnte der Mann noch nicht wissen, daß wirklich nicht gerade er dazu ausersehen war, die Welt zu retten. »Er hatte gestern seinen ersten richtigen Fall. Er hat alles allein gemacht, folglich ist er jetzt Doktor Jenkins, wenn ich bitten darf.«

Blake erinnerte sich anders. »So? Ohne Sie wäre er doch ganz schön auf den Bauch gefallen. Was für ein Fall war es übrigens noch?«

»Die alte Geschichte – simple Strahlungsverbrennungen. Man kann es den Neuen noch so oft sagen; die Leute sehen einfach nicht ein, warum sie dreifachen Schutz mit je fünfundneunzigprozentiger Wirksamkeit tragen müssen, wo doch die Hauptabschirmung am Konverter schon neunzig Prozent der Strahlung abhält.« Rechnerisch reduzierte der zusätzliche dreifach Schutz die Strahlung auf lächerliche achtzig Tausendstel, aber es war schwer, den Männern begreiflich zu machen, daß eben dieser Multiplikationseffekt den Unterschied ausmachte. »Der Mann brachte es fertig, die beiden inneren Schutzfolien wegzulassen. So hat er sich in sechs Stunden die Dosis eines ganzen Jahres eingefangen. Jetzt sitzt er wahrscheinlich zu Hause, schwitzt es aus und hofft, daß er nicht gefeuert wird.«

Der Vorfall hatte sich bei Nummer Eins ereignet, dem ersten Konverter, den National Atomics gebaut hatte. Diese Umwandlungsanlage war errichtet worden, bevor Dr. Wemrath vom kalifornischen Institut für Technologie eine Methode ausgetüftelt hatte, die superschweren Isotope als höchst wirksame Abschirmung zu verwenden. Da Konverter sehr kostspielig waren, benutzte man ihn noch für schwächere Reaktionen. Bei ausreichenden Sicherheitsvorkehrungen bestand kaum ernsthafte Gefahr.

Blake kicherte. »Sie werden tatsächlich alt, Doc. Früher waren Sie es, der die Leute zum Schwitzen brachte. Egal, ich kümmere mich um das Personal. Vielleicht kommt wieder einer 'ne Minute zu spät.«

Ferrel folgte ihm nach draußen. Der junge Jenkins saß in seinem Büro und beschäftigte sich intensiv mit einem Buch. Der Junge nickte dem Doc mit verkniffenen Lippen zu. Dieser erwiderte den Gruß. Dabei vermied er es peinlich, den Eindurck zu machen, als interessiere es ihn, was Jenkins gerade las. Jenkins war wenigstens intelligent, und arbeiten konnte er auch. Nach einer Woche konnte man natürlich noch nicht wissen, ob er das

Zeug für diesen Job hatte. Er bestand praktisch nur aus mit straffer Haut überspannten Sehnen. Sein blonder Haarschopf fiel über die tiefstliegenden blauen Augen, die der Doc je gesehen hatte. Hoffentlich hielten seine Nerven stand. Er sah aus wie ein Dichter, der in seinem Elfenbeinturm verhungert. Filigrannerven. Immerhin hatte er eine solide Ausbildung.

Einen Augenblick lang überlegte der Doc, ob er in sein Büro zurückgehen sollte, um noch ein wenig zu schlafen. Es lag nichts an, das nicht auch Blake schaffen könnte. Die Krankenstation funktionierte exakt nach seinen Vorstellungen. Hier gab es nichts, was wegen der bevorstehenden Besichtigung eigens noch zu verändern wäre. Er könnte sich noch in aller Ruhe ein Nickerchen gönnen, bevor Palmer ihn anrief. Er wollte schon zurückgehen, aber dann fiel sein Blick wieder auf Jenkins. Der Junge war noch zu neu. Was würde er sagen, wenn er, der Doc, am Arbeitsplatz schlief?

»Wenn man mich braucht, ich bin in Palmers Büro«, rief er. Jenkins nickte, und der Doc trat in den langen Gang hinaus, der zum Verwaltungsgebäude führte, das sich im Schatten der riesigen, häßlichen Stromerzeugungsanlage erstreckte. Es war das älteste Gebäude auf dem ganzen Areal. Geduckt, grau und dreckig lag es da, und man konnte ihm sein Alter ansehen. Die neuen Konverter hatten auch Betonmäntel, aber dank der Verwendung von superschweren Metallen sahen sie nicht so unförmig aus. Sie wirkten fast elegant.

Palmers Büro war ganz standesgemäß auf einen Manager zugeschnitten. Es gab sogar eine eingebaute Bar. Aber mitten im Raum stand ein ausrangierter Zeichentisch. Er hatte Tintenflekken, und überall lagen Diagramme und Statistiken herum, von den Ein- und Ausgangskörben ganz zu schweigen. Eine Ecke des Tischs zeigte Spuren von Palmers jahrelanger Schnitzarbeit. Er pflegte sich dort Zahnstocher abzuschneiden, bis er endlich seine Prothese bekam. Der Mann war wie sein Büro, vom Zeichentisch abgesehen. Palmer war geschmackvoll und teuer gekleidet und ausgezeichnet frisiert. Sein sonst klobiges Gesicht verriet Intelligenz und ließ den tüchtigen Manager ahnen. Jetzt aber lag sein Jackett unordentlich auf der ledernen Couch, und er trug eine schäbige Lederjacke. Seine Hände zeigten die Spuren harter Arbeit. Er hatte kräftige Handgelenke, und an den Unterarmen traten die Adern hervor. An den Oberarmen wölbten sich die Muskeln. Der Mann wirkte wie ein Bauingenieur, der auch mal zupacken kann. Er bedeutete Ferrel, Platz zu nehmen und blieb selbst stehen.

»Vielen Dank, daß Sie gekommen sind, Doc. Ich habe es gestern abend erst sehr spät erfahren. Die National Atomic Control Commission schickt etra einen Inspektor mit. Der haut mit unserer Lizenz ab, wenn wir nicht spuren. Aber der Mann schreckt mich nicht. Die Leute von der NACC sind ganz in Ordnung. Sie tun, was sie können. Angst habe ich vor diesen Scheißreportern. Ich brauche jetzt jeden guten Mann.«

»Das kommt mir alles sehr merkwürdig vor«, protestierte der Doc. »Ohne diese Anlagen kommen wir wohl nicht mehr klar. Jedes Krankenhaus im ganzen Land wird verrückt, wenn wir keine Isotope mehr herstellen. Genauso schlimm sind die übrigen Verbraucher betroffen. Was nützen uns Anlagen, wo kein Mensch mehr hinfindet!«

Palmer seufzte müde. »Die Prohibition war auch nicht durchzusetzen, Doc, aber man hat es geschafft.«

»Atomkraftwerke sind doch nicht so gefährlich wie Schnaps!«

»Es könnte sein, daß einige sehr viel gefährlicher sind«, sagte Palmer. Er wirkte todmüde. Seine rotgeränderten Augen zeigten, daß er kaum geschlafen haben konnte. »Wir kennen die Atomspaltung schon lange. Das bedeutet, daß einige der älteren Anlagen – ein paar davon habe ich ja mitgebaut – wahrscheinlich nicht mehr ganz in Ordnung sind. Das bedeutet auch, daß eine ganze Generation von Arbeitern, Ingenieuren und Inspektoren die Dinger schon als selbstverständlich angesehen hat und immer sorgloser wurde. Die Anlagen, die gebaut wurden, als die Atomenergiekommission ihr Faible für das große Reaktorspiel entdeckte, waren nie ganz in Ordnung. Seit der Panne in Croton haben Untersuchungen eine zu starke radioaktive Verseuchung bei mindestens einem Dutzend Anlagen ergeben. Sie werden viel strenger überwacht werden müssen.«

»Sie reden, als ob Sie mit dem Leitartikel des Kimberly Republican völlig einverstanden wären«, bemerkte der Doc und legte seine Stirn in sorgenvolle Falten.

Palmer zuckte die Achseln. »Doc, wenn die Verlegung des Werks eine Lösung wäre, würde ich Beifall klatschen. Aber das geht nicht. Ist ein Atommeiler einmal installiert, kann man ihn nicht mehr verlegen. Er ist schon viel zu heiß. Wartet man ihn dann nicht mehr, geht er nur um so schneller zum Teufel. Die Gefahr wird immer größer, und das ist eine Sache von Tausenden von Jahren. Das Problem ist doch, den radioaktiven Abfall der Spaltungsreaktoren loszuwerden. Seit es Fermi gelang, das Atom zu spalten, wußte niemand eine Antwort darauf. Jeder ehrliche Ingenieur, jeder ehrliche Wissenschaftler aus der Branche weiß das. Wenn wir nicht bald Kernverschmelzungsanlagen kriegen, die besser und billiger sind als die alten und vor allem nicht so massiv, stehen wir am Rande der Katastrophe.«

Der Doc furchte die Stirn. Über diese Dinge hatte er sich mit Palmer eigentlich kaum je unterhalten. Was Palmer sagte, überraschte ihn ein wenig. »Aber wir betreiben doch bei einigen Konvertern Kernfusion, und so massiv sind die doch gar nicht.«

»Die nicht«, stimmte Palmer zu. »Wir können es uns eben erlauben, die Kernfusion nicht voll auszunutzen. Wir verschmelzen Wasserstoffatome, um neue Neutronen für die Konverter freizusetzen, nicht um Energie zu erzeugen.«

Er ließ sich auf die Couch fallen, fegte einen Stoß Regierungsverordnungen beiseite und strich sich mit beiden Händen über die Schläfen. »Dieser Laden ist sauber, Doc. Wir haben nur Pech gehabt. Guilden, dieser Zeitungsboß, hat eine geringfügige Strahlendosis eingefangen. Er hatte eines unserer früheren Produkte falsch angewendet. Jetzt schießt er sich auf uns ein. Jetzt hat er einen Strohmann gefunden. Schließlich ist der Mann nicht ganz unbedeutend. Aber verdammt, Sie sollen mich doch nicht trösten. Es geht ganz einfach um einen dieser verdammten Abstauber.«

Von Anfang an hatte man der Firma Prozesse angehängt wegen angeblicher Gesundheitsschäden durch Strahlung. Einige der Fälle waren begründet, aber die meisten Beschwerden waren nicht stichhaltig. Die Leute drohten lediglich mit der Presse und wollten eine Entschädigung herausschinden. So auch in diesem Fall.

»Ist es ein Werksangestellter?« fragte der Doc. Solche Fälle waren schwer zu kontrollieren, denn fast jeder Arbeiter war verseucht, wenn auch meist nur geringfügig.

»Delikatessenverkäuferin in Kimberly. Ich war gestern abend in ihrer Wohnung. Sie hält sich für vergiftet. Sie wird aber nur vorgeschoben. Merkwürdig, daß sie einen so teuren Anwalt hat! Der Mann will nicht einmal den Namen ihres Arztes verraten. Sie hat mir allerdings ihre Symptome beschrieben – sie sieht wirklich krank aus.«

Er reichte Ferrel ein Blatt Papier mit seiner eckigen, großen Schrift. Ferrel las und versuchte, aus dieser Aufzeichnung eines Laien die Fakten herauszulesen. Er erkannte schon einiges. »Das reicht nicht«, schimpfte er trotzdem. »Ich brauche eine Blutprobe. Das ist das Mindeste.«

»Die habe ich. Ich habe Ihre Oberschwester mitgenommen – diese Mrs. Dodd –, ich tat so, als sei sie meine Sekretärin. Sie hat die Frau so eingeschüchtert, daß sie zu einer Blutentnahme bereit war. Ich gab inzwischen vor, daß ich im Nebenzimmer mit dem Anwalt verhandeln wollte. Hier.« Er übergab das Fläschchen. Der Doc erkannte sofort, daß Mrs. Dodd ganze Arbeit geleistet hatte. Die Frau war großartig. Sie hatte es fertiggebracht, der Verkäuferin Blut abzuzapfen, ohne daß diese vorher ihren Anwalt konsultierte. »Ich erwarte Ihren Bericht darüber, sobald diese alberne Inspektion vorbei ist«, sagte Palmer. »Was ist Ihre Vermutung?«

Der Doc nannte sie nur zögernd. »Es könnte sich tatsächlich um Strahlungsschäden handeln. Wir können schließlich nicht jeden Betrieb kontrollieren, der unser Zeug verwendet. Wahrscheinlich ist es Leukämie. Sie mag auf einen gleichgültigen Arzt gestoßen sein, der sich den Teufel um Weiterbildung oder Berufsethos kümmert. Vielleicht denkt der Mann sogar, daß ein Gericht auf den Unfug hereinfällt. Das tut es natürlich nicht.«

»Nicht notwendigerweise. Aber wir können mit dem Fall doch nicht vor Gericht gehen. Wenn er an die Öffentlichkeit kommt, sind wir ruiniert, auch wenn sich später unsere Unschuld herausstellt. Eine Abfindung können wir auch nicht zahlen. Das käme ja einem Schuldanerkenntnis gleich.« Abrupt erhob sich Palmer und marschierte erregt im Zimmer auf und ab. »Das ist doch unser Problem, Doc. Der lächerlichste Unfall – oder auch nur die Möglichkeit eines solchen – beweist doch die Gefährlichkeit der Anlage. Passiert nichts . . . wie wollen wir das als Schlagzeile in die Presse bringen? Und gibt es wirklich keine Gefahr? Darauf werde ich verdammt keinen Eid leisten! . . . Leukämie . . . Blutkrebs . . .«

»So ähnlich. Früher war das unbedingt tödlich. Auch in diesem Fall, wenn nicht sofort behandelt wird.«

Palmer stieß einen Seufzer der Erleichterung aus. »Puhh! Wenn das so ist, beschaffen wir einen Spezialisten, der ihr ein wenig Angst macht. Sie wird kostenlos behandelt und jagt dafür ihren Anwalt zum Teufel. Vielen Dank, Doc. Rufen Sie mich an, sobald Sie Genaueres wissen.«

Ferrel machte sich auf den Weg zur Krankenstation. Er runzelte immer noch die Stirn. Wer konnte dieser Quacksalber sein, der alle ethischen Prinzipien des Berufsstandes über Bord warf? Er brauchte seinen Namen! Ein paar solcher Leute konnten den mühsam aufgebauten Ruf der ganzen medizinischen Profession ruinieren! Er hatte fast das Ende des Gebäudes erreicht, als er Jenkins sah. Der junge Arzt stand draußen und stritt sich mit Jorgenson, einem der leitenden Ingenieure. Jorgenson war ein Kerl von fast zwei Metern. Der Mann konnte Eisenstangen verbiegen, wie man sich erzählte, und sein Verstand wog kein Gramm weniger als sein massiger Körper.

Jenkins redete aufgeregt auf ihn ein und zeigte auf ein Papier, das er in der Hand hielt. Mit einer schroffen Handbewegung fegte Jorgenson den Zettel beiseite und brüllte: »Geh'n Sie doch zum Teufel, Sie Kindskopf. Denken Sie erstmal nach. Und verkaufen Sie Ihre Wundermittel wem Sie wollen, aber nicht mir!«

Der Ingenieur drehte sich um und ging wütend davon. Jenkins starrte ihm nach. Er wirkte jetzt noch hagerer als sonst. Böse ging er in die Krankenstation zurück.

Der Doc wußte nicht, worum es ging, aber die Sache gefiel ihm nicht. War der Junge vielleicht ein Unruhestifter? . . . Noch hatte er keinen Anhaltspunkt. Bevor er mehr erfuhr, ging ihn die Sache eigentlich nichts an.

Als Ferrel die Krankenstation betrat, hatte sich Jenkins wieder beruhigt. Er sah den Doc an und sagte kalt und sachlich: »Ich habe den Schwestern schon gesagt, daß sie bald mehr Arbeit bekommen, Dr. Ferrel. Sie kommen ja gerade von Mr. Palmer.«

Ferrel sah den jungen Mann prüfend an. »Wieso? Wissen Sie denn, weshalb ich bei Palmer war?«

Jenkins ärgerte sich. Warum wollte der Alte ihn nicht verstehen? Er riß sich zusammen, und in seiner Stimme schwang die Achtung mit, die er für den älteren Kollegen hatte. »Wegen der Werksbesichtigung, natürlich. Es geht doch um die ganze Flüsterpropaganda. Das wußte ich schon, als ich hier anfing. Die ganze Unruhe muß doch die Unfallrate anheben. Das kann man sich doch an fünf Fingern abzählen.«

»So?« Der Doc mußte über seine eigene Dummheit lachen. War er denn hirnverbrannt? »Gute Arbeit, mein Junge. Sie haben völlig recht gehabt.«

Sicher gibt es Unfälle. In Erwartung der Inspektion standen die Leute doch alle unter Streß. Eine bessere Voraussetzung für Unfälle gibt es nicht. Mit Glück gab es nur die üblichen. Aber so viel Glück hat man nicht immer. Jetzt war alles möglich.

Palmer hatte ja schon angedeutet, daß auch nur der geringste Unfall die gesamte Presse aufscheuchen würde. Jeder hielt dann das Werk für ein Sicherheitsrisiko. Sie durften sich bei der Untersuchungskommision keine Minuspunkte einhandeln. Aber bei so komplizieren Verfahren, wie sie für die Herstellung von superschweren Isotopen nun einmal erforderlich waren, durften die Männer einfach nicht nervös werden. Dann mußte ja etwas schiefgehen. Man konnte die Uhr danach stellen.

Dr. Ferrel war sauer. Hätte doch Palmer zur Hölle gehen sollen, und er wäre zu Hause geblieben!

II

In der Krankenstation traf Ferrel Mrs. Meyers an. Sie versorgte die Routinefälle mit ihrer üblichen Tüchtigkeit. Im Operationssaal zog er die strenge, pferdegesichtige Dodd vor, aber hier war Meyers am besten zu gebrauchen. Sie war kaum dreißig und hätte gut aussehen können, wenn ihr Gesicht auch nur eine Spur von Farbe gehabt hätte. Haare, Haut, Augen, alles war so farblos, daß kein Make-up der Welt Leben hineinzaubern konnte.

Sie tupfte gerade einem Mann das Auge ab, als Ferrel den Raum betrat. Sie beendete ihre Arbeit, bevor sie sich dem Doktor zuwandte. »Der Mann hat sich eine glühende Zigarre ins Auge gestoßen, als er seine Schutzbrille aufsetzte«, berichtete sie. »Es ist nichts Ernstes. Der zwölfte Fall in der letzten halben Stunde.«

Der Doc sah sich den Stapel Krankenblätter an und brauchte nicht mehr zu fragen. Jenkins hatte recht gehabt. Die Unfallrate war dreimal so hoch wie sonst. Ernstes war aber noch nicht vorgefallen.

»Heute hat kaum einer geschwindelt«, sagte sie. Normalerweise gab es immer ein paar Leute, die sich krank stellten, um den Tag frei zu kriegen. Sie kicherte verhalten. »Seit Dr. Jenkins nur noch Abführmittel verschreibt, hat der Unfug nachgelassen. Selbst die Dame aus der Vermittlung ist seit einigen Tagen kerngesund.«

»Sie läßt sich nur krankschreiben, wenn sie sich langweilt. Heute scheint das nicht der Fall zu sein«, bemerkte Ferrel. Seit Jahren hatte er dem Mädchen alle paar Monate einen freien Tag verschafft, damit sie Anregung für ihre Phantasie bekam. Sie war die einzige im ganzen Werk, die immer neue, hochinteressante Symptome beschrieb, wenn sie mal nicht arbeiten wollte.

»Neulich hat Jenkins bei ihr eine galoppierende schwere Lethargie diagnostiziert. Er gab ihr ein Mittel, und sie hatte den ganzen Tag blaue Lippen«, sagte Meyers. Sie schien den Kleinen zu bewundern. Heute merkte der Doc zum ersten Mal, daß Jenkins Humor hatte.

Er ging in den zentralen Teil des Gebäudes zurück. Die Station war hervorragend ausgestattet, was Personal und Ausrüstung anbetraf. Außer Dodd und Meyers gab es noch zwei weitere Schwestern, zwei Pfleger, zwei Fahrer für die kleinen dreirädrigen Notkarren, eine Kraft für die Aufnahme und eine Sekretärin für die Ärzte. Der Operationssaal war auf das Modernste eingerichtet, und es gab sogar kleine Krankenzimmer, in denen bei Bedarf Patienten untergebracht werden konnten.

Er ging hinüber zu dem Gerät für Hypothermie-Cryotherapie und betrachtete es. Ein Großteil der medizinischen Apparaturen war durch Gesetz des Bundesstaates vorgeschrieben, aber dies Ding war Palmers eigene Idee. Mit diesem Gerät konnte man die Körpertemperatur oder die eines einzelnen Körperteils so weit hinabsenken, daß die Organe schmerzunempfindlich wurden. In der Medizin war dieser Gedanke nicht neu, und das Prinzip war schon bei verschiedenen Therapien, einschließlich Krebsbekämpfung, angewandt worden. Hier aber war die Methode zur Perfektion entwickelt. Das Gerät war unbegrenzt verwendbar und hatte sogar eine Zusatzeinrichtung, mit deren Hilfe Gewebe schon während des Transports auf dem Notkarren heruntergefroren werden konnten. Besonders bei Notoperationen war dieses Verfahren vorteilhafter als die herkömmlichen Narkosemethoden.

Die bevorstehende Inspektion konnte ihn nicht aufregen. Die

staatlichen Vorschriften für atomare Anlagen waren ohnehin wesentlich schärfer als die von der Atomkontrollkommission vorgeschlagenen, und vor knapp einem Monat hatte eine Überprüfung stattgefunden, die keine Beanstandungen ergeben hatte.

Blake kam lachend vorbei und blieb stehen, als er Ferrel sah. »Die Inspektionskommission ist hier, Doc.« Er grinste von einem Ohr zum anderen. »Aber die Reporter bleiben weg! Palmer ist ein alter Fuchs. Auf Nummer Eins läßt er einen Armeeauftrag fahren. Aus Geheimhaltungsgründen konnte er das Werk zum Sperrgebiet erklären – was allerdings nicht für die Kongreßabgeordneten gilt. Nun schwärmen die Jungs von der Presse aus, um Sondergenehmigungen zu erwirken. Mit Glück haben sie die, wenn die Sache hier ausgestanden ist.«

Auch der Doc grinste jetzt, aber er war skeptisch. Die Leute von Mr. Guildens Zeitungskette schmierten ohnehin, was sie wollten. Ihr Ausschluß hatte die Leute mit Sicherheit verärgert, die sonst vielleicht wohlwollend berichtet hätten. Es gefiel bestimmt auch denjenigen Kongreßleuten nicht, die eigens wegen der erhofften Publicity mitgekommen waren. Überdies mußte es für die meisten, sonst vielleicht positiv eingestellten Besucher den Anstrich haben, als gäbe es hier etwas zu vertuschen.

Palmer tat gewöhnlich nichts ohne guten Grund, aber den Sinn dieser Maßnahme sah der doch nicht ganz ein. Wollte der Manager sich denn um jeden Preis Feinde machen und dabei Freunde verlieren?

Wenigstens war es ein guter Witz. Selbst Dodd lachte, als er sie sah. Einer plötzlichen Eingebung folgend, verließ Ferrel die Station und ging in die Kantine hinunter. Es waren jetzt nicht viele Leute dort, aber er verstand Bruchstücke ihrer Unterhaltung, während er auf den bestellten Kaffee wartete. Die allgemeine Reaktion war, daß Palmer heute sein bestes Ding seit langem gedreht hatte.

Er ging wieder nach oben und nahm einen Extrabecher für Meyers mit. Sie konnte ihn gebrauchen. Sie hatte bisher als einzige wirklich gearbeitet. Jetzt war sie allein. »Das Geschäft läßt nach«, meinte er und stellte ihr den Becher auf den Tisch.

»Vielen Dank, Dr. Ferrel, Sie retten mir das Leben.« Mit reichlich Zucker verwandelte sie die Brühe in einen konzentrierten Sirup, und dankbar schlürfte sie das heiße Zeug. »Mich mag anscheinend keiner mehr. Seit zwanzig Minuten war niemand hier.«

Ferrel blieb noch ein paar Minuten. Dann ging er. Seine Ahnung hatte nicht getrogen. Palmer wußte genauso gut wie Jenkins, daß die Nachricht von der Inspektion sich unter den Leuten wie ein Lauffeuer verbreitet hatte. Die Mannschaft war in Verwirrung. Darauf war Palmer gefaßt gewesen. Er hatte den Leuten das einzige wirksame Gegenmittel verabreicht: er hatte ihnen etwas zu lachen gegeben. Das könnte die Lage entspannen. Ob das bis zur eigentlichen Inspektion vorhalten würde, war eine andere Frage.

Dodd brachte den ersten Bericht. Die Kommission war offenbar größer, als der Doc gedacht hatte. Ein halbes Dutzend Kongreßleute war gekommen und mit ihnen eine Anzahl von »Experten«. Andere eilten draußen mit ihren Instrumenten durchs Gelände und nahmen an Ort und Stelle Messungen vor, um zu prüfen, ob Boden oder Atmosphäre radioaktiv verseucht waren. Das war eine verständliche Maßnahme, obwohl National selbst diese Untersuchungen natürlich regelmäßig vornahm.

Sie hatten schon zwei der Konverter ohne Beanstandung überprüft. Nicht der kleinste Zwischenfall hatte sich ereignet, noch war also alles in Ordnung. Die Krankenstation schien noch nicht an der Reihe zu sein. Der Doc war überrascht. Er hätte sie hier zuerst erwartet. Er schaute auf die Uhr und stellte fest, daß schon Mittag war.

Er ging raus, um Dodd über den Stand der Dinge zu befragen, aber sie wußte kaum Neues. Die Leute von der Kommission schienen keinen festen Plan zu haben. Anscheinend hielten sie sich gerade in der Versandabteilung auf.

So blieb er eine Viertelstunde länger unter Dampf. Er erkannte seine innere Erregung erst am zerkauten Ende seiner Zigarre. Das Ding war nicht mehr zu gebrauchen. Er spuckte den Tabak aus und murmelte vor sich hin.

Die Leute, die gerade von der Kommission aufgesucht wurden, machten keinen Ärger. Von denen, die das Theater schon hinter sich hatten, war auch nichts zu befürchten. Sorgen machten ihm die Leute, die warten mußten und nicht wußten, wann sie an der Reihe waren. Er selbst hatte nichts zu befürchten, und doch zeigte auch er jetzt Nerven . . .

Er ging ins vordere Büro. Wenn überhaupt, dann hätte am ehesten die Dame von der Aufnahme oder die Sekretärin irgendeinen Freund in der Verwaltung. Der kleinste Hinweis würde genügen. Er ging gerade durch die Tür, als ein kleiner drahtiger Mann von draußen hereinkam, die Melone abnahm, sich über den Schnurrbart strich und auf die Empfangsdame zuging. Als Ferrel aufblickte, erkannte er den Mann.

»Busoni! Was machen Sie denn hier?« Natürlich war es nur eine rhetorische Frage.

Die Antwort kam wie erwartet. »Ich gehöre zum Experten-Team. Sozusagen Ihr Kontrolleur. Ich wollte schon immer mal mit Ihnen sprechen. Daß Sie hier beschäftigt sind, wußte ich ja. Was macht die Blutwäsche?«

»Die funktioniert bestens – jedenfalls bis Sie herkamen, Sie alter Knochenbrecher.« Busoni hatte mit Ferrel zusammen die Universität besucht. Er war Spezialist für Knochenbrüche. Er hatte über das Brechen und Korrigieren von schlecht verheilten Frakturen gearbeitet und damit einigen Ruf erlangt. Später trat er dadurch hervor, daß er Methoden entwickelte, radioaktive Ionen aus dem Kalzium der Knochen herauszuwaschen, ohne die Kalziumablagerung selbst anzugreifen. Der Doc hatte ihm einmal einen Patienten geschickt, bei dem der herkömmliche Blutaustausch und die Behandlung mit Chemikalien der Versengruppe nicht geholfen hatte.

Er hielt die Tür auf, und der andere betrat die Behandlungsräume. Busoni eilte hin und her, überprüfte die Ausstattung und die Geräte und verschwand dann in der Damentoilette. Nach einer gründlichen Inspektion kam er wieder zum Vorschein, nickte und machte Anmerkungen in seinen Listen. »Sie haben bestanden, Ferrel. Ein Mann, der eine Damentoilette sauberhält, bekommt bei mir gute Noten.«

Er lächelte, als er das sagte, aber der Doc wußte nicht, ob dieses Lächeln echt war. Endlich hatte der Mann das Wesentliche erledigt. Er klappte das Buch zu und wirkte nun ein wenig entspannter. »Bei Ihnen war es nicht schwer, Roger. Die Kommission weiß, daß ich Sie kenne. Nun glauben sie alle, Sie würden mir nicht den geringsten Mist verschweigen. Ich weiß es besser, aber lassen wir den Leuten ihre Illusionen. Wie dem auch sei, ich fürchte, hier wird man sehr gründlich prüfen. Die meisten von der Kommission sind ganz in Ordnung, aber man hört eine Menge böse Gerüchte über Palmer. Wie ist es denn nun – stinkt der Mann, oder sollen wir ihn laufen lassen?«

»Schließlich arbeite ich immer noch hier«, erklärte Ferrel. »Sogar heute, obwohl ich eigentlich frei habe.«

Busoni grinste. »Mir genügt diese Antwort, den andern wohl kaum. Palmer machte einen groben Schnitzer, als er die Journalisten rauswarf. Ich kann mir schon denken warum, aber jetzt sind die Kerle stocksauer.«

Von draußen ertönte das Jaulen der elektrischen Sirene und steigerte sich zu einem schrillen Kreischen von einer Intensität, die selbst die Wände vibrieren ließ. Gefahr! Die wechselnde Tonhöhe zeigte an: Dies war kein normaler Unfall. Radioaktivität war frei!

»Dr. Ferrel!« dröhnte es aus dem Lautsprecher. »Telefon!«

Er griff nach dem Hörer. »Ferrel!«

»Punkt Zwanzig!« fauchte Palmer und knallte den Hörer auf die Gabel. Ferrel wußte genug. »Punkt Zwanzig!« das war der Atommeiler, in dem die Energie für das Werk erzeugt wurde. Wenn schon Unfälle geschahen – Punkt Zwanzig hatte ihm gerade noch gefehlt.

Er riß die Tasche mit dem Notbesteck vom Haken und eilte

nach hinten. Dodd rannte mit dem Operationskittel hinterher. Er schüttelte den Kopf, aber sie packte das zusammengerollte Textil nur um so fester. Im hinteren Aufnahmeraum hatte Beel den kleinen Notkarren bereits mit Doppeltragen ausgerüstet, und der Motor lief. Er wartete, bis Ferrel und Dodd aufgestiegen waren und an den Griffen Halt gefunden hatten. Dann raste er davon. Der andere Fahrer wartete auf Dr. Blake und dessen Schwester. Der Doc ließ seine Blicke über die mitgeführte Ausrüstung gleiten und nickte zufrieden. Auf den Krankenpfleger Jones konnte er sich blind verlassen. Der Mann tat immer das Richtige.

Jetzt erst merkte er, daß Busoni mitfuhr. »Radioaktivität frei!« überschrie der Doc das Heulen der Bordsirene des Fahrzeugs. Er war irgendwie froh, einen Kollegen an seiner Seite zu wissen.

In Scharen rannten die Männer zum Konverter. Sie kannten das Risiko, aber der Drang, den Unfall zu beobachten, war stärker. Ihre Anwesenheit hätte nur die Rettungsarbeiten erschwert, aber die Wachen paßten auf. Sie trieben die Männer zurück. Ein Fahrzeug, das wie ein Feuerwehrauto mit Haken und Leiter aussah, überholte sie mit Höchstgeschwindigkeit. Seine komplizierten Aufbauten wirkten wie riesige Hummerzangen, und an jedem Ende des Fahrzeugs saß unter schwerer Abschirmung je ein Mann, um das Monstrum zu lenken.

Mit quietschenden Reifen hielt der Unfallwagen vor dem Seiteneingang der gigantischen Konstruktion, in der sich der eigentliche Meiler befand. Früher war dieser Konverter der gewaltigste Spaltungsreaktor überhaupt gewesen, und auch heute noch zählte er zu den größeren. Hier wurde das Uran-Isotop U-235 gespalten, das einzige, das zum Zwecke der Energiegewinnung überhaupt spaltbar ist. Bei diesem Prozeß wurde U-238 in Plutonium umgewandelt. Hauptsächlich daraus wurde die Energie gewonnen. Anders als ältere Anlagen war dieser Reaktor gleichzeitig ein Brutreaktor. Ein solcher Reaktor wird mit Plutonium betrieben. Daneben verwandelt er U-238 in weiteres Plutonium, das dazu aufgearbeitet werden kann, weitere Brüter mit Brennstoff zu versorgen. Gleichzeitig konnte man damit geringe Mengen normaler radioaktiver Elemente produzieren, wie radioaktives Potassium, und genau das war die Substanz, die bei diesem Unfall freigeworden war.

Die bei dem ganzen Verfahren entstehende Hitze wird über flüssiges Sodium dazu verwendet, Wasser zu erhitzen. Der entstehende Dampf treibt Turbinen an. So werden die Zigtausende von Kilowatt gewonnen, die zum Betreiben der Anlage erforderlich sind, die Kimberly mit Strom versorgen und die auch noch anderen Gebieten zusätzliche Energie liefern können.

Aber jetzt war die rote Flagge aufgezogen. Die Dämpfungsstäbe wurden eingefahren, um die Energieentwicklung zu mindern. Die Leute mußten die Gefahrenzone durch die Ausgänge verlassen.

Bei einem der Ausgänge hatte es offensichtlich Schwierigkeiten gegeben. Als der Notkarren zum Stillstand kam, wurde gerade der komplizierte Greifer in Stellung gebracht. Er war mit massiver Schutzabschirmung versehen für die Männer, die ihn bedienten, und auch diese trugen noch ihre besondere Schutzkleidung. Das Ungetüm mußte in die Anlage hineingefahren werden und sich dabei der Architektur des Ganges anpassen. Wie bei allen Atommeilern, waren auch hier die Fluchtwege mit mehreren rechtwinkligen Biegungen konstruiert. Man ging von der Theorie aus, daß die Strahlung gradlinig verläuft und nur ein geringer Teil zurückgeworfen wird. Ein Mann jedoch konnte im Zickzack laufen und so immer sichereres Terrain erreichen.

Jetzt kam der Greifer so schnell wieder zurück wie die Leute die einzelnen Sektionen durch den Gang steuern konnten. Werkschutzleute in Schutzanzügen räumten die Halle. Einer von ihnen ging auf den Doc zu und hielt auch ihm die schwere Schutzbekleidung hin. Ferrel verzog das Gesicht, aber gehorsam kletterte er in den Anzug. »Was ist passiert?«

»Ich hab' nicht alles mitbekommen«, berichtete der Mann vom Werkschutz. »Sie wollten radioaktives Zeug für das Hospital in Kimberly rausholen. Einer der Männer ließ die Zange fallen, und der ganze Dreck floß über den Fußboden. So ungefähr war das. Einer von den Jungs kam nicht mehr raus.«

Der Doc sah, daß auch Dodd, Busoni und Blake Schutzbekleidung angelegt hatten. Er schloß das Visier seines Helms. Jetzt war der Greifer rückwärts aus dem Gang herausgefahren. Zwischen seinen weich gepolsterten Zangenarmen hing wie leblos eine menschliche Gestalt. Die Zangen schwenkten herum und ließen den Mann in einen gegen Strahlung abgeschirmten, weich ausgekleideten Behälter herab.

Der Doc trat vor, Busoni an seiner Seite. Auch Beel hatte einen Anzug angelegt. Er rangierte den Notkarren in Position, und bevor der Doc den Verunglückten erreichte, hatte er schon das erforderliche Gerät von der Ladefläche genommen.

»Wie lange?« fragte Ferrel.

Mervin, der für diesen Meiler zuständige Ingenieur, hatte das schon ermittelt und sagte: »Sechs Minuten.« Die Membrane des Helms ließ seine Stimme gedämpft klingen. »Aus irgendeinem Grund wurde der Alarm nicht gleich ausgelöst. Soweit ich weiß, sah er das Gefäß fallen und fing es mit den Handschuhen auf. Er warf es in den Tiegel zurück und schloß den Deckel. Dann rannte er zum Durchlaß, der noch geöffnet war. Er war der vollen Strahlung mindestens eine halbe Minute lang ausgesetzt.«

Dem Doc wurde übel. Eine halbe Minute! Vielleicht wäre es besser für ihn gewesen, wenn er gleich in der Kammer gestorben wäre.

Dodd, Busoni, Blake und er arbeiteten Hand in Hand. Sie legten dem Bewußtlosen die Apparaturen für den Blutaustausch an. Das alte Blut sollte durch neues ersetzt werden, das der auf seinem Unterarm eintätowierten Blutgruppe entsprechen mußte. Dodd hatte ihn schon entkleidet, und der abgeschirmte Behälter wurde ausgesprüht, um den Mann vor etwaiger äußerer Verseuchung zu schützen.

Plötzlich hielt der Doc inne und sah genauer hin. Der Mann war Clem Mervin, der Sohn des leitenden Ingenieurs! Das Gesicht des älteren Mervin war hinter seinem Helmvisier kaum zu erkennen, aber er nickte langsam, als er den fragenden Blick des Doc auf sich gerichtet sah. Er hatte es die ganze Zeit gewußt.

»Wir retten ihn«, versprach Ferrel. Das konnte stimmen – was sein Überleben anbetraf. Heutzutage überlebten selbst Leute, die gewaltige Dosen eingefangen hatten. Aber war überleben wirklich alles? Der Junge würde mindestens ein Jahr lang Höllenqualen erleiden, und das war erst der Anfang. Anschließend war er mit Sicherheit nicht mehr zeugungsfähig. Auch sein Gehirn mußte irreparablen Schaden erlitten haben.

Mervin konnte man nichts vormachen. Der wußte es selbst. Ein kleines Gefährt, das wie ein Tank aussah und dicke Schläuche hinter sich herzog, war in den Gang gerollt, um die Kammer zu spülen. Nun kam es wieder heraus, und die rote Flagge wurde eingeholt. Anscheinend war die Strahlung in der Kammer auf ein ungefährliches Maß abgesunken. Dafür hatte Clem Mervin sich geopfert. Nur weil er das bißchen wertvolle aber tödliche Zeug in den Tiegel zurückgeschafft und den Deckel wieder verschlossen hatte, war die Strahlung nicht zu stark gestiegen.

Mervin riß sich mit Gewalt zusammen. »Tun Sie, was Sie können, Doc! Ich muß zurück und das Potassium bergen, bevor im Hospital von Kimberliy jemand stirbt, weil es nicht zur Verfügung steht.«

Er ging davon, um seine Mannschaft zusammenzurufen. Der Doc winkte dem bereitstehenden Unfallwagen, und ein paar Männer hoben den schweren, sargähnlichen Behälter mit dem Bewußtlosen hinein. Ferrel und die anderen entledigten sich ihrer Rüstung. Dies war ein Fall für die Abteilung für Strahlenschäden im Hospital von Kimberly. Sie war zwar kleiner als die Krankenstation im Werk, dafür aber besser ausgerüstet. Den Mann am Leben zu erhalten, würde sehr lange dauern und eine intensive Behandlung erfordern.

Der Doc wollte in den Krankenwagen steigen, aber Blake hielt ihn zurück. »Lassen Sie, Doc, diese Fuhre mache ich.«

Dem Doc war es recht. Er trat zurück und schaute dem mit gellender Sirene davonpreschenden Fahrzeug nach. Er würde von Zeit zu Zeit ins Hospital fahren, um sich persönlich um den Mann zu kümmern, im Augenblick konnte er jedoch nichts tun. So stark zerstörtes Gewebe brauchte monatelange Behandlung.

Schweigend ging er mit Busoni zum Notkarren zurück, aber sechs oder sieben Männer standen ihnen im Weg. Einer löste sich aus der Gruppe und trat auf sie zu.

»Behandeln Sie Ihre Patienten immer so, Doktor?« fragte er böse. »Zuerst versprechen Sie das Blaue vom Himmel herunter, und dann überlassen Sie sie anderen?«

Die Männer standen starr vor Schreck, und einer wollte den Wütenden besänftigen. Aber Busoni war zuerst da. »Sie halten verdammt das Maul!« sagte er grob und schob mit seiner kleinen Gestalt den grobknochigen Mann aus Ferrels Weg. Dann bestieg er mit dem Doc den Karren, und die Kongreßleute von der Kommission starrten ihnen nach. Nun steckten sie die Köpfe zusammen, aber der Doc war nicht mehr interessiert. Sollten die Kerle doch tun und lassen, was sie wollten.

»Jetzt schäumt er natürlich vor Wut, aber Morgan wird ihn schon beruhigen«, sagte Busoni. Er grinste verkniffen. »Morgen werden wir uns entschuldigen müssen. Das Komische an der Sache ist, daß sie damit auch schon erledigt ist. Mir persönlich kann man nichts anhaben, keine Sorge. Seien Sie froh, daß nicht alle unserer Vertreter so sind wie dieser. Die Kommission wird mir zustimmen, wenn ich den Leuten sage, daß Sie verdammt gute Arbeit geleistet haben. Euer Mervin kriegt bestimmt eine Medaille.«

Der Doc nickte müde; das war ziemlich unwichtig. Ein Bericht über ihn in dieser Angelegenheit machte ihm wirklich keine Sorgen. Technisch gesehen war es ein Routineunfall gewesen, der ganz normal und zügig abgewickelt worden war. Für ihn und das Personal war das selbstverständlich. Es war ihnen lediglich nicht gelungen, ein Wunder zu bewerkstelligen: dem jungen Mann Leben und Gesundheit zu garantieren, worauf er doch ein Anrecht hatte. Die ganze heutige Medizin konnte ein solches Wunder nicht schaffen. In späteren Zeiten mochte es das auf Bestellung geben, aber vorläufig konnte er mit den Erfolgen seiner Arbeit noch nicht zufrieden sein.

Er schüttelte diese Gedanken ab und verdrängte diesen Fall ins Unterbewußtsein. Er erinnerte sich an so viele solcher trauriger Fälle. Er würde diese Last eines Tages nicht mehr tragen können. Dann würde er alt sein. Aber bisher konnte er es noch verkraften. Als die Karre hielt, schüttelte er Busoni die Hand und machte die üblichen höflichen Bemerkungen über den nächsten Medizinkongreß, auf dem man sich wahrscheinlich treffen würde. Natürlich trat dieser Fall nie ein. Der Unterschied zwischen einem praktischen Arzt und einem berühmten Wissenschaftler war einfach zu groß.

Er achtete sorgfältig darauf, daß das Gerät, mit dem der junge Mervin in Berührung gekommen war, in die Entseuchungskammer geschafft wurde. Endlich machte er sich auf den Weg zum Verwaltungsgebäude, um Palmer Bericht zu erstatten. Natürlich war der Manager über den Vorfall schon informiert. Bestimmt aber wollte er wissen, wie es um den Jungen stand und was man für ihn tun konnte.

Vielleicht brauchte er auch nur einen alten Bekannten in der Nähe. Der eine Unfall, der genügen konnte, das Werk als unsicher erscheinen zu lassen, hatte sich soeben ereignet. Im Werk mochte er Routine bedeuten, aber die Männer, die noch nie einen atomaren Unfall erlebt hatten, könnten ihn als endgültigen Beweis dafür ansehen, daß alles, was mit Atomenergie zusammenhing, zu gefährlich war, um in der Nähe bewohnter Gebiete geduldet zu werden.

Der Doc fragte sich, was Emma wohl zu einer Verlegung sagen würde – falls man das Werk überhaupt verlegen *konnte*.

III

Allan Palmer wußte schon lange, daß ein Manager in sein Büro gehörte.

Diese Erkenntnis war nicht sofort gekommen, und er hatte teures Lehrgeld zahlen müssen. Endlich aber hatte er die Tatsache akzeptiert. Nur von seinem Schreibtisch aus konnte er den Job erledigen, den ihm niemand abnehmen konnte, und der nur von hier aus zu schaffen war: eben der Job des Managers! Ging er nach draußen, um Heldentaten zu verrichten, machte er sich bei den Leuten beliebt. Andererseits mußten die gleichen Leute darunter leiden, denn wer sollte inzwischen die Arbeit tun?

Diese schwer erworbenen Einsichten waren eins der Geheimnisse seines Erfolges. Vom kleinen Maschinenbauingenieur, der unter Nichtskönnern arbeiten mußte, hatte er sich zum Boß einer Reaktorbaufirma hochgeschuftet. Als schlechtes Management die National fast ruiniert hatte, war er eingesprungen und hatte den Laden übernommen. Von diesem Schreibtisch aus hatte er Link und Hokusai überredet, ihre neuen Theorien über superschwere Isotope praktisch zu erproben. Von hier aus hatte er die phantastischen Summen für den Bau ihres ersten Konverters aufgetrieben. Hier an diesem Schreibtisch hoffte er, daß Hokusai eines Tages die Entwicklung eines Treibstoffs gelang, der den Menschen zu den fernsten Planeten tragen konnte – und zurück.

Schweigend hörte er sich Ferrels Bericht an und widerstand dem alten Drang, loszustürmen und einen letzten Versuch zu machen, irgendwie die Sicherheit der Anlage zu beweisen, bevor die Kommission das Werk verließ. Er bemerkte das angespannte Gesicht des Doc. Er kannte den Mann lange genug, um den Grund zu erraten. Ferrel machte sich um ihn Sorgen. Der Doc war gar nicht auf den Gedanken gekommen, daß es auch um ihn ging. Um ihn und alle anderen.

Palmer lehnte sich zurück. Er schaute aus dem Fenster nach Kimberly hinüber. Wenn die Verrückten recht bekamen, war es in fünf Jahren eine Geisterstadt. Eine Stadt dieser Größe konnte hier überhaupt nicht existieren ohne die billige Energie, ohne das Atomwerk, von dem die übrige örtliche Industrie abhing. Wieviel würde der Doc noch für sein Haus bekommen? Mußte er nicht mit den Einkünften eines praktischen Arztes in einer sterbenden Stadt seinen Sohn von der Universität nehmen? Und was sollte die körperbehinderte Frau des Doc in irgendeiner Einöde anfangen, in die das Werk durch Gesetz verbannt werden würde?

Es wäre ein böser Schlag für den Doc. Wenn die Verrückten durchkamen, wäre jeder ein Paria, der mit der Atomanlage zu tun hatte. Der Doc war noch nicht zu alt, um in einem Krankenhaus Dienst zu tun, aber wie würde er mit dem Stigma fertigwerden, das dann auf ihm lag? Tausend andere hier waren in der gleichen Lage. Sie nannten es *sein* Problem. Dabei war er der einzige, dem wirklich nichts passieren konnte, wenn er hier aufgeben mußte. Er hatte ein beträchtliches Privatvermögen, und das Geld war sicher angelegt. Er konnte nach Europa fahren, sich aus dem Berufsleben zurückziehen . . .

Diese verdammten Narren, die die Verlegung des Werks verlangten! Sollten sie doch versuchen, einen Atomreaktor zu verlegen, der fünfundzwanzig Jahre lang in Betrieb gewesen war und dabei jede Sekunde Radioaktivität erzeugt hatte! Ließ man den Meiler aber hier ohne Wartung verrotten, würde in dem Ding bald die Hölle los sein! An die dann entstehende Verseuchung mochte er gar nicht denken!

»Doc«, sagte er endlich, »wir arbeiten über zwanzig Jahre lang zusammen. Habe ich Sie während der ganzen Zeit ein einziges Mal belogen?«

Es hätte nicht des Anflugs eines Lächelns auf Ferrels Gesicht bedurft, die Frage zu beantworten. Auch das war eine Lektion, die Palmer gelernt hatte: immer und unbedingt die Wahrheit zu sagen, und wenn sie noch so schmerzlich war. Nun lehnte er sich zurück und zwang eine Gelassenheit in sein Gesicht, die er nicht empfand. »Okay, dann denken Sie um Gottes willen nicht länger, ich sei erledigt. Wäre das der Fall, würde ich es Ihnen sagen! Der Unfall war natürlich peinlich, und vielleicht konnte ich ihn mir nicht leisten. Ich habe ihn vorausgesehen – unter diesen Umständen mußte er einfach kommen; wir konnten nur hoffen, daß niemand verletzt wurde, oder wenigstens nicht allzu viele. Es wird uns teuer zu stehen kommen, aber verdammt, wir finden einen Weg. Noch sind wir nicht verlegt, und solange ich lebe, werden wir es auch nicht. Sie haben mein Wort. Und nun fahren Sie nach Hause und ruhen Sie sich aus. Tun Sie es meinetwegen auch hier, aber hören Sie auf, sich meinen Kopf zu zerbrechen.«

Er sah dem Doc nach, der zur Krankenstation zurückging, und nickte bedächtig. Wenn er das erste Mal seit über zwanzig Jahren gelogen hatte, war es für einen guten Zweck geschehen. Der Doc schien ein Dutzend Jahre jünger als der müde, resignierte Mann, der heute morgen den Gang heraufgekommen war. Vielleicht hatte er gar nicht gelogen? Vielleicht konnte er das Steuer noch herumreißen. Wenn nicht . . .

Er stand auf, ging zur Wand hinüber und studierte die Listen mit den Kunden der National und den benötigten Mengen.

Ganz oben auf der Liste waren die Krankenhäuser aufgeführt, nicht weil sie große Mengen kauften, sondern weil ihr Bedarf jederzeit Vorrang hatte. Weiter unten kamen dann die Beschaffungen für die Armee, die öffentlichen Versorgungsbetriebe, die Raketenforscher, die superschwere Isotope zum Auskleiden der Brennstoffkammern benötigten, da nur sie die Verbrennungstemperaturen der modernsten Treibstoffe aushielten – darunter waren alle größeren Unternehmen der Welt aufgelistet. Im Laufe von fünfundzwanzig Jahren waren superschwere Isotope zu einem aus der gesamten Zivilisation nicht mehr wegzudenkenden Faktor geworden. Und nun wollte man die Anlagen einfach rausreißen – als ob es überhaupt möglich war, jeden größeren Industriebetrieb fernab von Städten mit mehr als zehntausend Einwohnern anzusiedeln. Innerhalb von sechs Monaten nach der Verlegung würde in der Nähe eine dreimal so große Stadt entstehen. Das ging auch gar nicht anders. Schließlich brauchte man Versorgungsbetriebe. Die Arbeiter brauchten Bäcker, Schlachter, Lebensmittelläden und Schuhgeschäfte, von den Zulieferbetrieben, ohne die auch National selbst nicht funktionieren konnte, ganz abgesehen.

Sanft klang die Stimme seiner Sekretärin aus dem Interkom. »Der Abgeordnete Morgan ist hier, Mr. Palmer. Er möchte Sie sprechen.«

»Schicken Sie ihn herein, Thelma«, bat er. Morgan war der beste Mann in der ganzen Kommission, der einzige, der die Fakten sah. Beiläufig dachte er an das schlohweiße Haar des Mannes. Ob er es wohl färbte, um diese frappierende Wirkung zu erzielen?

Auch alles andere an dem Mann war eindrucksvoll. Irgendwo in den Akten vergraben hatte Palmer eine fast vergessene Notiz, die besagte, daß Morgan unter anderem Namen ein bekannter Schauspieler gewesen war, bevor er Jura studierte und in die Politik ging. Wenn er wollte, war er immer noch ein hervorragender Schauspieler. Heute allerdings sah man davon nicht viel. Er wirkte müde, und die Hand, die er Palmer reichte, hatte nicht den gewohnten fest zupackenden Griff.

»Die anderen sind wohl schon weg?« fragte Palmer.

Morgan nickte. »Sie sind vor einer Viertelstunde gefahren. Sie haben gesehen, was sie sehen wollten. Die meisten sind ehrlich, Allan. Selbst Shenkler glaubt den Mist, den er dauernd redet. Aber der Unfall macht es ihnen leichter, ihre Wähler in den einzelnen Staaten im Sinne der Gesetzesvorlage zu beeinflussen. Verdammtes Pech.«

»Vielleicht. Aber wenigstens hat die Guilden-Presse keine Fotos vom Unfall. Das habe ich immerhin geschafft«, sagte Palmer. »Nennen Sie es kalkuliertes Risiko. Als Sie mir gestern wegen der Inspektion Mitteilung machten, wußte ich nicht, ob man sie nicht lieber hätte verschieben sollen. Ich weiß es heute noch nicht, aber es ist zu spät, es sich noch anders zu überlegen. Bourbon?«

Morgan nickte, und er schenkte ein. Seinen eigenen Drink mixte er mit einem Farbzusatz, damit er stärker wirkte als er war.

»An was denken Sie, Phil?« fragte er.

Morgan lachte. Es war ein wohltönendes, kultiviertes Lachen, und man munkelte, er habe es jahrelang geübt. Es paßte zu seiner weichen Stimme und dem singenden Südstaatendialekt, der bei Wahlkämpfen allerdings einen harten Klang annehmen konnte. Diesmal war es ganz ungekünstelt. »An meine Wiederwahl«, gab er offen zu. »Und daran, einen Haufen aufgehetzter Idioten daran zu hindern, uns zu ruinieren. Was geschieht, wenn die Vorlage noch ein wenig in den Ausschüssen schmort, Allan? Sagen wir mal zwei Jahre.«

Dann wäre die Vorlage gestorben, das wußte Palmer. Der Unfall von Croton und einige anderswo registrierte Strahlenverseuchungen hatten den wenigen Fanatikern in die Hände gearbeitet. In zwei Jahren war alles anders. Man würde ab sofort die Anlagen strenger kontrollieren, die Bürger würden sich wieder sicher fühlen, und die ganze Bewegung würde sang- und klanglos eingehen wie viele andere Verrücktheiten. Oft schon war durch besonnene Reaktion, durch ruhiges Handeln im Verborgenen Unheil abgewendet worden, während die Zeitungen zeterten und die Fehler im System suchten. Immerhin war Morgan Vorsitzender des Ausschusses, der die Vorlage mit Empfehlungen an den Kongreß weiterleiten mußte.

»Ich höre«, sagte Palmer. »Aber schaffen Sie das?«

»Nicht direkt. Aber ich kann Sitzungen anberaumen, verzögern, Alternativpläne diskutieren – und ähnliches. Die Zeit ist das einzige Problem.« Morgan starrte angestrengt auf sein Glas und ließ den Whisky darin kreisen. Die aufsteigenden Perlen glänzten in der Sonne. Langsam schüttelte er den Kopf. »Ob Sie es glauben oder nicht, Allan, das öffentliche Wohl bedeutet mir nun einmal mehr als meine eigene Person. Wenn meine Taktik die Vorlage erledigen kann, werde ich es tun. Aber, um das Ding unter Verschluß zu halten, muß ich in vier Monaten wiedergewählt werden. Dann hätten wir die zwei Jahre. In gewisser Hinsicht habe ich Glück. Mississippi ist immer noch vorwiegend ein Agrarstaat. Dort gibt es kaum atomare Anlagen. Vielleicht schlucken es meine Wähler, wenn ich die Vorlage totschweige.«

Er nahm noch einen Schluck und seufzte. Er dachte eine Weile nach. »Vielleicht! Aber ich bin nicht sicher. Ich muß meinen Wählern zeigen, daß ich etwas für sie tue, etwas, das ihnen mehr bedeutet als diese lausige Vorlage. Und da brauche ich Sie.«

»Wie?«

»Passen Sie auf. Ich kann nicht garantieren, daß ich das Ding über die Bühne bringe. Wenn die Sache wirklich heiß wird, kann man die Vorlage vor den Kongreß zwingen, egal, was ich unternehme. Ich kann nur versuchen, eine Abstimmung zu verhindern.«

»Das ist mir alles bekannt«, stimmte Palmer zu. Natürlich hatte er seine Vorbehalte.

»Haben Sie vielleicht ein Exemplar Ihrer kleinen Hauszeitung?«

Palmer fand eines auf seinem Schreibtisch und reichte es dem anderen. Wußte Morgan denn nicht, daß es sich bei der »kleinen Hauszeitung« um die bedeutendste wissenschaftliche Publikation auf dem Gebiet der Atomtechnik handelte? Aber dann staunte er, als der Politiker ihn auf einen Artikel in dem Blatt hinwies. Entweder verstand Morgan wesentlich mehr von Mathematik und Ingenieurswesen, als er geahnt hatte, oder er hatte einen Experten zur Seite.

»Bei uns zu Hause dauert es ziemlich lange, die neue mutierte Art des Rüsselkäfers loszuwerden«, sagte Morgan. »Hier wird behauptet, daß es in vier Monaten zu schaffen ist. Wenn ich das Land der Farmer in vier Monaten von diesem Ungeziefer befreie, so daß es wieder bebaut werden kann, wählen sie mich, und wenn ich auf General Lees Bild spucke oder Atheist werde. Das Geld ist zu beschaffen – das ist kein Problem. Ich brauche genug von dem Zeug, um 100 000 Morgen zu behandeln. Dann ist die Vorlage vom Tisch.«

Der Manager studierte die Landkarte, die Morgan ihm reichte, und schätzte die benötigte Menge ab. Das wäre Arbeit für zwei Konverter. »Es wird noch nicht produziert«, gab er zu bedenken. »Jorgenson hat einen Test gefahren und auch schon die Technik für die Konverter entwickelt. Wir können für die Konverter noch keine ausreichende Nutzleistung garantieren, oder –«

»Wenn ich für den Anfang nur ein Viertel der benötigten Menge bekomme und der Rest nachgeliefert wird, komme ich schon hin.«

Noch einmal prüfte Palmer die Unterlagen. Er mußte mit Hokusai und einigen anderen reden. Aber die Zeit drängte. Wenn es für Morgans Wiederwahl noch Sinn haben sollte, mußten sie sofort mit der Produktion beginnen. »Ich lasse Jorgenson rufen und bespreche die Sache mit ihm«, schlug er vor. »Wenn wir es überhaupt schaffen, lasse ich die Konverter sofort umrüsten, und wir fahren noch heute abend eine Extraschicht. OK?«

»Ihr Wort genügt mir.« Morgan stand auf und trank seinen Rest Whisky aus. Dann reichte er Palmer die Hand. »Ich muß zu den Kollegen zurück. Ich will vermeiden, daß sie mißtrauisch werden.«

Palmer sah ihm nach. Er zuckte die Achseln und bat Thelma, Jorgenson zu suchen. Dieses Problem überforderte seine Kenntnisse moderner Konvertertechnologie. Hier mußte er sich auf den Produktionsingenieur verlassen. Die Zeit reichte nicht aus, sich intensiv mit der Sache zu befassen, um sich selbst eine Meinung zu bilden.

Zum hundertsten Mal verfluchte er die Tatsache, daß Kellar nicht mehr lebte. Der Mann war sein hauptsächlicher Konkurrent gewesen, der einzige, der ihm hätte gefährlich werden können. Aber er war ein Genie gewesen, ein Mann, der wie kein anderer die Fähigkeiten eines begabten Ingenieurs mit denen des reinen Mathematikers und abstrakten Wissenschaftlers verband. Mit fast instinktiver Reaktion beherrschte er beides. Er hätte viel darum gegeben, wenn er Kellar jetzt hätte anrufen können, um kurz seine Meinung einzuholen. Aber Kellar war tot, und der einzige, der je unter ihm gearbeitet hatte, war Jorgenson.

Es dauerte nicht lange, bis Jorgenson kam. Er schien den Raum ganz auszufüllen. Er hörte schweigend zu, als Palmer die Situation erklärte. »Es wird nicht leicht sein«, sagte er in seinem langsamen Tonfall. »Das erfordert eine radikale Umrüstung der Konverter. Außerdem brauche ich ein paar Stunden, um meine Techniker zu instruieren. Welche Konverter nehmen wir?«

»Die können Sie sich aussuchen. Sie sind alle frei außer Nummer Eins und Sechs.«

»Dann nehmen wir Drei und Vier. Es ist natürlich schwierig, ein neues Verfahren gleich in zwei Konvertern zu testen, aber ich denke, wir schaffen es. Natürlich brauche ich Geld für das benötigte Material.«

Palmer grinste säuerlich. Alles kostete Geld, und wenn man den Ingenieuren freie Hand ließ, gab es für die nächsten zehn Jahre keinen Dollar Profit. In diesem Fall aber spielten die Kosten keine Rolle. Jorgenson konnte nicht einmal einen Bruchteil dessen ausgeben, was der Erfolg in diesem Falle wert war. »Vergessen Sie die Kosten, Jorgenson, und tun sie das Nötige. An der Finanzierung stricken wir später.« Er machte eine Pause. »Das heißt, wenn Sie es überhaupt riskieren wollen.«

Der hünenhafte Ingenieur sah ihn finster an. »Natürlich riskiere ich es. Warum denn nicht?«

»Weil Sie mit Leuten arbeiten, die heute schon einmal einen Unfall erlebt haben. Schön fanden sie den bestimmt nicht. Außerdem sind sie müde von der Schicht und machen sich Gedanken darüber, was aus ihnen werden soll, falls der Bericht der Kommission negativ ausfällt. Zur Zeit sind sie keine vollwertigen Kräfte. Ich könnte Ihnen die doppelte Anzahl zur Verfügung stellen, wenn das hilft, aber keine ausgeruhten, sorglosen Männer. Wollen Sie immer noch?«

»Ich mache es.«

Jorgenson schwieg. Er zögerte. Dann hatte er sich entschieden. Er hob seine gewaltigen Schultern. »Hören Sie zu, Palmer. Die mathematische Seite ist wasserdicht. Da stimmt alles, und ich habe sechs Testläufe im Tank gefahren. Ich finde nicht den geringsten Fehler. Da sie mir aber das Problem geschildert haben, sollte ich eines erwähnen: Einer ist gegen das Verfahren. Nur einer – sonst hat niemand Bedenken. Ich mußte es Ihnen aber sagen.«

»Natürlich«, pflichtete Palmer bei. »Und wer ist dieser eine?«

»Nur ein Amateur – Atomwissenschaften sind sein Hobby, nehme ich an. Aber er behauptet, wir könnten Isotop R bekommen.«

Palmer liefen kalte Schauer über den Rücken. Die mögliche Existenz des Isotops R reichte aus, daß sich die gesamte Bevölkerung geschlossen hinter die Gesetzesvorlage stellte, vielleicht einschließlich Morgan. Der bloße Gedanke, die Presse könnte etwas über dieses Isotop erfahren, verursachte ihm Alpträume. Die wenigen, die darüber wußten, waren allerdings die letzten, die auch nur ein Wort darüber verlauten lassen würden.

»Ein Amateur? Und dann weiß er etwas darüber?« fragte er scharf.

»Sein Vater war in der Branche«, antwortete Jorgenson. Wieder blickte er finster drein, und wieder zuckte er die Achseln. »Sehen Sie, seit er damit ankam, habe ich mich immer wieder mit den Werten beschäftigt. Wenn es eine Chance von eins zu einer Milliarde gäbe, daß wir R kriegen – ich würde das Ding nicht anfasssen. Es ist schließlich nicht das erste Mal, daß R im Gespräch ist.«

Da hatte der Mann völlig recht. Palmer hatte einmal auf ein höchst lukratives Verfahren verzichten müssen, bloß weil ein Professor geschrieben hatte. Er hatte die Möglichkeit einer Kette angedeutet, die zu dem gefürchteten Isotop hätte führen können. Die kleineren Werke, die für ihn keine Konkurrenz darstellten, hatten das Verfahren aber ohne Schwierigkeiten angewendet. Sie wendeten es heute noch an. Es war ihre Hauptstütze im Wettbewerb.

Wieder starrte er auf die Listen mit den Produktionsmengen. Wenn es nur Einkommensverluste bedeutete, hätte er die Sache immer noch abgeblasen. Er hätte alle Zahlen hundertmal nachrechnen lassen. Aber hier riskierte er das Schicksal aller Anlagen, vielleicht sogar unermeßlichen Schaden für die gesamte Zivilisation, und alles wegen der vagen, möglicherweise lächerlichen Befürchtungen eines Amateurs.

»Es ist gut«, sagte er nach einer Weile. »Fahren Sie die Produktion.«

Noch bevor Jorgenson draußen war, griff er zum Telefon. »Geben Sie mir Ferrel.«

Er durfte den Mann eigentlich nicht bitten, zur Spätschicht zu bleiben, aber er legte den Hörer nicht auf. In seiner Entscheidung steckte nicht die geringste Logik, aber er war es gewohnt, seine Vorahnungen zu berücksichtigen, wenn sie so übermächtig waren wie heute.

Auf jeden Fall beruhigte es die Männer, den Doc in der Nähe zu wissen. Ihm vertrauten sie, und gerade jetzt brauchten sie jede Hilfe.

IV

Die Sirene zum Schichtende heulte auf. Der Doc hatte sein hastiges Abendessen beendet und machte sich auf den Weg in sein Büro. In der Kantine herrschte der gewöhnliche Fünf-Uhr-Andrang, verstärkt noch durch die ohnehin für die Friedhofsschicht eingeteilten Männer, die nach und nach eintrafen. Man erkannte leicht, wer verheiratet und wer ledig war. Die einen rechneten ihre Überstunden aus, die anderen murrten und fluchten wegen verpatzter Verabredungen und ins Wasser gefallener Pläne für den Abend. Die Anspannung der vorangegangenen Stunden schien gewichen. Zu beweisen war es nicht.

Er betrat sein Büro durch den Seiteneingang. Blake saß auf Ferrels Schreibtisch und blätterte die Aufzeichnungen des Tages durch.

Blake schüttelte feierlich den Kopf und machte schnalzende Geräusche mit der Zunge. »Sie werden wirklich alt, Doc. Um diese Zeit Kaffeepause machen! Außerdem haben Sie die Anweisung für die Desinfizierung der Duschräume vergessen. Wir brauchen einen neuen Werkarzt, wenn das so weitergeht.« Dann stand er grinsend auf. »Kommen Sie, wir wollten doch noch was feiern.«

»Tut mir leid, Blake. Keine Chance.« Er hatte Blakes Einladung total vergessen, aber jetzt konnte er Palmer nicht mehr absagen. »Die machen Überstunden, und ich bin für die Friedhofsschicht eingeteilt. Auf Drei und Vier wird ein Schnellschuß gefahren.«

Blake runzelte unmutig die Stirn. »Kann Jenkins das nicht allein schaffen? Anne hatte fest mit Ihnen und Emma gerechnet.«

»Dies ist nun mal mein Job. Jenkins muß übrigens sowieso hierbleiben.«

Blake seufzte und gab auf. »Anne wird enttäuscht sein, aber Sie müssen entscheiden. Sollten Sie früher gehen können, schauen Sie doch noch vorbei, selbst wenn es nach Mitternacht ist, und bringen Sie Emma mit. Lassen Sie es ruhig angehen.«

»Gute Nacht.« Ferrel sah ihn gehen und lächelte vergnügt. Wenn Dick erst sein Examen hatte, war Blake für ihn der geeignete Mann. Er könnte unter ihm seine Karriere beginnen. Zuerst würde er wie Jenkins die ganze Menschheit retten wollen. Er würde verkrampft und unsicher sein. Dann würde er die Phase durchmachen, in der Blake zur Zeit steckte, und schließlich wohl das Niveau seines Vaters erreichen, wo man einiges kann, wo aber doch die ewig gleichen Probleme auf ewig gleiche Weise gelöst werden, bis sich endlich eine bequeme Routine einstellt, nur unterbrochen durch einen gelegentlichen schlechten Tag wie den heutigen.

Er konnte sich ein schlimmeres Leben vorstellen. Seines war

natürlich bei weitem nicht so interessant wie das der Mörder, Kidnapper und Wunderknaben, wie man es so häufig im Kino sah. Da gab es chromblitzende Konverter mit hübschen, bunten Neonleuchten, die alle Augenblicke auf geheimnisvolle Weise hochgingen. Dann kamen Männer herein, von blauen Flammen umzüngelt. Sie wurden auf der Stelle geheilt und schlugen dann die Flammen mit den bloßen Händen aus.

Entstanden aus solchen Filmen eigentlich die Ängste des Durchschnittsbürgers vor der Atomkraft, oder wurden diese Ängste in ihnen nur widergespiegelt? Es stimmte wohl beides, entschied er, als er sich in seinen Sessel fallen ließ.

Dann hörte er Jenkins draußen im Operationszimmer. Er machte geschäftige, nervöse Geräusche. Der Junge durfte ihn hier nicht herumfaulenzen sehen, wo doch das Schicksal der ganzen Welt so offensichtlich von seinem hellwachen Zustand abhing. Junge Ärzte mußte man langsam und vorsichtig desillusionieren. Sonst wurden sie verbittert, und ihre Arbeit litt darunter. Er amüsierte sich zwar über Jenkins' Nervosität, aber er beneidete den jungen Mann mit dem hageren Gesicht um seine geraden Schultern und seine schlanke Figur. Blake hatte recht; er wurde alt.

Penibel strich Jenkins an seiner weißen Jacke eine Falte glatt. Dann sah er auf. »Ich habe alles für etwaige Operationen vorbereitet, Dr. Ferrel. Ob es genügt, nur Mrs. Dodd und einen Krankenpfleger hierzubehalten? Hätten wir nicht mehr als die gesetzlich vorgeschriebene Mindestbesetzung haben müssen?«

»Dodd ist ein kompletter Einmannbetrieb«, sagte Ferrel. »Erwarten Sie heute denn weitere Unfälle?«

»Das eigentlich nicht, Sir. Aber wissen Sie, was heute produziert wird?«

»Nein.« Ferrel hatte Palmer nicht gefragt. Er hatte lange eingesehen, daß er bei der rasanten Entwicklung der Atomtechnik niemals auf dem neuesten Stand sein konnte, und darum hatte er es aufgegeben. »Etwas Neues für die Armee?«

»Viel schlimmer, Sir. Sie fahren die erste kommerzielle Produktion des Isotops 713, und zwar gleich in zwei Konvertern, Nummer Drei und Vier.«

»So? Ich glaube, ich habe davon gehört. Hat das nicht mit der Bekämpfung des Baumwollkapselkäfers zu tun?« Ferrel erinnerte sich undeutlich an das Verfahren, um das befallene Gebiet radioaktiven Staub zu streuen, um so die Pest zu isolieren und immer weiter einzukreisen. Bei Einhaltung aller Sicherheitsmaßnahmen konnte man den Käfer immer mehr zurückdrängen und so allmählich der Plage Herr werden.

Jenkins brachte es fertig, gleichzeitig enttäuscht, überrascht und ein wenig überlegen zu wirken. »Die letzte Ausgabe von N-atomic Weekly Ray enthält einen Artikel, Dr. Ferrel. Sie wissen vielleicht, daß das Problem bei dem Isotop 544, das man zur Bekämpfung schon eingesetzt hat, seine Halbwertzeit von über einem Monat ist. Das behandelte Land war dann für die nächste Aussaatperiode nicht zu gebrauchen. Das Verfahren war einfach zu langsam. Isotop 713 dagegen hat eine Halbwertzeit von weniger als einer Woche. Folglich kann man während des Winters riesige Landstriche von dem Ungeziefer befreien. Schon im Frühling kann man das Land wieder bearbeiten, denn etwa vier Monate nach der Bekämpfung ist die Strahlung so gering, daß sie unschädlich ist. Ausgedehnte Feldtests mit Probeläufen waren sehr erfolgreich, und ein Staat hat eine Riesenbestellung aufgegeben, die sofort geliefert werden muß.«

»Nachdem der Gesetzgeber sechs Monate gebraucht hat, um zu debattieren, ob man das Verfahren anwenden soll oder nicht«, sagte Ferrel, der in diesen Dingen Erfahrung hatte. »Mmmh, hört sich gut an, vorausgesetzt, man kann anschließend genügend Regenwürmer und andere Lebewesen in den Boden bringen, damit er wieder normal wird. Aber worüber machen Sie sich denn Sorgen?«

Jenkins schüttelte aufgebracht den Kopf. »Ich mache mir keine Sorgen. Ich meine nur, wir sollten jede erdenkliche Vorsichtsmaßnahme ergreifen und uns auf Unfälle einrichten: immerhin wird an etwas Neuem gearbeitet, und die Halbwertzeit von einer Woche ist recht ungewöhnlich, finden Sie nicht auch? Außerdem habe ich mir die Reaktionstabellen in dem Artikel angesehen, und – was war das?«

Irgendwo zur Linken der Krankenstation war gedämpftes, von Bodenerschütterungen begleitetes Grollen zu hören, das in ein wegen der isolierten Wände des Gebäudes kaum noch hörbares gleichmäßiges Zischen überging. Ferrel lauschte und zuckte die Achseln.

»Keine Angst, Jenkins, das hören Sie ein dutzendmal im Jahr. Hokusai ist wild darauf, einen Atomtreibstoff herzustellen, der für Raketen geeignet ist. Er ist mit den Fortschritten auf der Raumstation unzufrieden – er besteht darauf, größere Nutzlasten raufzuschicken. Eines Tages werden Sie den kleinen Kerl wahrscheinlich ohne Kopf hier reinkommen sehen. Aber bisher hat er noch nicht den Supertreibstoff gefunden, den man noch unter Kontrolle halten kann. Was war nun mit den Reaktionstabellen für I-713?«

»Ach, nichts Bestimmtes.« Widerwillig hörte er auf, dem Zischen zu lauschen. Immer noch runzelte er die Stirn. »In kleinen Mengen funktioniert es, aber ich mißtraue einem der Zwischenschritte. Ich glaubte, ich hätte da etwas erkannt . . . Ich habe versucht, mit Jorgenson zu sprechen, aber Sie können sich denken, was passierte. Er wollte nichts davon wissen.«

Ferrel sah die Blässe im Gesicht des Jungen und unterdrückte sein Lächeln. Er nickte langsam. Unter diesen Umständen war Jorgensons Ausbruch verständlich. Aber wo lag der Sinn? Wenn es sich bei Jenkins nur um gekränkten Stolz handelte, übertrieb er ein wenig. Was war nur mit dem Mann los? Das mußte er unbedingt feststellen. Kleinigkeiten wie diese konnten einem Mann die Ruhe und Sicherheit an den Instrumenten nehmen, die nun einmal erforderlich war. Im Augenblick sollte man das Thema lieber fallenlassen.

Die Stimme des Telefongirls drang aus dem Lautsprecher. Sorgfältig trennte sie die Silben. »Dr. Ferrel! Dr. Ferrel wird am Apparat verlangt. Dr. Ferrel bitte!«

Jenkins Gesicht wurde ganz weiß. Sein Blick heftete sich auf den Doc. Der brummte: »Wahrscheinlich langweilt Palmer sich und will mir erzählen, wie er mit der Gewerkschaft klargekommen ist. Oder über seinen Enkel. Er glaubt, der Junge sei ein Genie, weil er schon ein paar Worte spricht.«

Aber im Büro mußte er sich den Schweiß von den Händen wischen, bevor er zum Hörer griff. Jenkins' düstere Befürchtungen hatten etwas Ansteckendes. Palmers Gesicht, das nun auf dem Schirm erschien, gefiel ihm überhaupt nicht. Sein starres Lächeln ließ es maskenhaft erscheinen. Ferrel war überzeugt, daß sich eine zweite Person in Palmers Büro aufhielt, die auf dem Schirm nicht zu sehen war.

»Hallo, Ferrel.« In Palmers Stimme schwang vorgetäuschte Verbindlichkeit, und die Tatsache, daß er ihn mit dem Nachnamen anredete, ließ Böses ahnen. »Ich höre gerade, daß wir an einem Konverter einen kleinen Unfall hatten. Ein paar Leute kommen zur Behandlung in Ihre Station – vielleicht noch nicht sofort. Ist Blake noch da?«

»Der ist schon über eine halbe Stunde weg. Ist es so schlimm, daß wir ihn zurückrufen müssen, oder kommen wir mit Jenkins und mir aus?«

»Jenkins? Ach ja, der neue Arzt.« Palmer zögerte, und seine Armhaltung zeigte deutlich, daß er – auf dem Schirm nicht sichtbar – etwas kritzelte. »Nein, natürlich rufen wir Blake nicht zurück. Ich denke – wenigstens jetzt noch nicht. Seine Rückkehr könnte den einen oder anderen beunruhigen. Sie schaffen es schon allein.«

»Was ist es denn – Strahlenschäden oder gewöhnlicher Unfall?«

»Hauptsächlich Strahlung, glaube ich – vielleicht außerdem noch Unfälle. Jemand hat mal wieder nicht aufgepaßt. Sie wissen ja, was das bedeutet; Sie waren selbst mal dabei, als eine Hochdruckleitung riß.«

Ja, das kannte Ferrel aus eigener Anschauung, wenn es das war.

»Klar, damit werden wir fertig, Palmer. Aber ich dachte, die Arbeit an Nummer Eins war schon vor einer Stunde zu Ende? Und warum hat man nicht die Geräte zur Druckminderung installiert? Das sollte doch schon vor sechs Monaten geschehen.«

»Ich sage ja nicht, daß es sich um Nummer Eins handelt, und auch nicht, daß eine Leitung gerissen ist. Ich habe es nur mit etwas verglichen, das Sie kennen. Wir verwenden für die neuen Produkte eine ganz andere Ausrüstung.« Palmer sah offenbar jemand an, was die Vermutung des Doc bestätigte. Er machte eine leichte Bewegung mit den Oberarmen, bevor er wieder in die Übertragungskamera sah. »Ich kann Ihnen jetzt keine Einzelheiten geben, Doc. Der Unfall wirft uns jetzt schon hinter den Zeitplan zurück. Ich muß mich um alle möglichen Dinge kümmern. Wir reden später darüber, und Sie werden Ihre Vorbereitungen zu treffen haben. Rufen Sie mich an, wenn Sie irgend etwas brauchen.«

Der Schirm wurde dunkel, und die Verbindung war getrennt. Er hatte gerade noch eine Stimme gehört, die nicht Palmers war. Ferrel zog den Bauch ein, wischte sich noch einmal den Schweiß von den Händen und ging mit gezwungener Lässigkeit in das Operationszimmer zurück. Zur Hölle mit Palmer! Konnte der Idiot ihm nicht ausführlicher berichten, damit vernünftige Vorbereitungen überhaupt möglich waren? Er war sicher, daß nur Drei und Vier arbeiteten, und die galten als narrensicher. Was war denn nun wirklich passiert?

Als er eintrat, schoß Jenkins vom Sitz hoch. Jeder Muskel in seinem Gesicht war angespannt, und in seinen Augen lag nackte Angst. Wo er gesessen hatte, lag das aufgeschlagene Exemplar des *Weekly Ray*. Er sah die Tabelle mit den Symbolen, die ihm nichts sagten, aber er sah auch, daß eine der Reaktionen mit Bleistift unterstrichen war. Der Junge nahm das Heft auf und legte es auf den Tisch zurück.

»Routineunfall«, meldete Ferrel so gleichgültig wie möglich. Er haßte es, seiner Stimme Gewalt anzutun. Gott sei Dank zitterten die Hände des Jungen nicht sichtbar, als er das Blatt los-ließ. Er konnte also bei einer Operation eingesetzt werden, falls es nötig war. Darüber hatte Palmer natürlich nichts gesagt. Er hatte kein Wort zuviel gesprochen. »Palmer sagt, wir kriegen ein paar Leute mit Strahlungsverbrennungen. Ist alles vorbereitet?«

Jenkins nickte mit unbewegtem Gesicht. »Ja, Sir – soweit man sich für Routinefälle bei Drei und Vier überhaupt vorbereiten kann! Isotop R . . . Tut mir leid, Dr. Ferrel, es war nicht so gemeint. Sollen wir Dr. Blake und die anderen Schwestern und Pfleger holen lassen?«

»Wie? Ach so, nein. Blake können wir wahrscheinlich nicht erreichen, und Palmer meint, daß wir ihn nicht brauchen. Bitten Sie doch Schwester Dodd, Meyers zu suchen – wie ich die anderen kenne, haben sie alle irgendeine Verabredung. Zusammen mit Jones sollte das genügen. Sie sind ohnehin besser als eine ganze Herde anderer Schwestern.« Isotop R? Ferrel erinnerte sich dunkel. Das war auch schon alles. Ein Ingenieur hatte es mal erwähnt – er wußte nur nicht mehr, in welchem Zusammenhang. Oder hatte vielleicht Hokusai mal darüber gesprochen? Jenkins war gegangen. Einer plötzlichen Eingebung folgend, suchte er wieder sein Büro auf. Hier konnte er relativ ungestört telefonieren.

»Geben Sie mir bitte Matsuura Hokusai.« Nervös trommelten seine Finger auf die Tischplatte, bis der Schirm endlich hell wurde und der kleine Japaner aus ihm hervorschaute. »Hoke, wissen Sie, was auf Nummer Drei und Vier produziert wird?«

Der Wissenschaftler nickte bedächtig. Sein zerfurchtes Gesicht war so ausdruckslos wie sein Englisch, das er mit Fistelstimme hervorstieß. »Ja. Sie machen I-713 für den Rüsselkäfer. Warum fragen Sie?«

»Nur so. Ich bin einfach neugierig. Ich hörte Gerüchte über ein Isotop R und wollte wissen, ob da ein Zusammenhang besteht. Da drüben scheint ein kleiner Unfall passiert zu sein, und ich wollte wissen, was auf mich zukommt.«

Für den Bruchteil einer Sekunde hob Hokusai die schweren

Lider, aber seine Stimme blieb neutral. Er sprach nur etwas schneller. »Kein Zusammenhang, Dr. Ferrel; dort entsteht kein Isotop R. Am besten vergessen Sie Isotop R. Tut mir leid, Dr. Ferrel, ich muß zum Unfallort. Vielen Dank für Ihren Anruf. Wiedersehen.« Der Schirm war jetzt genau so leer wie Ferrels Kopf.

Jenkins stand an der Tür, aber entweder hatte er nicht gehört, oder er tat nur so. »Schwester Meyers kommt zurück«, sagte er. »Soll ich Curare-Injektionen vorbereiten?«

»Mmmh – ja, das wäre ganz gut.« Ferrel hatte nicht die geringste Lust, sich wieder seine Überraschung anmerken zu lassen, Curare war das hochwirksame Pfeilgift südamerikanischer Indianer, das man inzwischen synthetisch herstellen konnte. Es fand bei gewissen Lähmungen Anwendung und war das letzte Mittel bei Strahlungsverbrennungen, die außer Kontrolle geraten waren. Die Station hatte gewisse Vorräte für solche Notfälle, aber in all den Jahren, die er schon hier war, hatte man das Gift nur zweimal verabfolgt. Mit keinem der beiden Fälle verband der Doc günstige Erinnerungen. Entweder hatte Jenkins schreckliche Angst, oder er war übereifrig – wenn er nicht etwas wußte, was er gar nicht wissen durfte.

»Sie scheinen lange zu brauchen, die Leute herzuschaffen. Es kann sich nicht um ernste Fälle handeln, sonst wären sie lange hier, Jenkins.«

»Vielleicht.« Jenkins fuhr mit seinen Vorbereitungen fort. Er löste Blutplasma in destilliertem Wasser auf, dem die Luft entzogen war. Ohne aufzusehen fügte er die Präparate hinzu, mit denen man Plutonium-Anämie und Leberdegeneration feststellen konnte. »Das ist die Sirene des Unfallkarrens. Waschen Sie sich schon. Ich kümmere mich inzwischen um die Patienten.«

Der Doc lauschte auf den Klang, der als leises Dröhnen von draußen in den Raum drang, und mußte grinsen. Das konnte nur Beel sein. Er war der einzige, der die Sirene einschaltete, wenn alle Zufahrten leergefegt waren. Nach dem Geräusch zu urteilen, war er erst auf dem Weg zum Unfallort. »Es dauert mindestens fünf Minuten, bis er zurückkommt.« Er ging in den Waschraum, stellte den Boiler an und wusch sich mit der Desinfektionsseife kräftig die Hände.

Dieser verdammte Jenkins! Er selbst bereitete sich auf eine Operation vor, ehe er noch annehmen konnte, daß eine nötig war, und der Junge tat einfach, was ihm paßte, als besäße er höheres Wissen. Besaß er das wirklich? Entweder doch, oder er war halb verrückt und teilte die Angst alter Weiber vor allem, was mit Atomreaktoren zusammenhing. Aber das schien irgendwie nicht zu stimmen. Als Jenkins hereinkam, spülte der Doc sich ab, warf das Heißluftgebläse an und ließ sich die Arme trocknen. Dann stieß er gegen einen Hebel, und an kleinen Ständern kam ein Paar Gummihandschuhe aus der Wand. »Jenkins, was hat es nun mit diesem ganzen Gerede von Isotop R auf sich? Ich habe schon mal davon gehört, wahrscheinlich von Hokusai. Aber ich kann mich an nichts Bestimmtes erinnern.«

»Das ist nicht verwunderlich – es gibt nichts Bestimmtes. Das ist ja das Problem.« Der junge Arzt beschäftigte sich gründlich mit seinen Fingernägeln, bevor er aufsah; dann bemerkte er, daß Ferrel seinen Chirurgenkittel anzog, und wartete bis er damit fertig war. »R ist eines der großen ungelösten Probleme der Atomtechnik. Es besteht vorläufig nur in der Theorie; man hat noch keines hergestellt. Das ist entweder unmöglich, oder man kann es nicht in kleinen, kontrollierbaren Mengen für Testzwecke. Das ist, wie gesagt, das Problem. Keiner weiß was darüber, außer daß – wenn es überhaupt existieren kann – es in kürzester Zeit zum Mahlerschen Isotop zusammenfällt. Haben Sie davon schon mal gehört?«

Der Doc hatte – zweimal. Das erste Mal, als Mahler mit seinem halben Labor und entsprechendem Getöse in die Luft flog und nie mehr gesehen wurde. Er hatte eine relativ kleine Menge des neuen Produkts hergestellt, das dazu bestimmt war, andere Reaktionen in Gang zu setzen. Sein Assistent Maicewicz hatte es in noch kleinerem Maßstab versucht, und diesmal waren nur zwei Räume und drei Menschen zu Staub zerblasen worden. Fünf oder sechs Jahre später war die Atomtheorie so weit entwickelt, daß jeder Student wußte, warum dieses anscheinend sichere Produkt die Marotte hatte, sich in Helium plus Energie zu verwandeln, das Ganze in ungefähr einer Milliardstel Sekunde.

»In welcher Zeit?«

»Es gibt ein Dutzend Theorien, aber keiner hat den richtigen Einfall. Sehen Sie, es gibt zwei Gebiete, mit denen die Mathematiker Schwierigkeiten haben. Das eine ist der Punkt auf der Skala, wo die Atome aufhören, an Stabilität zu verlieren und in superschweren Isotopen neue Stabilität erlangen. Genau dort existiert das Mahlersche Isotop. Beim Neutronenbeschuß in den Konvertern wird dieser Punkt glücklicherweise übersprungen. Ein Atom scheint sich bis zu einem gewissen Punkt schrittweise aufzubauen; dann schnappt es sich plötzlich ein ganzes Bündel Neutronen und wird superschwer. Kein Mensch weiß warum. Isotop R und I-713 sind am anderen Ende der Skala, wo wir in die Nähe des höchsten erreichbaren Atomgewichts kommen. An dem Punkt sind die Atomkerne so kompliziert, daß sie alles Mögliche können, wozu die normalen Atome nicht imstande sind. Nach einigen Theorien können sie sich anscheinend spalten und das Mahlersche Isotop produzieren. In die Richtung gingen jedenfalls Mahlers Experimente.«

Jenkins zuckte die Achseln. Er hatte seine Vorlesung beendet. Sie hatten den Waschraum verlassen und brauchten nur noch ihre Masken anzulegen. Jenkins fuhr mit dem Ellbogen an den Schalter für ultraviolette Strahlung. Das Gerät wurde zur Sterilisierung verwendet. Dann sah er sich fragend um. »Was ist mit dem Supersonar?«

Ferrel schaltete das Gerät mit dem Fuß ein. Er zuckte zusammen, als das ekelhafte Summen der Niederfrequenzschwingungen einsetzte. Angeblich hatten die Techniker das Gerät schon zweimal entstört, aber das Summen war geblieben. Über die Ausstattung seiner Station konnte er sich sonst nicht beschweren. Seit dem letzten größeren Unfall waren die Vorschriften verschärft worden, und man hatte hier so viele Apparaturen eingebaut, daß damit mehrere kleine Krankenhäuser hätten eingerichtet werden können. Das Supersonargerät diente auch der Sterilisierung. Seine Wellen durchdrangen feste Körper und sterilisierten, was vom Ultraviolett nicht erreicht werden konnte. Ein pfeifendes Geräusch vom Generator her rief ihm etwas ins Bewußtsein.

»Es wurde kein Pfeifsignal gegeben, Jenkins. Also kann alles nicht so schlimm sein.«

Jenkins' skeptisches Grunzen sprach Bände. Wenn alle den Kongreß bestürmen, sämtliche atomaren Anlagen in die Mojave-Wüste zu jagen, wäre Palmer ein Narr, wenn er den Unfall auch noch in alle Winde schreien würde.

»Da ist wieder die Sirene.«

Jones, der Pfleger, hatte sie auch gehört und brachte schon neue Tragen für den Notkarren in die hintere Aufnahme. Eine halbe Minute später rollte Beel den abnehmbaren hinteren Teil eines Karrens herein. »Zwei«, verkündete er. »Bald kommen noch mehr. Sobald man an sie rankommt, Doc.«

Das Leinen war blutbeschmiert. Die nähere Untersuchung ergab eine durchtrennte Schlagader, die mit einer winzigen Sicherheitsnadel zusammengesteckt war. Das geronnene Blut um die Wunde herum hatte weiteren Verlust verhindert.

Erleichtert trat der Doc den Schalter des Supersonargeräts und zeigte auf den Hals des Mannes. »Warum wurde ich nicht nach draußen gerufen, statt daß er hergeschafft wurde?«

»Mein Gott, Doc, Palmer sagte, ich soll sie herbringen, und das hab' ich getan – ich weiß nicht. Ich glaub', einer hat das zusammengesteckt und dachte, der kann warten. Hab' ich was falsch gemacht?«

Ferrel verzog das Gesicht zu einer Grimasse. »Bei einer zerrissenen Schlagader kann nichts falsch sein, was das Blut zum Stillstand bringt, schulmäßig oder nicht. Wie viele noch, und was ist draußen passiert?«

»Das weiß der Himmel, Doc. Ich fahr' sie nur. Wozu soll ich Fragen stellen? Bis gleich!« Er schob die neue Trage auf den Wagen und rollte ihn zu dem zweirädigen motorbestückten Vorderteil, um die Karre wieder komplett zu machen. Ferrel ließ seine Neugierde, wo sie hingehörte und wandte sich dem ersten Fall zu. Dodd legte gerade ihre Maske an, und Jones hatte die Männer inzwischen entkleidet und desinfiziert. Nun schob sie beide in das Operationszimmer.

»Plasma!« Der Doc hatte schon festgestellt, daß dem Mann sonst nichts fehlte, und er gab ihm rasch die Injektion. Der Mann war lediglich von Schock und Blutverlust bewußtlos. Atmung und Herztätigkeit normalisierten sich schnell, als das Plasma in seine Gefäße floß. Er behandelte die Wunde mit einem Antibiotikum, säuberte und sterilisierte die Wundränder, klammerte, zog die Sicherheitsnadel heraus und nähte mit der komplizierten, kleinen elektrisch betriebenen Nadel – eine der wenigen Vorrichtungen in seiner Station, die er wirklich zu schätzen wußte. Das war alles Routine. Die Wunde hatte nicht mehr ernsthaft geblutet, und nun war sie endgültig versiegelt. »Bewahren Sie die Nadel auf, Dodd. Die geht in die Sammlung. Dieser ist fertig. Was macht der andere?«

Jenkins zeigte auf das Genick des Mannes, aus dem ein kleiner, blauer Gegenstand hervorragte. »Ein Stahlfragment, direkt in die Medulla Oblongata. Kein Blutverlust, aber der Mann war sofort tot, als dies Ding ihn erwischte. Soll ich den Stahl rausnehmen?«

»Nicht nötig – soll der Leichenbestatter tun, wenn er Lust hat . . . nach diesen beiden Mustern kann es sich nur um einen normalen Industrieunfall handeln. Das hatte nichts mit Strahlenschäden zu tun.«

»Die kriegen Sie noch, Doc.« Der erste hatte gesprochen. Er war wieder bei Bewußtsein und wirkte normal, von der Blässe abgesehen. »Wir waren nicht im Konvertergehäuse. Was ist mit mir! Bin ich . . .?«

Ferrel amüsierte sich über das erstaunte Gesicht des Burschen. »Sie dachten wohl, Sie sind tot, was? Keine Angst, das haben wir schon hingekriegt. Sie müssen nur ruhig liegen. Halten Sie den Mund, und lassen Sie sich von der Schwester eine Injektion geben. Dann werden Sie erstmal schlafen. Wenn Sie aufwachen, wissen Sie nichts mehr davon.«

»Mein Gott! Das Zeug kam aus dem Lufteinlaß geschossen wie Maschinengewehrkugeln. Ich dachte, ich hatte nur einen Kratzer, aber Jake hat geschrien wie am Spieß. Alles war blutig. Und ich . . . Ich lebe!«

Dodd schob ihn ganz schnell in eines der Krankenzimmer. Ihr strenges Gesicht verzog sich zu einem spöttischen Lächeln. »Hat der Doktor nicht gesagt, Sie sollen den Mund halten? Na also!«

Sobald Dodd verschwunden war, setzte Jenkins sich und fuhr sich mit der Hand übers Gesicht. An den Stellen, die nicht von der Maske bedeckt waren, hatte er Schweißperlen. »Das Zeug kam aus dem Lufteinlaß geschossen wie Maschinengewehrkugeln«, wiederholte er leise. »Dr. Ferrel, diese beiden Leute waren außerhalb des Konvertergehäuses – sozusagen Nebenunfälle. Und im Gehäuse . . .«

»Ja.« Ferrel konnte es sich selbst ausmalen. Seine Vorstellungen waren alles andere als heiter. Nach außen schoß Materie durch die Luftleitungen; innen . . . er mochte gar nicht daran denken. »Ich rufe Blake an. Wahrscheinlichen brauchen wir ihn.«

V

Mal Jorgenson fluchte unter dem erdrückenden Gewicht des riesigen Tomlinson-Anzugs, in dem er sich bewegte. Seine bloße Masse mit den vielen Schutzschilden und dem komplizierten Unfug von Sauerstoffsystem hätte einen kleineren Mann wahrscheinlich umgebracht. So mußte er den Anzug testen. Wieder einmal war er das Versuchskaninchen. Das Schlimmste war der

Umfang, den ihm die Ausrüstung verlieh. Die Rattenlöcher von Durchgängen, mit denen er sonst gerade noch zurechtkam, waren nun zu eng für ihn. Wieder schimpfte er und verfluchte die Zwergenrasse, die ihn hervorgebracht hatte, und deren schwachsinnige Gehirne ihre lächerlichen Gestalten an Winzigkeit noch übertrafen.

Das Innere des Konverters war ein einziges Durcheinander. Von den zylindrischen Seitenwänden her war er bis in die fünf Stockwerke hohe Kuppel mit der neuen technischen Ausrüstung vollgestopft, die in aller Eile herbeigeschafft und installiert worden war, um das Projekt sofort in Angriff nehmen zu können.

Mit Mühe zwängte er sich in den Teststand von Nummer Drei. Er mußte mit den Schultern wenigstens so weit hinein, um sein Meßgerät einhaken zu können. Die Zeit hatte nicht gereicht, eine vernünftige Instrumententafel anzubringen; er hatte Wochen zur Verfügung gehabt, das neue Verfahren vorzubereiten – plötzlich sollte er es über Nacht schaffen!

Es bedurfte angewandter Mathematik, bis er sich in eine Position geschoben hatte, in der er einen Test fahren konnte. Das Ergebnis entsprach natürlich seinen Erwartungen. Alles konnte noch zur Zufriedenheit verlaufen. Wenn Palmer doch nur noch eine Weile im Werk blieb. Seine Zweifel würden sich in Luft auflösen. Ein paar Dinge hatte Jorgenson sich für ihn noch aufgespart!

Als er sich wieder herauswinden wollte, blieb er mit der Schulter hängen. Er stieß einen saftigen Fluch aus, ohne vorher seine Sprechanlage auszuschalten. Verdammt nochmal, warum bestand Palmer darauf, daß jeder bei dieser Arbeit einen Anzug trug. Das machte den Job nur komplizierter und bewies den Leuten überdies, daß der Manager ihm nicht traute. Es sei das bei einem Probelauf vorgeschriebene Betriebsverfahren, hatte der Manager gesagt. Aber dies war eine Spezialaufgabe, die überstürzt erledigt werden mußte. Da hätte man Zugeständnisse machen können.

Er stieg nach unten. Nur seine Wut hielt ihn aufrecht. Er hatte auch allen Grund, wütend zu sein in einer Welt, wo nichts paßte, wo das Reisen eine Zumutung war, wo sogar seine Kleidung maßgeschneidert werden mußte, und das zu einem Preis, der sein Einkommen so belastete, daß man an der Zukunft verzweifeln konnte. Und die Weiber erst . . .

Gerade noch rechtzeitig dachte er an das Visier vor seinem Gesicht. Sonst hätte er ausgespuckt.

Briggs hielt sich mit einem Haufen Leuten in der südlichen Sicherheitskammer des Konvertes auf. Der Riesenkoloß des Konverters stand im Innern eines noch größeren Schutzmantels aus Stahlbeton. Die Sicherheitskammern lagen in der äußeren Wand dieses Mantels und waren bei Unfällen als vorläufige Zuflucht für die Männer gedacht. Als Versammlungsräume waren sie nicht vorgesehen, und doch standen die Idioten vor ihren Eingängen herum, als ob auch sie ihm nicht trauten.

»Jag' deine albernen Zwerge an die Arbeit, Briggs,« befahl er. »Hier will ich sie nicht nochmal auf einem Haufen sehen. Verdammt, wir fahren ein neues Projekt. Wenn ich noch was ändern muß oder die Meßgeräte kommen ins Flattern, will ich die Leute da sehen, wo sie sich bewegen können. Du arbeitest nicht das erste Mal mit mir zusammen. Du weißt, was ich brauche.«

»Ein Messer in den Wanst an einem trüben Novemberabend«, sagte Briggs. Seine Stimme klang eisig. »Kümmern Sie sich um Ihre verdammte Umwandlung, und ich kümmere mich um die Leute. Palmer sagt, ich soll sie möglichst keiner Gefahr aussetzen.«

Jorgenson war machtlos. Schlug er dem Mann für seine Unverschämtheit eins rein, hatte er alle gegen sich. Er hatte schon Ärger genug gehabt – auch heute reichte es ihm gerade. Selbst Palmer würde sich gegen ihn stellen. Früher, bei der Arbeit mit Kellar war es genau so. Auch der war den Leuten gegenüber viel zu weich gewesen.

Er las die Werte der riesigen Magnete und die das Lasers ab, der die Neutroneninjektion steuerte. Dieser verdammte kleine

Jenkins! Der junge Arzt durfte mit seinen Befürchtungen einfach nicht Recht behalten. Und doch ertappte sich Jorgenson dabei, daß er jetzt die Injektion auf ein Minimum drosselte. Das ging allerdings auf Kosten der Umwandlungsleistung. Vielleicht sollte er lieber . . . Dann zuckte er die Achseln und ließ die Dinge auf sich beruhen. Wenigstens der Mann am Steuerpult arbeitete zuverlässig. Es war besser, wenn er seine ursprünglichen Anordnungen nicht widerrief. Ein letztes Mal glitt sein Blick über den Konverter. Er fühlte sich nicht wohl in seiner Haut.

Schwerfällig stapfte er davon und ging durch die massive Tür in der Wand des Schutzgehäuses, die sich nur langsam in den Angeln bewegen ließ. Er mußte noch zu Nummer Vier hinüber. Der Konverter mußte dringend überprüft werden, hauptsächlich wegen der Verzögerung, mit der die Instrumente an schwer zugänglichen Stellen angebracht worden waren. Ihm fehlte ein Mann, der sich mit den Meßgeräten auskannte, aber keiner war zuverlässig genug. Er kochte schon wieder, während die Elektromotoren die schwere Tür für ihn öffneten.

In Nummer Vier hatte Grissom das Sagen. Er war einen Schlag besser als Briggs. Zuerst hatte er wegen der Extraschicht gewütet, aber nun hatte er seine Leute genau da, wo sie hingehörten. Sie wirkten verängstigt, aber das war gut so. Ein erhöhter Adrenalinausstoß ließ sie wenigstens nicht einschlafen.

»Schalten Sie die Zufuhr niedriger«, sagte er zu Grissom. Das Zuführungsgerät war schlecht aufgehängt, obwohl Jorgenson am Nachmittag eine Prämie für gute Leistung ausgesetzt hatte. Es hing lose und bewegte sich im Rhythmus der Druckveränderung im Konverter. Aber solang die Konstrukteure auf diesen aufwenigen Schutzmänteln bestanden – um die Auswirkungen von Unfällen einzudämmen, wie sie behaupteten – anstatt die Technik draußen zu lassen, wo sie leicht zugänglich wäre, mußte man mit schlampiger Arbeit rechnen.

Innerlich fluchend stieg er auch hier wieder in den Teststand. Er machte das Gleiche wie bei Nummer Drei. Wieder hatte er

Mühe, seine Schultern hineinzuzwängen, um die Werte abzulesen. Sein geübter Blick erfaßte sofort die Situation.

Die Nadel flatterte.

Sie spielte verrückt. Von einem Extrempunkt der Skala schoß sie zum anderen. Dies Ausschlagen der Nadel erinnerte ihn an etwas. Schlagartig wußte er es: Die Nadel schlug in genau dem Rhythmus aus, in dem sich auch das Zufuhrgerät bewegte.

Natürlich mußte der Druck im Innern des Konverters schwanken. Er hatte nichts anderes erwartet. Das konnte aber doch nicht die übrigen Werte beeinflussen. Die Schwankungen waren jedenfalls offensichtlich.

Er überlegte. Hunderte von Daten schossen ihm durch den Kopf. Nein, diese Unregelmäßigkeiten hatte er nicht voraussehen können. Es mußte sich um eine völlig andere Reaktion handeln.

In fliegender Hast berechnete er die Gleichungen, die hier paßten und stimmte sie mit den Tatsachen ab. Arbeit unter Hochdruck – noch nach Stunden würde ihm der Kopf schmerzen. Er haßte diese Rechnerei, und irgendwie mißtraute er ihr auch. Aber diesmal fuhr ihm die Wahrheit wie ein Blitz durchs Gehirn. Die Gleichung war völlig korrekt.

Jenkins! Der unverschämte kleine Kerl hatte ihn auf genau diese Gleichung hingewiesen! Der hatte die Frechheit gehabt, ihm diese zweite Möglichkeit anzudeuten, die er selbst übersehen hatte. Und nun verschwor sich sogar das Schicksal mit den verdammten Pygmäen, um zu beweisen, daß Jenkins recht gehabt und er sich geirrt hatte. Er, Jorgenson, der das ganze Verfahren entwickelt hatte!

Er stieß ein lautes Gebrüll aus, um die Männer auf sich aufmerksam zu machen. Noch war Zeit, wenn sie das Richtige taten. Es war knapp, aber sie konnten es schaffen.

Er warf sich vorwärts und verlor fast das Gleichgewicht, aber er erreicht den Nothebel, der die Fusionseinheit abschaltete. Mit der freien Hand winkte er den Vorarbeiter zum Notausgang hinüber.

Grissom starrte wie ein verschrecktes Kaninchen zu ihm herauf. Die übrigen Männer schienen seine Gesten überhaupt nicht zu kapieren.

»Bewegt euch!« brüllte Jorgenson und drehte den Verstärker in seinem Helm voll auf, was den Batterien nicht sehr bekam. »Die Hauptballastmagneten zurückfahren – ganz zurück. Und gebt mir mehr Saft aus der Primärinduktion! Verdammt, bewegt euch! Oder soll euch das Ding um die Ohren fliegen? In dreißig Sekunden habt ihr es mit Isotop R zu tun!«

Grissom setzte sich in Bewegung – in die falsche Richtung.

Mit einem wilden Schrei durch seine Helmmembrane stürzte er zur nördlichen Konverterkammer. Die anderen zögerten den Bruchteil einer Sekunde. Dann ließen sie alles stehen und liegen und rannten ihm hinterher.

Den Leuten war wirklich nicht mehr zu helfen.

Jorgenson sah, daß die Tür zur Sicherheitskammer sich Zentimeter um Zentimeter schloß. Er schätzte die Zeit ab und wußte, daß sie rechtzeitig geschlossen sein würde. Er wußte auch, daß er es trotz des schweren Anzugs leicht schaffen konnte. Sein Verstand befahl seinen Beinen den Sprung zur Tür.

Seine Beine gehorchten, aber nicht wie es beabsichtigt war! Sie trugen ihn von der inneren Wand fort und in gewaltigem Lauf um den Konverter herum zu den anderen Männern. Einer der Leute starrte ihn an. Nackte Angst schrie aus seinen Augen. Er wußte nicht, was los war, aber er hatte die anderen laufen sehen.

»In die Kammer!« brüllte Jorgenson. Der Verstärker half nichts mehr, die Batterien waren tot. »In die Kammer!« wiederholte er so laut er konnte.

Endlich begriffen sie und drängten sich zusammen wie eine Hammelherde. Diese Narren ohne Rückgrat konnten sich nicht selbst helfen. Der bessere Mann mußte sich opfern, um sie zu retten.

Er sah, daß sie sich zur Kammer hin bewegten, und wußte, daß es fast schon zu spät war. Er kochte vor Wut, und heiß schoß ihm das Blut durch die Adern. Sein Adrenalinspiegel war jetzt so hoch, daß er das Gewicht des Anzugs kaum noch spürte. Er griff sich den letzten und warf ihn buchstäblich die drei Meter weit in die Sicherheitskammer. Er konnte nicht alle retten. Die Zeit reichte nicht. Sie standen sich gegenseitig im Weg. Wenn einer in der sich verriegelnden Tür hängenblieb, hatte keiner eine Chance. Die Tür mußte hermetisch abschließen, und mit einer eingeklemmten Leiche war das unmöglich. Er selbst konnte es kaum noch schaffen. Wenn er lossprang und dabei die beiden zur Seite trat, die den Eingang zu verstopfen drohten, konnte es noch klappen.

Aber er sprang nicht. Er ließ die riesigen Arme sinken und schaufelte einen der elenden Wichte in die Kammer. Für den anderen war es zu spät. Hier draußen konnte man in normaler Schutzkleidung keine drei Minuten überleben. Der Mann klammerte sich an der großen Tür fest, aber der Spalt war schon zu schmal, als daß er sich noch hätte hindurchzwängen können. In seiner Verzweiflung steckte er den Arm hinein.

Jorgensons in langen Jahren aufgestauter Haß ließ ihn explodieren. Mit einem gewaltigen Faustschlag verbog er den Helm des Mannes zu einem unförmigen Metallklumpen. Sein Arm setzte die Bewegung fort, und der Körper des Mannes wurde aus dem Weg geschleudert. Die Tür konnte sich langsam schließen.

Die Idioten in der Kammer schrien und gestikulierten, aber er beachtete sie nicht. Er wußte auf die Sekunde genau, wieviel Zeit verstrichen war. Dieses genaue Zeitgefühl hatte er schon immer gehabt. Auch jetzt verließ es ihn nicht. Sonst war jeder andere klare Gedanke im Augenblick blockiert.

Genau nach Zeitplan hörte er über sich ein krachendes Bersten, das ihm noch unter seiner schweren Panzerung fast die Trommelfelle zerriß. Aber er schaute nicht einmal hoch. Er warf sich gegen die Tür und stemmte die Füße in den Boden. Unter der vereinten Kraft des Motors und seiner Muskeln schloß sie sich nun schneller. Ein paar der Männer hatten endlich begriffen. Sie begannen von der anderen Seite zu ziehen, doch ihre Zwergenkräfte konnten wenig verrichten.

Der Konverter brach auseinander, und sein Inhalt schoß heraus! Er sah die Materie an sich vorbeifließen und durch den noch ein wenig geöffneten Türspalt jagen. Der Anprall holte ihn von den Füßen und schleuderte ihn zur Seite. Die gleißende Helle machte die schon ausgefallene Beleuchtung überflüssig. Nun bedeckte das Magma seinen Gesichtsschild, und er konnte nichts mehr sehen. Er tastete sich über den Boden und fand die Tür. Dabei mußte er ständig gegen den Druck ankämpfen. Seine Füße gewannen Halt, und wieder stemmte er sich mit aller Kraft gegen die Tür. Endlich verschwand der Spalt. Mehr konnte er nicht tun. Entweder überlebten die Idioten da drinnen, oder sie verreckten. Seine Verantwortung endete hier.

Die Anspannung war gewichen, und er registrierte das Toben und Zischen um sich herum. Dann spürte er einen stechenden Schmerz durch die Scharniere seiner Bewehrung. Das Zeug verpuffte in winzigen Explosionen, die aber offenbar genügend Wucht hatten, seine Panzerung zu durchdringen!

Er kam wieder auf die Füße und ignorierte die Schmerzsignale seiner Nerven. Er kümmerte sich auch nicht um das Zucken seiner Muskeln. Was ihn jetzt noch antrieb, war nackte Wut. Er wußte, daß er sterben mußte. Es ließ ihn kalt. Aber dies war sein Verfahren. Er beherrschte es. Es durfte ihn nicht besiegen!

Er war geschlagen und erledigt, und um ihn herum raste die Hölle. Aber er raffte sich auf und kämpfte sich durch das Chaos. In seinem Kopf entstand ein genaues Bild der Konverterkammer. Jeden Gegenstand, jedes Ausrüstungsstück sah er plastisch vor Augen. Mit fotografischer Präzision wußte er sogar noch, wo die einzelnen Werkzeuge lagen, die man fallengelassen hatte. Da war die Leiche des Mannes, den er getötet hatte, nur um andere zu retten, die das Leben genau so wenig verdienten. Dann fiel es ihm wieder ein: hier irgendwo stand die große Kiste aus Blei, in der die ersten Testergebnisse bis zur Überprüfung aufbewahrt worden waren.

Sein Kopf schmerzte grausam, während er seinen Verstand zu Höchstleistungen trieb und ihn zwang, ein nahezu vierdimensionales Bild seiner Umgebung zu reflektieren. Jede seiner eigenen Bewegungen mußte zurückverfolgt und in Relation zu den Verschiebungen und Veränderungen um ihn herum gesetzt werden. In dieses Bild mußten die jeweiligen Veränderungen der Position der Kiste hineingeblendet werden. Weit konnte sie nicht sein, aber in der kurzen Zeit, die seine restliche Energie ihm noch ließ, konnte er keine blindwütige Suche veranstalten.

Das Bild verdichtete sich. Vor seinem geistigen Auge sah er sich neben der Kiste stehen. Er sah sogar die Seite, an der man den Deckel öffnen konnte. Er bewegte sich weiter. Seine Hände tasteten und suchten. Er hatte die Kiste!

Aber jetzt, wie schon so oft in seinem Leben, spielte das Schicksal ihm einen Streich. Der Deckel war an der anderen Seite. Er brüllte laut und verfluchte sich in hilflosem Zorn. Mit äußerster Anstrengung seines Verstands hatte er es nicht geschafft, sich ein komplettes Bild zu machen.

Seine Finger glitten über die Kiste. Sie waren wie selbständige kleine Wesen mit eigenem Verstand, die den Behälter abklopften und untersuchten und ihre Wahrnehmungen seinem Gehirn übermittelten. Er hob den Deckel an und war heilfroh, daß er oben lag und er das schwere Ding nicht umdrehen mußte. Er stieg in den Behälter. Das Problem der vorteilhaftesten Lage löste sich dabei von selbst. Dann ließ er den Deckel fallen und versuchte, ihn möglichst fest zu schließen. Er fühlte, wie die Kiste sich unter dem Ansturm neuer Materie bewegte, aber es konnte ihm gleichgültig sein.

Er verlor das Bewußtsein.

In einer Hölle von Hitze kam er wieder zu sich. Die Luft in seinem Anzug war heiß und stickig, und sein Schweiß floß in Strömen, obwohl er das Gefühl hatte, als sei er bis auf die Knochen ausgedörrt. Immer noch spürte er die leichte Bewegung des Behälters. Das eine Ende schien höher zu stehen, das andere hin- und herzuschaukeln.

Aber der Schock, der ihn durchfuhr, kam nicht, weil er sein unauchweichliches Ende vor sich sah. Das schreckliche Zucken seiner Muskeln, das Wissen um seinen bevorstehenden Tod bedeuteten ihm nichts.

Der Schock kam von der Tatsache, daß er seit Jahren verrückt gewesen war! Unablässig dachte er daran, kämpfte dagegen – und akzeptierte es. Als junger Mann war er schon nicht mehr normal, und als er die Universität verließ, war er völlig verrückt. Er hatte in einer Welt der Unmöglichkeit gelebt, in der nur absolute Perfektion erreichbar war. Nicht einmal in seinem Fall hielt er sie für denkbar. Ständig hatte er neuen Haß gegen das Unmögliche in sich aufgebaut, und dieser Haß hatte sich während seines ganzen Lebens immer tiefer in ihn hineingefressen.

Er war ein Berserker gewesen! Und doch, irgendwie war es eine, kalte, stählerne Wut gewesen, die sich wenn nötig verbergen ließ. Diese tief in ihm steckende Wut hatte er seine Vorgesetzten nicht merken lassen, und seinen Untergebenen gegenüber hatte er sie wenigstens soweit kontrolliert, daß es noch erträglich war. Gleichrangige hatte es nie gegeben. Die wirkliche grausame Wut seines berserkerhaften Gemüts hatte er immer für sich selbst reserviert.

Und nun war seine Wut ausgebrannt. Sie hatte die übermäßige Belastung der letzten Sekunden dort draußen nicht überlebt und war auch dem Tod nicht gewachsen, der ihm nun vor Augen stand. Sein Kopf war leer, aber er konnte klarer denken als je zuvor. Der alte Trick mit der kompletten visuellen Erinnerung war immer noch da. Seine Fähigkeit, ein vollständiges geistiges Bild zu konstruieren, schien eher noch gewachsen. Er sah jede Seite klar vor sich, die er je gelesen hatte. Auf solchen Tricks hatte er sein ganzes Leben aufgebaut. Kam man ihm aber auf die Schliche, traf er auf Ablehnung oder wurde ausgenutzt. Jetzt aber waren sie nur Mittel zum Zweck, nicht mehr Selbstzweck. Es waren Talente, die ihm denken halfen, das Denken selbst konnten sie nicht ersetzen.

Es tat weh, nur ein Mensch zu sein und kein verwundeter Gott in Ketten. Er mußte sich da hineinfügen.

Wieder wandten sich seine Gedanken der eigenen Lage zu, und er empfand einen Anflug von Angst. Er verdrängte das Gefühl, wie er auch den Schmerz und die Qualen verdrängte, die ihm den Kopf fast zersprengen wollten. Er lag hier in der Kiste, aber noch hatte das Zeug ihn nicht erreicht, das draußen ausfloß. Die starken, mit Blei ausgekleideten Wände seines Gefängnisses schützten ihn. Solange er höher lag als das flüssige Magma, so daß es nicht in den Behälter eindringen konnte, war er einigermaßen sicher. Er würde am Leben bleiben, bis die Luft verbraucht war, oder bis er austrocknete, oder bis die Hitze zu stark wurde. Lange konnte es in keinem Fall dauern.

Er dachte über die Menschen nach. Er hatte sie nicht gekannt, und schon gar nicht hatte er Sympathie für sie empfunden. Aber er hätte gern erfahren, ob er mit seiner Arbeit während dieser unmöglichen letzten Sekunden das erreicht hatte, was doch sein Ziel gewesen war. Verrückt oder nicht, er hatte versucht, sie zu retten. Indem er das tat, hatte er den Wahnsinn in sich selbst zerstört, aber ihm blieb keine Chance, seine wiedergewonnene Vernunft zu testen.

Er merkte, daß der Behälter sich wieder bewegte, und hielt den Atem an. Aber das war sinnlos.

Bei der riesigen Masse kam es auf seine eigenen Bewegungen nicht mehr an.

Isotop R, dachte er. Das war die Antwort – entweder das oder eine Mischung mit einem hohen Anteil des Isotops. Er hätte seinen Verstand erneut damit quälen können, die genaue Formel zu bestimmen, aber so sehr interessierte es ihn nicht. Und was würde geschehen, wenn es Isotop R war? Er kannte die Antwort, und so fieberhaft er auch über einen Gegenbeweis nachgedacht hätte, er wäre nicht zu finden gewesen.

Das da draußen mußte Isotop R sein, und wenn es das war, spielte es keine Rolle mehr, ob er gleich starb, durch ein Wunder gerettet wurde, oder ob er bis zu dem unvermeidlichen Zeitpunkt lebte, da die Substanz die ganze Reaktionskette durchlaufen hatte.

Dann revidierte er das. Es würde doch etwas ausmachen, wenn man ihn wie durch ein Wunder rechtzeitig herausholen könnte. Wenn er Zeit hätte und bei Bewußtsein wäre, könnte sein Verstand seine Arbeit beenden und die Lösung finden – die Lösung, die das Isotop R unschädlich machen würde.

Aber keiner von den Männern dort draußen würde die Lösung rechtzeitig finden. Sie konnte nur aus seinem eigenen Kopf kommen – aber sein Gehirn würde die Kräfte nicht aushalten, die von draußen über ihn hereinbrechen würden, wenn der Behälter versank.

Er schwankte schon und schien wegzugleiten und sich zu drehen. Etwas unter ihm schien nachzugeben, wieder zu halten, um dann erneut nachzugeben. Neugierig wartete er und überlegte, wie lange es noch dauern würde. Es mußte in wenigen Sekunden passieren. Er war fast glücklich, als der Behälter endlich ins Rutschen kam. Er hatte den Zeitpunkt genau getroffen. Er versank nun, und Jorgenson merkte noch verschwommen, daß Magma durch die Ritzen am Deckel eindrang. Er öffnete nicht einmal mehr die Augen. Es wäre ohnehin zu dunkel gewesen, auch nur das Geringste zu erkennen.

Er schaltete einen Sektor seines Verstandes nach dem anderen ab. Zuletzt blieb nur ein winziger Bewußtseinsfunken übrig, aber auch der verlosch. Er war bewußtlos.

VI

»Geben Sie mir Dr. Blakes Wohnung – Maple 2337«, sprach Ferrel hastig ins Telefon. Das Girl in der Vermittlung sah ihn verständnislos an, schlug die Nummer nach und griff in einer automatischen Geste nach einem der Knöpfe. Ferrel war irritiert. »Ich sagte doch Maple 2337.«

»Tut mir leid, Dr. Ferrel. Ich kann Sie nicht nach draußen

durchstellen. Ich habe keine intakte Leitung.« Aus der Vermittlung war monotones Summen zu hören. Es war nicht zu erkennen, ob es von den Anzeigen für einkommende Gespräche oder den Kontrolleuchten der Leitungen nach draußen herrührte.

»Es handelt sich um einen Notfall, Miss. Ich muß unbedingt Dr. Blake erreichen!«

»Tut mir leid, Dr. Ferrel«, wiederholte sie. »Alle Außenleitungen sind gestört.« Wieder wollte sie nach den Knöpfen greifen, aber Ferrel sprach weiter.

»Dann geben Sie mir Palmer – wenn er gerade spricht, unterbrechen Sie. Auf meine Verantwortung.«

»Okay.« Sie betätigte ihre Schalter. »Verzeihen Sie bitte, Notruf von Dr. Ferrel. Bleiben Sie am Apparat, ich stelle Sie um.« Palmers Gesicht war auf dem Schirm, und diesmal machte der Mann nicht den Versuch, sorglos zu wirken.

»Was gibt's? Ferrel?«

»Blake muß her – ich werde ihn brauchen. Das Mädchen in der Vermittlung sagt –«

»Ja.« Palmer nickte knapp und unterbrach ihn. »Ich habe selbst versucht, ihn zu erreichen, aber es nimmt keiner ab. Wo kann man ihn vielleicht erreichen?«

»Versuchen Sie doch mal den Bluebird oder irgendeinen anderen Nachtclub.« Verdammt, warum mußte Blake ausgerechnet heute dieses alberne Jubiläum feiern! Kein Mensch konnte wissen, wo er um diese Zeit herumschwirrte.

Palmer sprach wieder. »Ich habe schon sämtliche Nachtclubs und Restaurants versucht. Er ist nirgends. Wir lassen ihn gerade in allen Kinos und Theatern ausrufen: einen Augenblick bitte . . . Nein, er ist nicht zu finden. Überall Fehlanzeige.«

»Könnten wir ihn nicht über den Rundfunk rufen lassen?«

»So gern ich das täte, Ferrel, aber das geht nun wirklich nicht.« Der Manager hatte einen Augenblick gezögert, aber seine Antwort duldete keinen Widerspruch. »Übrigens werden wir Ihre Frau informieren, daß Sie nicht nach Hause kommen.

Vermittlung! Sind Sie noch da? Gut, dann verbinden Sie mich wieder mit dem Gouverneur.«

Es hatte keinen Zweck, sich mit einem leeren Bildschirm zu streiten, fand der Doc. Wenn Palmer keine Radiodurchsage wünschte, dann wünschte er eben keine, obwohl schon mal eine gemacht worden war. »Alle Fernleitungen gestört . . . Wir benachrichtigen Ihre Frau . . . Verbinden Sie mich mit dem Gouverneur!« Man pflegte offenbar nicht die geringste Geheimhaltung!

Jenkins verzog den Mund zu einem Grinsen. »Wir sind total abgeschnitten. Ich wußte es schon. Meyers erzählte mir gerade weitere Einzelheiten.« Er nickte zur Schwester hinüber, die gerade aus dem Umkleideraum kam und sich die Tracht glattstrich. Ihr fast hübsch zu nennendes Gesicht drückte eher Verwirrung als Besorgnis aus.

»Ich wollte gerade die Anlage verlassen, Dr. Ferrel, als ich aus dem Außenlautsprecher meinen Namen hörte. Aber ich mußte warten und warten, bis sie mich endlich wieder reinließen. Wir sind hier tatsächlich eingesperrt. Die Tore werden von Männern mit Revolvern bewacht! Sie schicken jeden zurück, der das Werk verlassen will, und geben noch nicht einmal einen Grund an. Sie haben Anweisung, daß keiner rein und keiner raus darf, bis Mr. Palmer es wieder erlaubt. Wir sind hier wie im Gefängnis. Glauben Sie . . . Wissen Sie, was denn hier los ist?«

»Ich weiß nicht mehr als Sie, Meyers. Palmer sprach allerdings von Fahrlässigkeit an einem der Zugänge zu Drei oder Vier«, antwortete Ferrel. »Wahrscheinlich sind das alles nur Vorsichtsmaßnahmen. Immerhin kriegen Sie für heute doppelten Lohn. Machen Sie sich nur keine Sorgen.«

»Nein, Dr. Ferrel.« Sie nickte und verschwand wieder im vorderen Büro.

Sie schien alles andere als beruhigt zu sein. Der Doc war sich klar darüber, daß Jenkins und er im Moment ja auch nicht gerade eitel Zuversicht ausstrahlten.

»Jenkins«, sagte er, als sie gegangen war, »falls Sie mehr wissen als ich, dann raus mit der Sprache! So etwas wie heute habe ich hier noch nie erlebt.«

Jenkins schien zu zögern. Dann schüttelte er sich, und zum ersten Mal seit er hier war, gebrauchte er die vertrauliche Anrede. »Nein, Doc – ich weiß gerade genug, um nicht ganz so zuversichtlich wie Sie zu sein, und ich habe nackte Angst!«

»Zeigen Sie mir Ihre Hände.« Das Thema war bei Ferrel fast zu einer fixen Idee geworden, und er wußte es, aber er wußte auch, daß das seine guten Gründe hatte. Jenkins Hände fuhren hoch, und nicht das geringste Zittern war zu erkennen. Der Junge warf die Arme hoch, daß ihm die losen Ärmel heruntergIitten. Ferrel nickte. Auch Schweißausbrüche unter den Armen waren nicht zu verzeichnen, die eine schlechte nervliche Verfassung hätten andeuten können. »Schon gut, Junge. Mir ist es gleich, ob Sie Angst haben – das geht mir auch manchmal so –, aber Blake ist nicht zu erreichen, und die anderen Schwestern und Pfleger sind nicht hier. Da brauche ich Ihre ganze Kraft.«

»Doc?«

»Nun?«

»Sie dürfen mir glauben, ich könnte eine Schwester besorgen – eine gute sogar. Eine ruhigere und ausgeglichenere gibt es nicht, und sie hat zur Zeit keine Arbeit. Das hatte ich allerdings nicht gewußt – auf jeden Fall wird sie mir das Fell über die Ohren ziehen, wenn sie erfährt, daß ich sie nicht gerufen habe, obwohl wir sie dringend brauchen. Wollen Sie sie haben?«

»Keine Leitungen für Gespräche außer Haus«, erinnerte ihn der Doc. Zum ersten Mal sah er im Gesicht des Jungen echte Begeisterung. Wie gut oder schlecht diese Schwester auch sein mochte, sicherlich konnte sie dazu beitragen, daß Jenkins' Gemütsverfassung sich besserte. »Immerzu, wenn Sie sie erreichen können; im Augenblick können wir jede Schwester gebrauchen. Ihre Freundin?«

»Meine Frau.« Jenkins setzte sich zum Büro in Marsch. »Ich brauche auch kein Telefon. Als ich sie anrief, um ihr zu sagen, daß ich heute die Friedhofsschicht mache, hat sie versprochen, auf mich zu warten. Sie sitzt draußen auf dem Parkplatz im Wagen.«

»Da hätte sie lange warten können«, sagte der Doc trocken.

Jenkins grinste kurz, und sein Gesicht wirkte jetzt fast jungenhaft. »Sie hat damit gerechnet. Und falls Sie sich Sorgen hinsichtlich ihrer Fähigkeiten machen sollten, sie hat als Operationsschwester unter Bayard an der Mayo-Klinik gearbeitet; damit hat sie mein Studium finanziert.«

Als Jenkins zurückkam, war aus der Ferne wieder das Heulen der Sirene zu hören. Der Junge hatte immer noch die scharfen Linien um die Mundwinkel, aber er machte einen gelasseneren Eindruck. Er nickte. »Ich habe mit Palmer gesprochen, und er läßt sie ausrufen. Die Wachen sind angewiesen, sie ohne weiteres durchzulassen. Das Girl in der Vermittlung hat offenbar Auftrag, unsere Gespräche sofort zu Palmer durchzustellen.«

Der Doc nickte und lauschte dem Dröhnen der Sirene, das immer näher kam und dann mit einem mißtönenden Pfeifen endete.

Seine Anspannung wich, als er Jones am Hintereingang sah. Selbst in Krisen wie dieser war Arbeit immer noch besser als herumzusitzen und auf Unheil zu warten. Die beiden Tragen, die jetzt hereinkamen, waren doppelt beladen. Der Doc bemerkte, wie Beel auf den Pfleger einredete. Der sonst so phlegmatische Mann war nicht wiederzuerkennen.

»Ich hau' ab; morgen schon! Ich will nicht mehr zusehen, wie sie da Leichen rausholen – so nicht. Warum muß ich überhaupt wieder hin? Es ist doch sinnlos, noch weiter reinzugehen, selbst wenn sie es schaffen. Ab jetzt fahr ich Lastwagen. Bestimmt!«

Ferrel ließ ihn reden. Der Mann war einer Hysterie nahe. Er hatte für Beel keine Zeit mehr, als er durch das Visier eines der Panzeranzüge das rohe Fleisch sah. »Schneiden Sie so weit wie möglich die Bekleidung herunter, Jones«, wies er die Schwester an. »Entfernen Sie wenigstens die Panzerung. Steht die Salbe bereit, Schwester?«

»Ja«, sagte Meyers. Jenkins half Jones, den schweren, gepanzerten Schutzanzug zu öffnen und den Helm abzubekommen.

Ferrel schaltete mit dem Fuß das Supersonargerät ein, damit das Metall der Anzüge sterilisiert wurde. Mit der Asepsis durfte man es heute nicht allzu genau nehmen. Die mußte man dem Supersonar und den Ultraviolett-Röhren überlassen, wenn ihm das auch nicht sehr gefiel. Jenkins war fertig. Rasch griff er sich ein frisches Paar Handschuhe und sterilisierte und spülte sich die Hände nur sehr oberflächlich. Dodd folgte ihm, während Jones drei Fälle in die Mitte des Operationsraumes rollte; der andere war auf dem Weg hierher gestorben.

Es war sehr unangenehme Arbeit. An den Stellen, wo das Metall die Haut berührt hatte oder ihr sehr nahe gekommen war, war das Fleisch verbrannt, vielleicht sollte man besser geröstet sagen. Aber das war noch nicht das Schlimmste; es gab Anzeichen schwerer Strahlenverbrennungen, die nicht nur oberflächlich waren. Die Strahlung war durch das Fleisch und die Knochen gedrungen und hatte lebenswichtige Organe in Mitleidenschaft gezogen. Fragend schaute der Doc zu Jones hinüber.

Der Mann hielt einen der kleinen Streifen hoch, den die Werksangestellten an ihren Namensaufnähern tragen mußten, und die sich bei Strahlungseinwirkung verfärbten. Das Ding war völlig schwarz, ein Zeichen, daß die zulässige Strahlendosis bei weitem überschritten worden war.

Viel schlimmer noch war das krampfartige Muskelzucken, an dem man sehen konnte, daß radioaktive Materie tief ins Fleisch eingedrungen war und direkt auf die Nerven einwirkte, die die motorischen Impulse steuerten. Jenkins betrachtete flüchtig den zuckenden Leib seines Falles, und sein Gesicht erblaßte zu einem gelblichen Weiß; entweder war dies das erste Beispiel für die möglichen Auswirkungen eines atomaren Unfalls, das ihm unter die Augen kam, oder er las vom Zustand des Patienten noch etwas anderes ab. Seine Stimme klang entsetzt aber kaum überrascht. »Zuerst ein Schuß Gammastrahlung, dann die Beta-Emission. Es paßt alles zusammen!«

Er ballte die Fäuste und schaute unwillkürlich zum Konverter hinüber. Dann schien er sich wieder zu fangen.

»Curare«, sagte er dann. Er preßte das Wort zwar heraus, aber sonst klang seine Stimme normal. Meyers reichte ihm das Einspritzmittel, und er injizierte es. Seine Hände waren absolut ruhig, ruhiger noch als normal. Es war das völlige Fehlen jeglichen Zitterns, das bei einem lebenden Organismus in Fällen von übermäßigem Streß vorkommen kann. Ferrel wandte sich wieder seinem eigenen Fall zu. Er war zugleich erleichtert und besorgt. Es war kein Zufall, daß Jenkins sofort die Notwendigkeit einer Curare-Injektion erkannt hatte.

Für das häufige Auftreten dieser Muskelkrämpfe gab es nur eine Erklärung: Die radioaktiven Stoffe waren nicht nur durch die Luftfilter der Schutzanzüge gekommen, sondern auch direkt durch die Panzerung. Dann waren sie tief in das Fleisch der Männer gedrungen.

Einige der superschweren Isotope gaben Beta-Emissionen – Elektronen von hoher Energie – in massiven Mengen ab, und hier handelte es sich offenbar um eine solche Substanz. Die kleinen Ablagerungen sandten diese Strahlung in die Nerven aus. Sie blockierten so die normalen Impulse von Gehirn und Wirbelsäule und errichteten ein eigenes, anarchisches System von Reizen, unter dem die Muskeln sich ruckartig bewegten, oft gegeneinander und ohne Sinn oder Plan. Die normale Körperbeherrschung entfiel. Es war, als ob die übliche negative Bewegungssteuerung positiv geschaltet war. Man konnte an einen Schizophrenen unter Metrozolschock denken oder an einen schweren Fall von Strychninvergiftung.

Sorgfältig verabreichte der Doc die Curare-Injektionen und dosierte dabei nach bestem Wissen. Jenkins hatte mit Hochdruck gearbeitet und seine zweite Spritze schon gesetzt, als der Doc gerade von der ersten hochschaute. Trotz der Anwendung von Curare hörten bei einigen die Zuckungen nicht auf.

»Curare«, wiederholte Jenkins, und der Doc spürte wieder eine starke innere Anspannung. Er überlegte noch, ob man die zusätzliche Dosis wirklich riskieren sollte, aber er gab keine gegenteiligen Anweisungen. Er war froh, daß ihm die Sache aus der Hand genommen war. Jenkins machte sich wieder an die Arbeit. Er trieb die Dosierung bis an die oberste zulässige Grenze und darüber hinaus. Bei einem der Fälle war ein seltsames, abgehacktes Stöhnen zu hören. Der Mann konnte anscheinend Atmung und Stimmbänder nicht ausreichend koordinieren, aber unter der Wirkung der Droge verstummte er. Nach wenigen Minuten lag er ganz ruhig da und atmete schwach und kaum vernehmlich, wie es nach einer Curarebehandlung üblich ist. Die anderen bewegten sich noch leicht, aber die halsbrecherischen Zuckungen war krampfartigen Schauern gewichen, wie bei Leuten, die vor Kälte zittern.

»Gott segne den Mann, dem die Curare-Synthese gelang«, murmelte Jenkins und schnitt zerstörtes Gewebe ab.

Der Doc konnte nur zustimmen; bei dem alten, natürlichen Produkt waren Standardisierung und genaue Dosierung nahezu unmöglich gewesen. Zuviel, und die Dosis war tödlich; der Patient starb an »Versagen« seiner Brustmuskulatur, und zwar in wenigen Minuten. Zu wenig dagegen war praktisch nutzlos. Die Gefahr, daß sich die Patienten selbst verletzten oder sich durch die wilden Bewegungen zu Tode erschöpften, bestand heute nicht mehr. Also konnte man sich auch relativ unwichtigen Dingen widmen wie dem Weiterbestehen starker Schmerzen – Curare wirkte kaum auf die Gefühlsnerven. Er injizierte Paramorphin, reinigte die verbrannten Stellen und behandelte sie mit dem üblichen Salbenpräparat. Antibiotika dienten außerdem der Vorbeugung einer Infektion. Ab und zu schaute er zu Jenkins hoch.

Er brauchte sich aber keine Sorgen zu machen. Die Nerven des Jungen schienen zu unnatürlicher Ruhe erstarrt, und er arbeitete in einem Tempo, dem Ferrel gar nicht erst Konkurrenz zu machen versuchte.

Der Doc hob den Arm, und Dodd reichte ihm das kleine Strahlenmeßgerät. Zentimeter um Zentimeter untersuchte er die Haut, um die fast mikroskopisch kleinen Materieteilchen aufzuspüren. Alle konnte er jetzt nicht finden, aber die schlimmsten Ablagerungen wurden gefunden und entfernt.

Den Rest konnte die Schwester später mit Versenen und anderen Chemikalien auswaschen, denn es erforderte längere Zeit. Auch der Blutaustausch, bei dem die beschädigten Zellen durch frische ersetzt wurden, war Aufgabe der Schwester. Glücklicherweise waren die Behandlungsmethoden, selbst für schwere Strahlungsschäden, schon seit Jahren hochentwickelt. Ein Glück war es auch, daß die Strahlung dieser Teilchen hauptsächlich aus Beta-Strahlen bestand und nicht aus den tückischen Neutronen.

»Jenkins«, fragte er, »wie steht es mit den chemischen Eigenschaften des I-713? Vergiftet es den Organismus?«

»Nein. Abgesehen von der Strahlung ist es völlig harmlos. Die ganze Intensität der Strahlung geht vom äußeren Elektronengürtel aus. Das Isotop ist chemisch inaktiv.«

Das war wenigstens ein Trost. Die Strahlung war schlimm genug, wenn aber Metallvergiftung hinzukam, wie bei den früheren Radium- und Quecksilberfällen, war es noch weit übler. Ein inaktives Element dagegen hatte wenig Neigung, sich im Gewebe festzusetzen oder im Kalzium der Knochen abzulagern. Wahrscheinlich wuschen die Versene das meiste heraus, und seine kurze Halbwertzeit machte ein langes und leidvolles Krankenlager überflüssig. Er ging an den Schrank, in dem sich die Chemikalien zum Auswaschen befanden, aber Jenkins schüttelte den Kopf.

»Zwecklos! Sie können mit gelierenden Wirkstoffen doch keine inaktiven Elemente auswaschen.«

Der Doc nickte traurig. Das hätte er sich selber sagen müssen. Er hätte auch selbst daran gedacht, wenn er sich weniger Sorgen gemacht und mehr nachgedacht hätte. Sie mußten also wegkratzen, was sie konnten und den Rest der Zeit überlassen. Der Körper würde den Stoff auf natürliche Weise ausstoßen. Nur gut, daß die Halbwertzeit kurz war.

Jenkins half ihm beim letzten Patienten. Statt Dodd reichte jetzt er ihm die Instrumente. Doc hätte die Schwester vorgezogen, denn sie verstand seine kleinen Gesten, aber er sagte nichts. Er war erstaunt darüber, wie geschickt der Junge mitarbeitete. »Und was ist mit den Zerfallprodukten?« fragte er.

»Isotop 713? Das ist fast immer harmlos. Und was nicht harmlos ist, findet sich nur in geringer Konzentration. Darüber braucht man sich keine Sorgen zu machen. Das heißt, wenn es noch I-713 ist! Sonst . . .«

Sonst . . . den Satz konnte der Doc selbst beenden. Eine Vergiftungsgefahr schloß der Junge aus. Aber: Isotop R, dessen Zerfallzeit nicht feststand, verwandelte sich in das Mahlersche Isotop, und das zerfiel in einer Milliardstel Sekunde! Er hatte grauenhafte Visionen. Er sah Männer, die damit vollgepumpt waren, und dann geschahen plötzlich überall in ihren Körpern Ausbrüche mit einer Wucht, die jeder Beschreibung spottete! Daran genau mußte Jenkins gedacht haben. Sekundenlang standen sie da und schauten einander schweigend an. Aber keiner sagte ein Wort. Ferrel griff nach der Sonde, und Jenkins zuckte die Achseln. Sie fuhren in ihrer Arbeit fort. Aber auch ihre Gedanken ruhten nicht.

Es war unmöglich, sich die Schreckensbilder vorzustellen, die sich ihnen bieten konnten – oder auch nicht. Wenn ein solcher atomarer Ausbruch erfolgte, konnte sogar die Krankenstation betroffen sein. Kein Mensch wußte, mit welchen Mengen Maicewcz bei seinen Experimenten gearbeitet hatte. Man wußte nur, daß er die kleinste mögliche Menge hergestellt hatte. So war der Schaden nicht voraussehbar. Die Körper der Männer auf den Operationstischen, die kleinen Gewebefetzen, die man entfernt hatte, alles konnte winzige Kügelchen der radioaktiven Substanz enthalten. Selbst die Instrumente, die man zur Behandlung gebraucht hatte, waren potentielle Bomben! Ferrels eigene Hände nahmen jetzt die Starre an, die ihm bei Jenkins aufgefallen war. Er zwang sich gewaltsam dazu, sich auf seine Arbeit zu konzentrieren.

Waren nun Stunden oder Minuten vergangen? Wer konnte es wissen. Der letzte Verband war angelegt und die drei gebrochenen Knochen des am schlimmsten Betroffenen gerichtet und geschient. Meyers und Dodd hatt zusammen mit Jones die Männer versorgt und sie in die kleinen Krankenzimmer geschoben. Die beiden Ärzte waren nun allein. Jeder vermied peinlich den Blick des anderen. Sie warteten. Sie wußten nur nicht auf was.

Von draußen hörten sie ein dröhnendes Stampfen, als ob ein schweres Fahrzeug über die Wege rollte, und gleichzeitig eilten sie zum Seiteneingang und schauten nach allen Seiten. Es war Nacht geworden, aber die Scheinwerfer von den Türmen an der Umzäunung tauchten die Anlage in helles Licht, und jede Einzelheit war zu erkennen. Sie sahen den kleinen gepanzerten Tank wegfahren und hinter den Gebäuden verschwinden.

Vom Haupteingang her zerriß schrilles Pfeifen die Luft. Stimmengewirr wurde laut, obwohl man die Worte nicht verstand. Man hörte scharf abgehackte Silben. Jenkins nickte langsam. »Ich wette hundert zu eins, daß – ach, wetten ist sinnlos. Es stimmt ganz einfach.«

Ein Trupp von Männern marschierte heran. Sie versuchten, Gleichschritt zu halten. Sie trugen die Uniformen der Nationalgarde und waren mit Karabinern bewaffnet. Auf Befehl eines Sergeanten verteilten sie sich, um alle Gebäudeeingänge zu besetzen. Einer marschierte auf die Krankenstation los. Ferrel nahm den Hörer auf, um sich bei Palmer zu beschweren, aber der Mann ging vorbei und auf ein anderes Gebäude zu. Er war unrasiert, und Angst stand ihm im Gesicht.

»Darüber hat Palmer also mit dem Gouverneur gesprochen«, murmelte Ferrel. »Es hat wohl keinen Zweck, die Leute zu fragen; sie wissen weniger als wir. Kommen Sie mit. Wir ruhen uns drinnen noch ein wenig aus. Ich möchte wissen, was die Nationalgarde hier soll – es sei denn, Palmer glaubt, jemand könnte verrücktspielen und Ärger machen.«

Jenkins folgte ihm ins Büro zurück und nahm automatisch die angebotene Zigarette, während er sich in einen Sessel sinken ließ. Der Doc genoß es, Muskeln und Nerven zu entspannen. Sie waren länger im Operationsraum gewesen, als er gedacht hatte. »Möchten Sie einen Drink?«

»Hmm – dürfen wir denn? Wahrscheinlich geht's gleich wieder los.«

Ferrel nickte grinsend. »Er schadet Ihnen schon nicht. Wir sind müde und abgeschlafft genug, daß wir ihn einfach als Brennstoff brauchen. Unsere Nerven werden ihn gar nicht erst zur Kenntnis nehmen. Hier.« Er schenkte jedem einen reichlichen Schluck ein, genug, um sie innerlich aufzuwärmen, genug auch, um ihre überreizten Nerven zu beruhigen. »Warum ist Beel denn noch nicht zurück?«

»Das ist wohl durch den Tank erklärt, den wir eben sahen. Die Leute kommen mit ihren Schutzanzügen allein nicht mehr aus. Sie müssen sich mit den Tanks in den Konverter hineinwühlen. Wenn das stimmt, ist die Arbeit schwer und wird lange dauern. Wenn die Anzüge nicht genügen, haben sie es mit intensiver Strahlung und hohen Temperaturen zu tun. Ich hatte gehofft, daß sie es schaffen, die abgedichteten Zugänge zum Konverter aufzubrechen, aber es sieht nicht so aus. Dann könnte man den Umwandlungsprozeß vielleicht noch in den Griff bekommen bevor – Sue!«

Ferrel sah auf. Das Mädchen trug schon Arbeitskleidung und konnte sofort im Operationsraum eingesetzt werden. Der Doc konnte sich einen anerkennenden Blick nicht versagen. So alt war er nun auch wieder nicht. Kein Wunder, daß Jenkins strahlte. Sie war zierlich, aber ihre Figur glich eher der eines größeren Mädchens. Ihr fehlte völlig das Schnippische und Vorlaute, das man gewöhnlich mit kleinen Frauen assoziiert. Sie wirkte seriös und kompetent. Dabei hatte sie ein wirklich hübsches Gesicht. Sie war ein paar Jahre älter als Jenkins, aber als er aufstand, um sie zu begrüßen, lächelte sie, und ihr Gesicht wirkte nun genau so jugendlich wie das des Jungen.

»Sie sind Dr. Ferrel?« fragte sie und wandte sich an den älteren. »Ich komme ein wenig spät. Man ließ mich nicht gleich hinein. Da wollte ich Sie nicht erst belästigen sondern zog mich gleich um. Hier sind meine Papiere, damit alles seine Ordnung hat.«

Sie entnahm sie einer Lederhandtasche und legte sie auf den Tisch. Ferrel sah sie kurz durch. Sie war höher qualifiziert, als er erwartet hatte. Technisch gesehen war sie nicht Schwester, sondern Doktor der Medizin – eine sogenannte Schwestern-Ärztin. Es hatte schon seit Jahren ein Bedarf für Schwestern mit weit besseren medizinischen Kenntnissen bestanden, als eine Schwester sie üblicherweise hat. Sie mußten eine Grundausbildung in beiden Berufen haben, aber solche Ausbildungsgänge gab es erst seit kurzem, so daß bisher nur wenige Absolventen zur Verfügung standen. Ferrel nickte und reichte die Papiere zurück.

»Wir können Sie brauchen, Dr. –.«

»Dr. Brown – als Berufsbezeichnung, Dr. Ferrel. Meist nennt man mich ganz einfach Schwester Brown.«

Jenkins unterbrach die Formalitäten. »Sue, hast du draußen vielleicht erfahren was hier los ist?«

»Nichts als wilde Gerüchte. Die meisten von den Wachen, die den Parkplatz räumen. Es heißt, die Stadt soll evakuiert werden. Alles andere im Umkreis von fünfzig Meilen ebenfalls. Aber das ist nicht offiziell. Einer der Männer meinte, daß Bundestruppen kommen sollen und der Ausnahmezustand verhängt wird. Im Radio wurde aber nichts durchgegeben.«

Jenkins nahm sie mit, um ihr die Station zu zeigen und sie mit Jones und den anderen beiden Schwestern bekanntzumachen. Ferrel setzte sich und wartete auf das nächste Heulen der Sirene. Er versuchte sich auszumalen, was dort draußen in der Anlage vor sich ging. Er durchflog noch einmal den Artikel im *Weekly Ray,* aber er verstand ihn nicht und gab bald auf. Die Atomtheorie war seit seinen oberflächlichen Studien auf diesem Gebiet enorm fortgeschritten. Er kannte nicht einmal mehr die Bedeutung der Symbole. Er kannte zwar das Verhalten normaler Elemente und wußte über Uranspaltung Bescheid, aber das ganze Verfahren, mittels dessen man Atome zusammenpackt, damit komplizierte neue Isotope entstehen, verursachte ihm höchstens Kopfschmerzen. Auf dem Gebiet mußte er sich wohl auf Jenkins verlassen. Wodurch wurde denn nur der Notkarren aufgehalten? Die Sirene hätte schon lange wieder ertönen müssen.

Zwar kam der Notkarren nicht, wohl aber fünf Männer, von denen zwei den dritten trugen und ein vierter den fünften stützte. Jenkins kümmerte sich um den, der getragen wurde, und Brown half ihm dabei. Der Fall war ähnlich wie die früheren, aber ohne Verbrennungen durch Kontakt mit heißem Metall. Ferrel wandte sich den anderen Männern zu.

»Wo ist denn Beel mit dem Notkarren?« Während er fragte, untersuchte er schon das Bein des von seinem Kollegen gestützten Mannes. Er fing mit der Behandlung an, ohne den Mann erst auf einen Untersuchungstisch schaffen zu lassen. Ein kleines Klümpchen radioaktive Materie war ihm etwa drei Zentimeter tief in den Oberschenkel gedrungen. Die Knochenfraktur war das Ergebnis der durch die Strahlung ausgelösten Muskelkontraktionen. Gut sah das ganze nicht aus. Inzwischen aber hatte die Gewalt der Zuckungen die umliegenden Nerven zerstört, und das Bein war schlaff und gefühllos. Der Mann sah ihm zu. Er lag im Koma auf der Bank, und sein Gesicht verzog sich zu einer Fratze. Ferrel arbeitete hinter einem kleinen Bleischutz, und seine Arme steckten in schweren, mit Blei armierten Handschuhen. Die abgeschnittenen Fleischfetzen und die Isotope warf er in einen Kasten aus dem gleichen Metall.

»Beel ist nicht mehr ganz normal, Doc«, antwortete einer der beiden anderen, der fasziniert die Arbeit der Sonde beobachtet hatte. »Der ist völlig durchgedreht. Er hat den Karren kaputtgefahren, als er zurückkam. Er konnte es nicht mehr sehen, als wir sie rausholten – wir hatten noch keinen Tropfen getrunken, als wir reinmußten!«

Ferrel sah ihn rasch an, und auch Jenkins' Kopf fuhr herum. »Sie haben sie rausgeholt? Heißt das, daß Sie selbst nicht drinsteckten?«

»Himmel, nein, Doc. Steht es so schlecht mit uns? Die beiden hat's erwischt, als das Ding zu spucken anfing. Es ging glatt durch ihre Panzerung. Ich hab' ein paar schöne Verbrennungen eingefangen, aber ich will nicht klagen. Ich hab' ein paar Tote gesehen, da kann man sich wohl nicht mehr beschweren!«

Ferrel hatte die drei, die noch gehen konnten, kaum wahrgenommen, aber nun untersuchte er sie gründlich. Auch sie hatten schwere Verbrennungen durch Strahlung und Hitze. Diese waren nur noch zu frisch, um stark zu schmerzen. Vielleicht hatte das Durchlebte ihre Schmerzempfindlichkeit auch vorübergehend abgestumpft, genau wie bei einem Soldaten auf dem Schlachtfeld, der verwundet wird und es erst merkt, wenn das Gefecht beendet ist. Im übrigen galten die Atomwerker ohnehin nicht als zimperlich.

»Auf dem Tisch im Büro steht noch eine halbe Flasche«, verriet er ihnen. »Jeder einen guten Schluck – nicht mehr. Dann gehen Sie nach vorn. Ich schicke Schwester Brown, damit sie Ihre Verbrennungen versorgt, so gut es jetzt geht.« Die Salben auftragen und die Injektionen verabreichen, die normalen Verbrennungen entgegenwirkten, konnte Brown so gut wie er. Eine gewisse Arbeitsteilung war nun einmal nötig. »Besteht die Chance, daß es im Konvertergehäuse noch weitere Überlebende gibt?«

»Vielleicht. Einer sagte, das Ding hätte eine halbe Minute vor dem Knall schon einen Heidenlärm gemacht. Da sind die Jungs in die beiden Sicherheitskammern abgehauen. Wir wollen selbst zurück und mit den Tanks wieder rein, wenn Sie nicht nein sagen. Wir haben noch ungefähr eine Stunde zu tun, bis wir an die Kammern rankommen. Dann wissen wir mehr.«

»Gut. Aber schickt nicht jeden Mann mit Verbrennungen her. Wir können hier keinen Massenandrang gebrauchen. Die Leute können warten. Außerdem sieht es so aus, als ob wir eine Menge schwere Fälle zu behandeln haben werden. Dr. Brown, ich schlage vor, Sie gehen mit den Männern nach draußen. Einer soll den Reservekarren fahren. Jones zeigt Ihnen wo er steht.

Geben Sie den Verbrannten Injektionen, schreiben Sie die schwerer Verletzten krank, und schicken Sie nur die mit den Zuckungen her. Mein Notbestand liegt im Büro. Jemand muß draußen Erste Hilfe leisten und vorsortieren. Wir können hier nicht die gesamte Belegschaft aufnehmen.«

»In Ordnung, Dr. Ferrel.« Sie holte rasch sein Besteck, und Meyers nahm ihre Stelle bei Jenkins ein. »Kommt Leute. Ich springe auf den Karren und behandle Ihre Verbrennungen unterwegs. Einer von Ihnen fährt. Das mit Beel hätte uns früher gemeldet werden müssen, dann wären wir schon lange draußen.«

Der Sprecher der Leute hob sein Glas und stürzte das Getränk hinunter. Dann grinste er sie an. »Okay, Doktor, aber draußen ist keine Zeit zum Nachdenken – da muß was getan werden. Vielen Dank für den Drink, Doc, und ich sage Hoke, daß Sie das Mädchen mitgeschickt haben.«

Brown verließ den Raum, und die Männer schlossen sich ihr an. Jones hatte inzwischen den zweiten Karren geholt, und der Doc legte den schnelltrocknenden Plastikverband an das gebrochene Bein. Schade, daß es nicht mehr von diesen Schwesternärztinnen gab; er würde später mit Palmer darüber reden – wenn sie sich überhaupt noch sahen. Wie es wohl um die Männer in den Sicherheitskammern stand? Die hatte er für einen Augenblick ganz vergessen. In jedem Konvertergehäuse gab es zwei dieser Kammern. Sie sollten bei Unfällen aufgesucht werden und galten als hundertprozentig sicher. Falls es den Männern noch gelungen war, sie zu erreichen, mochte alles gut sein. Gewettet hätte er darauf nicht. Mit einem kaum merklichen Achselzucken beendete er seine Arbeit und ging zu Jenkins, um ihm zu helfen.

Der Junge betrachtete die reglose Gestalt auf dem Tisch, die reichlich Spuren des Auskratzens und Sondierens aufwies. »Es hat glatt die Panzerung durchschlagen. Das gibt mir zu denken. Isotop 713 schafft das nicht. Da draußen muß die Hölle los sein!«

»Hmm.« Der Doc hatte keine Lust, sich über diesen Punkt zu streiten. Mißtrauisch betrachtete er den kleinen Kasten, in dem sie deponierten, was sie aus dem Fleisch herausgeholt hatten. Rasch sah er wieder weg. Immer wenn der Deckel zugeklappt wurde, sah man innen ein helles Leuchten. Jenkins sah dauernd in irgendeine neutrale Ecke.

Sollte es sich in das Mahlersche Isotop umwandeln, genügte diese Menge schon, die ganze Station in die Luft zu pusten. Es konnte sogar schlimmer werden!

VII

Palmers Interkom klickte leise. »Bügermeister Walker ist wieder am Apparat«, verkündete Thelmas müde Stimme.

Palmer fluchte und verschlang den Rest seines pappigen Sandwichs auf einmal. Der Bürgermeister rief schon zum dritten Mal an, seit er wieder in Kimberly war, und Palmer hatte restlos die Schnauze voll von den Sorgen dieser verdammten Stadt. »Sagen Sie ihm, er soll in zehn Minuten wieder anrufen. Ach, sagen Sie was Sie wollen. Ich will jetzt nicht mit ihm sprechen.«

Er hätte sich auf dieses Gespräch mit Walker von vornherein nicht einlassen sollen. Der Antrag, den Busdienst nach hier einzustellen, war doch wirklich nicht so wichtig. Wenn der Mann zum Zeitpunkt des Unfalls nicht gerade in Palmers Büro gewesen wäre, hätte man vieles anders regeln können. Während Palmer noch versucht hatte festzustellen, was passiert war, hatte der Bürgermeister sich ein Telefon geschnappt und, bevor man ihn hatte bremsen können, war schon der Gouverneur am Apparat gewesen. Nicht genug mit seinen eigenen Sorgen, nun saßen ihm auch noch Stadt und Staat im Genick.

Er starrte auf das Gewirr von Wegen unter seinem Fenster hinab. Zu sehen war nichts, denn die Konverter lagen zur anderen Seite des Gebäudes. Er sah nur eine Gestalt in der Uniform der Nationalgarde, die im kalten Licht der Scheinwerfer auf und ab ging, wobei der Mann seine Waffe sehr ungeschickt festhielt. Palmer wußte, daß noch weitere Nationalgardisten hier patrouillierten, und draußen vor den Werkstoren befand sich auch eine ganze Anzahl. Dort mochten sie nützlich sein, falls der Pöbel unter den Atomkraftgegnern so aufsässig sein sollte, wie Walker befürchtete. Im Werk selbst waren sie nur lästig.

Er sah auf die Uhr und war erstaunt, welche Zeit sie anzeigte. Peters hätte schon längst über den weiteren Fortgang der Rettungsarbeiten berichten müssen. Er schaltete das Interkom ein: »Thelma, rufen Sie nach draußen, und fragen Sie was los ist.«

»Ja, Sir.« Ihre Stimme klang besorgt. Sie wußte bestimmt auch, wie spät es war. »Briggs ist am Apparat.«

Er nahm den Hörer auf, und Briggs' müdes, häßliches Gesicht erschien auf dem Bildschirm. Der Mann nickte. »Wir haben dichtgemacht, Boß. Wir müssen nur noch auskippen und testen.«

Bei Nummer Drei hatte es mit der Ladung keinen Ärger gegeben. Das Verfahren war genau nach Jorgensons Berechnungen abgelaufen. Palmer hatte entschieden, den Prozeß nicht zu unterbrechen, da man nicht wissen konnte was geschah, wenn man die Umwandlung vor Abschluß stoppte.

»Gute Arbeit, Briggs«, sagte Palmer. »Werden Sie mit dem Rest allein fertig?«

Briggs nickte und legte auf. Für die Unterlagen galt der Test allerdings nicht, falls jemand ihn in Zweifel zog, denn Briggs hatte keinen Universitätsabschluß. Diesmal mußte es auch so gehen. Der Mann war tüchtig, und man konnte ihm vertrauen. Er war als Werkstudent zur National gekommen. Zu der Zeit durften die Atomanlagen schon selbst Qualifikationen vergeben, aber offenbar hatte sich Briggs mit seiner Position zufriedengegeben, denn er hatte nicht weiterstudiert.

Palmer bemühte sich selbst in sein Vorzimmer. Er war den unpersönlichen Bildschirm leid. »Was ist nun mit dem Ruf nach draußen?« fragte er das Mädchen.

»Dort nimmt keiner ab!«

Er war fast froh darüber. Er hatte keine Lust mehr, hier die Zeit zu markieren, auf irgendeinen Bericht zu warten, sich die Dinge selbst zusammenzureimen, und das auch noch anhand von unvollständigen Informationen. Wenn man ihn schon ohne Antwort ließ, würde er den Leuten raten, sich einen verdammt guten Grund dafür einfallen zu lassen.

»Ich gehe selbst raus«, sagte Palmer. »Sollte jemand anrufen, erledigen Sie das. Wenn es gar nicht geht, schicken Sie einen Boten.«

Er wartete nicht erst auf den Fahrstuhl, sondern hastete die Treppe hinunter. Der Wachposten vor der Tür starrte ihn mißtrauisch an, schien ihn dann aber zu erkennen und setzte seinen Marsch fort. Palmer eilte zu den Konvertern hinüber. Von weitem schon hörte er die Rufe der Männer und die mechanischen Geräusche der eingesetzten Maschinen. Das sagte ihm alles nicht viel, aber dann war er vor Ort angekommen und konnte die Situation selbst beurteilen.

Das Magma aus dem Konverter war durch die kleine Tür in das Energiekontrollzentrum gedrungen, und von dort hatte man auch die Verletzten herausgeholt. Der ganze Flügel war ein Trümmerhaufen aus geborstenen und eingerissenen Wänden, wo die Maschinen sich ihren Weg ins Innere gebahnt hatten. Die Arbeit war eingestellt worden. Jetzt nahmen sie gerade den Haupteingang in Angriff. Die riesige Tür war verschlossen aber durch die Hitze verbogen. Andere Männer waren an den Außenwänden beschäftigt, die sie noch von den Sicherheitskammern trennten.

Aber statt der planmäßigen Arbeit, die er erwartet hatte, bot sich seinen Blicken ein grauenhaftes Chaos. Jeder verfügbare Scheinwerfer war auf die Knäuel von Männern und Maschinen gerichtet, die einander nur im Wege waren, sich hilflos durcheinander bewegten und alles nur noch schlimmer machten.

Der Haupteingang hätte schon vor einer Viertelstunde aufgebrochen sein sollen, damit man das in aller Eile improvisierte

Gerät hineinschaffen konnte, um zu versuchen, der Lage Herr zu werden. Aber die beiden Räumgeräte schienen nicht die geringsten Fortschritte zu machen.

Einer der Männer, den er kannte, half gerade einer rothaarigen Frau, die er noch nie gesehen hatte. Man schien hier ein behelfsmäßiges Lazarett errichtet zu haben. Er schob sich zwischen den Leuten durch, packte den Arm des Mannes und riß ihn zu sich herum. »Wo ist Peters? Wer leitet hier die Arbeiten? Und warum, zum Teufel, hat man mich nicht benachrichtigt?«

»Das Zeug hat Peters vor zwanzig Minuten erwischt.« Der Mann zeigte auf eine Gestalt, die gerade auf einer Trage in den Notkarren gehoben wurde. Sein Kopf war unter den Bandagen kaum zu erkennen. »Hoke hat übernommen.«

Palmer stöhnte, aber die Auskunft erklärte das Durcheinander. Hokusai war einer der besten theoretischen Physiker auf dem Gebiet, aber er war ein hoffnungsloser Idiot, wenn es galt, Menschen zu führen. Daß er vom genauen Gegenteil überzeugt war, machte die Lage nur noch verworrener.

Der Manager setzte sich in Trab und lief zu Nummer Drei hinüber. Die roten Lichter, die Betrieb anzeigten, waren aus. Also mußte das Auskippen schon beendet sein. Er drückte den Knopf für den Elektromotor und wartete, bis sich das massive Tor so weit gehoben hatte, daß er hindurchschlüpfen konnte. Drinnen stand Briggs mit einer Gruppe von Leuten um den schweren Behälter auf der Testbank herum.

»I-713«, sagte der Vorarbeiter. »Wir können's durchgehen lassen. Es ist sogar ziemlich rein.«

Das wenigstens war ein Trost. Wenn sie je aus diesem Schlamassel herauskamen, würde die National Morgans ganzen Einfluß, sein ganzes politisches Gewicht bitter nötig haben. Die Mitglieder der Kongreßkommission hatten schon vor Stunden angekündigt, sie würden ihren Aufenthalt abbrechen, um nach Washington zurückzukehren. Zweifellos waren die atomaren Anlagen durch die beiden Unfälle bei ihnen nicht gerade populärer geworden, aber die Telegramme, in denen schnelles Handeln gefordert wurde, hatten wohl doch mehr mit ihren geänderten Plänen zu tun.

Hier war genügend I-713, daß Morgan seinen ländlichen Wählern die ersten Käfervernichtungstests vorführen konnte. Das würde den Mann in seiner positiven Haltung bestärken. Man mußte nur möglichst rasch den Versand bewerkstelligen.

Er sagte nichts, sondern nickte den Leuten nur anerkennend zu. Dann informierte er Briggs: »Peters ist ausgefallen. Hoke leitet die Rettungsarbeiten. Machen Sie hier Schluß, und gehen Sie nach draußen!«

»Mein Gott!« Briggs' Gesicht verriet, daß er die Katastrophe ahnte. Er gab ein paar von den Leuten einige knappe Anweisungen, rief die anderen zusammen und verließ mit ihnen fluchtartig den Konverter. Als Vorarbeiter konnte er Hoke ersetzen, ohne daß dieser beleidigt war. Er tat ja nur seine Pflicht. Hier waren keine langen Argumente nötig.

Als der Manager wenig später den Konverter verließ, stand Briggs schon auf einer improvisierten Rampe und schrie in die Sprechanlage. Zugänge wurden freigeräumt, und die Räumgeräte fuhren vor. Wer im Weg stand, wurde zurückgetrieben. Mit durchdrehenden Reifen startete ein Laster als ob der Teufel ihn jagte. Er nahm Kurs auf das Ausrüstungslager.

»Alles zurück!« brüllte Briggs. »Wir knacken die Tür in drei Minuten. Ihr da mit den Hämmern! Verschwindet und laßt die Schneidbrenner durch. Holt das Blei ran. In den Kammern sind Leute. Vielleicht können wir sie lebend rausholen!«

Er gab weitere Befehle, und Palmer zwang sich zu mehr Ruhe. Er beobachtete die Rettungsarbeiten. Briggs teilte die Gruppen ein und organisierte ihren Einsatz. Die Arbeit an der Stahlbetonwand ging weiter und machte Fortschritte. Selbst wenn der Haupteingang zuerst aufgebrochen wurde – wer wußte, ob man die Leute aus den Kammern durch das Innere schaffen konnte? Man mußte gleichzeitig versuchen, von außen an sie heranzukommen.

Palmer verfluchte sich dafür. Die Kammern waren so konstruiert, daß sie die Männer möglichst gut vor Dämpfen und ausfließender Materie schützten. Man war davon ausgegangen, daß die Leute in den Kammern von derselben Mannschaft herausgeholt werden sollten, die auch etwaigen Schaden im Innenraum beseitigte. Ausgänge durch die Außenwand waren nicht gebaut worden, weil sie die Aufhaltekraft der Stahlbetonwände vielleicht entscheidend geschwächt hätten. In Zukunft mußte eine andere Lösung gefunden werden!

Die Preßlufthämmer und die elektrischen Schneidbrenner fraßen langsam aber sicher eine Bresche in den Stahlbeton. Briggs ließ in regelmäßigen Abständen ablösen. Plötzlich ertönte ein Warnschrei, und die Leute gingen in Deckung. Der Trupp am Haupteingang hatte ein Bündel kleiner zylindrischer Behälter an der Tür befestigt. In fliegender Hast hatten sie die Dinger vom Lastwagen geholt. Jetzt rannten sie zurück, und einer zog eine Schnur.

Endlich verwandten sie also Thermodynbomben, um den Eingang aufzusprengen. An den Sicherheitskammern selbst, in denen sich die Männer befinden mußten, konnte man sie nicht verwenden. Die Hitze wäre wahrscheinlich tödlich gewesen. Aber wenigstens konnte man nun die geschmolzene Tür zum Haupteingang aus dem Weg räumen. Dann konnte man sich auch einen Überblick über den entstandenen Schaden verschaffen. Die Außenwand war schon fast durchbrochen, aber die Arbeit würde immer noch länger dauern als die am Eingang zum Innenraum des Konverters.

Palmer stand in ausreichendem Abstand. Trotzdem trat er noch einige Schritte zurück, um nicht das geringste Risiko einzugehen, denn Superthermit entwickelt enorme Temperaturen. Man hätte das Zeug schon einsetzen müssen, als klar wurde, daß die Tür nicht nur klemmte, sondern verbogen und festgeschmolzen war. Es gab einen dumpfen Knall, und der Boden erzitterte. Er drehte sich um und sah das Metall der Tür weißglühend abtropfen und kleine Pfützen bilden. Der Rest war nach innen zusammengefallen. Maschinen bewegten sich heran. Männer in Schutzanzügen kämpften sich vor, um Haken anzubringen und die Trümmer wegzuschleifen.

Ein Blick genügte, um zu wissen, daß man die Eingeschlossenen nicht durch den Innenraum bergen konnte. Der Konverter existierte nicht mehr. Nur Klumpen und Schlackehaufen ließen erkennen, wo er vorher gestanden hatte. Flüssiges Magma brodelte und schoß tückisch ins Freie, als die Tür weggezogen wurde. Briggs befahl, die Reste der Tür wieder vor den Eingang zu schieben, um den Fluß aufzuhalten. Andere holten Steinblöcke und bauten eine Rampe, damit die Tanks hinüber und nach innen fahren konnten.

Palmer starrte fassungslos auf die kochende, spritzende Materie. So etwas hatte er noch nie gesehen. Dies war nicht das Produkt einer normalen Reaktion, die außer Kontrolle geraten war. Dies mußte Isotop R sein, die Vorstufe zum Mahlerschen Isotop, der tödlichsten Substanz, die je erschaffen wurde!

Hoke war neben ihn getreten und starrte ebenfalls in das Inferno. Sein faltiges Gesicht zog sich zu ungläubigem Staunen zusammen. »Schlecht«, sagte er langsam. »Sehr schlecht. Wir müssen versuchen . . . aber wir werden Schwierigkeiten haben.«

Als er sich abwandte, keuchte er und preßte sich die Fäuste in den Magen. Palmer folgte ihm besorgt, aber der kleine Mann richtete sich auf und lächelte bekümmert. »Ich denke, es ist nichts. Ich habe mir den Magen verdorben. Weiter nichts.«

Auch mit Palmers Magen war es nicht zum besten bestellt. Jorgenson! Der Mann war einer der besten Ingenieure der Branche. Er hielt mehr Patente als jeder andere. Und doch, der Manager mißtraute ihm. Es lag an seiner ganzen Persönlichkeit. Er mußte die Formeln überprüft haben, um recht zu behalten, nicht, um sie anzuzweifeln.

Plötzlich begriff Palmer, daß er einfach unfair war. Jorgenson war unbeliebt aber deswegen doch nicht unehrlich. Er hatte Palmer ja gewarnt, aber der Manager hatte es auf seine Kappe genommen. Er selbst hatte den Ingenieur gezwungen, eine noch nicht getestete Umwandlung zu fahren. Nun steckte er in einer der Kammern oder . . .

Er ließ den Gedanken fallen. Der Mann mußte in einer der Kammern sein. Und die Leute sollten ihn verdammt schnell rausholen. Das Zeug da drinnen erforderte soviel Kenntnisse und Wissen, wie nur aufzutreiben waren. Und es war eher Jorgensons Gebiet als Hokusais.

Die Tanks schoben sich in das flüssige Magma, und er sah, daß Hoke einen gepanzerten Schutzanzug anlegte. Aber seine Hauptsorge galt jetzt den Männern, die an den Sicherheitskammern arbeiteten. Sie hatten die innere Sektion der nördlichen Kammer schon fast erreicht. Er veränderte seinen Standort, um besser sehen zu können. Er hatte dort überhaupt nichts zu suchen – er gehörte in sein Büro –, aber er konnte einfach nicht gehen, bevor er Näheres wußte.

Plötzlich zogen die Männer sich zurück, und ein Greifer begann, die Sektionen links von der Wand einzureißen. Gepanzerte Männer standen bereit, um notfalls hineinzugehen. Als der Greifer zurücksetzte, taumelte eine Gruppe von Leuten ins Freie. Einige konnten selbst gehen, mußten aber andere stützen.

Keiner von ihnen war Jorgenson. Er hätte sie alle überragt, und sein Spezialanzug hätte ihn ausreichend geschützt, daß er noch gehen konnte. Wenn überhaupt einer, denn er. Palmer war schon auf dem Weg zu der improvisierten Ersten-Hilfe-Station, als ihm einfiel, daß die Frau dort ihn wirklich nicht gebrauchen konnte.

Dies Problem löste Briggs für ihn. Ein Mann kam von der Medizinergruppe hergelaufen und rannte zu Briggs, der von seiner Rampe aus die Anweisungen gab, und rief etwas zu ihm hinauf. Briggs nickte und griff nach dem Mikrofon seiner Sprechanlage. »Dr. Brown sagt, die Männer haben Strahlenschäden und Verbrennungen und einige einen Schock. Keine kritischen Fälle!«

Einige Männer stießen Schreie aus, aber sie verstummten

rasch, als sie sich umdrehten und in die andere Kammer sahen. Palmer ging zu ihnen hinüber. Hier hatte es aus irgendeinem Grund länger gedauert, aber sie waren fast durch. Die Greifer standen in Bereitschaft. Es mußte nur das Zeichen gegeben werden. Palmer trat näher heran, bis er die durchbrochene Sektion gut im Blick hatte.

Wenig später räumten die Greifer die Reste weg. Aber diesmal kamen keine Leute heraus. Ein Rinnsal Magma quoll heraus. Das Licht, das in die Kammer flutete, zeigte die verschlossene Tür zum Konverterraum, aber in der Kammer schien keiner mehr zu leben. Sie lagen auf Geräten, Ausrüstungsteilen und anderen Gegenständen, damit die tödliche Materie sie nicht erreichte. Einige hatten sich sogar auf die Leichen der anderen gelegt.

Leute mit Panzeranzügen gingen vorsichtig hinein und versuchten, den Weg für die Männer mit den Tragen freizumachen. Einige arbeiteten an der Wand weiter. Sie versuchten die Öffnung zu vergrößern, damit die kleinen Tanks hineinfahren konnten. Palmer wollte nicht sehen, was sie herausholten. Sollte der eine oder andere noch leben, konnte ihm das jetzt wenig helfen. Keiner von ihnen würde arbeiten können, schon gar nicht in diesem Tumult, der noch lange andauern würde. Er strich Jorgenson von seiner Liste.

Dann aber, als er die Verwüstung in der Hauptkammer des Konverters sah, zerriß er in Gedanken seine Liste. Es blieben ein Fragezeichen und ein Gebet.

VIII

Ferrel und Jenkins hatten ihren letzten Fall versorgt. Sie legten nur noch einen Verband an, als die Zentrale ein Gespräch durchstellte. Sie beendeten rasch ihre Arbeit und gingen dann gemeinsam ins Büro. Browns verschmiertes Gesicht erschien auf dem Schirm. Das Rouge auf ihren Wangen war zerlaufen, und ein weiterer Fleck erschien, als sie sich mit dem Handrücken das rote Haar aus den Augen strich.

»Man hat die Sicherheitskammern des Konverters aufgebrochen, Dr. Ferrel. Die nördliche hat standgehalten. Da gab es nur geringfügige Strahlungsschäden und Verbrennungen durch Hitze. Aber in der anderen war etwas nicht in Ordnung. Ich tippe auf ein verklemmtes Sauerstoffventil. Die meisten waren bewußtlos aber am Leben. Das Magma muß durch die Tür gedrungen sein, denn sechzehn oder siebzehn haben Zuckungen. Etwa ein Dutzend sind tot. Einige kann ich hier nur notdürftig versorgen; sie brauchen intensive Behandlung. Hokusai stellt Leute ab zum Tragen der Verletzten. Unsere Geräte reichen nicht aus. Es kommt jetzt haufenweise auf Sie zu, und zwar sofort!«

Ferrel nickte und brummte: »Hätte schlimmer kommen können. Bringen Sie sich da draußen bloß nicht um, Brown.«

»Danke, gleichfalls.« Sie warf Jenkins eine Kußhand zu und war aus dem Kanal. Und jetzt jaulte die Sirene!

»Schaffen Sie den Jungs die Panzer vom Leib, Jones, und das Ganze pronto! Holen Sie sich ein paar Leute zur Hilfe. Curare, Dodd, und nicht zu wenig. Nur immer rüberreichen! Jenkins und ich bringen sie erstmal zur Ruhe. Dann sehen wir weiter.« Das Ding roch nach Fließbandarbeit. Gut war das nicht, aber notwendig. Jenkins arbeitete wie abwesend. Immer noch hatte er diese künstliche Gelassenheit, diese angespannte Starre. Aber er erledigte zwei Fälle, während der Doc nur einen schaffte. Sein Gesicht war leichenblaß, und seine Augen wirkten glasig. Aber seine Hände taten unablässig ihren Dienst. Er schien keine Nerven zu haben.

Einmal während der Nacht schaute Jenkins von der Arbeit auf und sah Meyers an. »Sie brauchen Schlaf, Schwester. Miss Dodd kann Dr. Ferrel und mir gleichzeitig assistieren. Wir arbeiten ja nebeneinander. Sie sind mit den Nerven am Ende. Legen Sie sich einen Augenblick hin. Dodd, Sie können sie in zwei Stunden wecken und sich dann selbst ein wenig ausruhen.«

»Und was ist mit Ihnen, Doktor?«

»Mir mir . . .?« Er grinste listig. »Ich habe zum Schlafen zu viel Phantasie. Außerdem werde ich hier gebraucht.« Der Satz endete mit einem falschen Klang, ganz eigenartig moduliert. Der ältere Arzt sah den jüngeren nachdenklich an.

Jenkins fing seinen Blick auf. »Es ist alles in Ordnung, Doc. Ich sag's Ihnen schon, wenn ich nicht mehr kann. War es denn nicht in Ordnung, daß ich Meyers weggeschickt habe?«

»Sie haben sie ja dauernd beobachten können. Sie müssen es besser wissen als ich.« Technisch gesehen unterstanden die Schwestern ihm direkt, aber auf diese Formalitäten hatte er schon lange verzichtet. Ferrel kratzte sich am Kreuz und nahm sein Skalpell wieder auf.

Im Osten zeigte sich ein erster grauer Schimmer des dämmernden Tages. Die kleinen Krankenzimmer waren überfüllt, und als alle Männer aus den Sicherheitskammern behandelt worden waren, mußten einige in den Warteraum geschoben werden. Während der Nacht war der Konverter noch nicht zur Ruhe gekommen. Er spuckte noch. Das Zeug durchdrang sogar zweimal die stark gepanzerten Tankfahrzeuge, aber zur Zeit kamen keine Verletzten mehr. Der Doc schickte Jones in die Kantine, um etwas zu essen zu holen. Dann ging er ins Büro, wo Jenkins sich schon in einen Sessel hatte fallen lassen.

Der Junge war bis zum Äußersten erschöpft, denn er hatte hart gearbeitet und während der ganzen Zeit seine eigene Angst unterdrücken müssen. Trotzdem schaute er überrascht auf, als ihm der Doc den Arm abrieb. Beim Einstich der Nadel zuckte er zusammen, aber er protestierte nicht. Der Doc gab sich anschließend selbst eine Injektion.

»Nur eine der neuen Drogen, die man mir angedreht hat«, informierte Ferrel den Kollegen. »Es löst die Spannung und macht uns wieder wach.«

Jenkins nickte und lächelte gequält. »Das ist ja der Fluch der Ärzte – immer müde, und ringsum wimmelt es von Drogen. Früher gebrauchte man wohl Morphium, richtiges Morphium.«

»Viele haben es genommen, und einige wohl heute noch. Aber das ist kein solches Problem mehr, seit wir die Mittel haben, die der Suchtbildung entgegenwirken. Immerhin, auch früher war Morphium nützlich. Wer es allerdings nicht nur im Notfalll gebrauchte, wußte ja, was er erwarten konnte. Für solche Leute kann ich kein Bedauern empfinden. Besser wäre natürlich ein Mittel, das den Schlaf ersetzen könnte, wenigstens für eine gewisse Zeit. Man arbeitete seinerzeit in Harvard daran, aber die Arbeit wurde eingestellt. Amphetamine sind zu begrenzt in ihrer Wirkung. Hier, essen Sie etwas!«

Jenkins gefiel das Frühstück wirklich nicht, das Jones ihm vorgesetzt hatte, aber er wußte genauso gut wie der Doc, daß Nahrung lebenswichtig ist. Er zog den Teller zu sich heran. »Ich würde viel geben, Doc, nicht für einen Ersatz, sondern für eine halbe Stunde ganz gewöhnlichen, altmodischen Schlaf. Aber verdammt, selbst wenn ich Zeit hätte. Ich könnte gar nicht schlafen, solange dort draußen Isotop R herumspritzt.«

Das Telefon hinderte den Doc an einer Antwort. »Telefon für Dr. Ferrel; Notfall! Dr. Brown für Dr. Ferrel!«

Das Mädchen verschwand vom Schirm, und Dr. Browns müdes Gesicht erschien. »Was gibt's?«

»Es ist der kleine Japaner Hokusai, der hier die Arbeiten leitet. Ein akuter Fall von Blinddarmentzündung. Bereiten Sie die Operation vor!«

Jenkins hätte fast den Kaffee verschluckt, den er gerade trinken wollte. »Appendicitis, Doc!« rief er angewidert und brach in hysterisches Gelächter aus. »Mein Gott, was wird das Nächste sein?«

Es hätte schlimmer sein können. Brown hatte das kleine Gefriergerät schon auf dem Notkarren angeschlossen und damit die Temperatur des Unterleibes schon deutlich gesenkt. Dadurch hatte sie Hokusai für die Operation vorbereitet und gleichzeitig den Entzündungsprozeß verlangsamt, so daß der Blinddarm nicht durchgebrochen war, als er in den Operationsraum gerollt wurde. Sein zerfurchtes orientalisches Gesicht wirkte grau unter der Olivfarbe, aber er brachte ein leichtes Grinsen zustande.

»Tut mir leid, Sie zu bemühen, Dr. Ferrel, tut mir wirklich sehr leid. Keinen Äther bitte!«

»Brauchen wir nicht, Hoke«, brummte Ferrel. »Wir wenden Hypothermie an, da sie schon eingeleitet wurde. Hier drüben, Jones . . . Und Sie können sich wieder hinsetzen, Jenkins.«

Brown hatte sich gewaschen und tauchte nun wieder auf, um bei der Operation zu assistieren. »Wir mußten ihn praktisch festbinden, Dr. Ferrel. Er bestand darauf, daß er nur ein wenig Mineralsalz und Pfefferminz gegen seine Bauchschmerzen brauchte! Warum sind intelligente Leute in diesen Dingen nur immer so dumm?«

Das war auch Ferrel unerfindlich, aber es war auch hier der Fall. Das Gerät für die Cryotherapie wurde eingeschaltet, und er prüfte die Temperatur. Sie war niedrig genug, und er begann mit der Operation. Hokes Lider zuckten, als er das Skalpell fühlte. Dann öffnete er ein wenig überrascht die Augen, denn er empfand fast keinen Schmerz. Der Vorteil des Unterkühlungsverfahrens in der Chirurgie lag darin, daß jede nervliche Reaktion ausblieb und sich folglich auch kein postoperativer Schock einstellen konnte. Ferrel schob das Gewebe beiseite, trennte den Blinddarm ab und holte ihn durch den kleinen Einschnitt heraus. Er benutzte die sinnreich konstruierte mechanische Nadel zum Vernähen der Wunde und trat zurück.

»Das wär's, Hoke. Sie können von Glück sagen, daß Sie keinen Durchbruch hatten. Peritonitis ist kein Spaß, obwohl wir natürlich Antibiotika eingesetzt hätten. Die Krankenzimmer und der Warteraum sind belegt; sie müssen also ein paar Stunden auf dem Tisch liegenbleiben, bis wir für Sie einen Platz finden. Wir haben nicht einmal eine hübsche Schwester für Sie – wenn die beiden anderen Mädchen nicht heute morgen kommen. Was wir mit den vielen Patienten tun sollen, weiß ich nicht.«

»Aber Dr. Ferrel, ich habe gehört, daß bei der modernen Chirurgie . . . ich kann doch sofort aufstehen. Ich habe zu tun.«

»Sie haben wahrscheinlich gehört, daß man nach einer Blinddarmoperation nicht liegen muß. Das stimmt nur teilweise. Johns-Hopkins hat schon vor langer Zeit Versuche gemacht. Sie bleiben auf jeden Fall so lange liegen, bis die Temperatur sich normalisiert hat, und das dauert eine Stunde. Dann dürfen Sie sich ein wenig bewegen; aber an den Konverter gehen Sie nicht. Bewegung nützt mehr als sie schadet, aber jede Anstrengung wäre schlecht.

»Aber die Gefahr –«

»Zum Teufel, Hoke. Vorhin hätten Sie ja auch nicht arbeiten können. Bis die Substanz in den Nähten sich im Körper aufgelöst hat, müssen Sie sich einfach schonen – und das dauert etwa zwei Wochen.«

Widerwillig fügte sich der kleine Kerl. »Dann sollte ich jetzt lieber schlafen. Aber Sie müssen sofort Palmer anrufen. Er muß wissen, daß ich nicht draußen bin.«

Palmer nahm die Nachricht sehr schlecht auf. Es war fast, als machte er Hokusai und Ferrel Vorwürfe. Unfair, aber irgendwie verständlich. »Verdammt, Doc, ich hatte gehofft, daß er das Ding hinkriegen würde. Ich habe dem Gouverneur praktisch versprochen, daß Hoke alles in die Hand nimmt; er ist einer der besten Köpfe der ganzen Branche. Und nun dies! Aber das kann man wohl nicht ändern. Er schafft es auf keinen Fall, wenn er nicht voll rangehen kann. Aber was ist mit Jorgenson? Der versteht doch genug davon. Er könnte notfalls vom Rollstuhl aus arbeiten. Wie geht es ihm überhaupt – erlaubt sein Zustand, daß er draußen die Werkmeister anweisen kann?«

»Moment mal«, unterbrach ihn Ferrel, so schnell er konnte. »Jorgenson ist nicht hier. Hier liegen einunddreißig Männer, aber er ist nicht darunter. Wenn er einer von den siebzehn Toten gewesen wäre, würden Sie es doch wissen. Ich hatte keine Ahnung, daß er überhaupt gearbeitet hat.«

»Das mußte er; es war sein Verfahren! Hören Sie zu, Ferrel, man hat mir mit Bestimmtheit gesagt, daß er zu ihnen geschafft wurde. Einer der Leute hat gesehen, wie er auf eine Trage gelegt wurde. Prüfen Sie das, und zwar plötzlich. Wenn Hoke ausfällt, muß ich unbedingt Jorgenson haben.«

»Der ist nicht hier. Ich hätte ihn und seinen Anzug doch sofort erkannt. Ihr Gewährsmann hat den großen Burschen aus der südlichen Sicherheitskammer mit ihm verwechselt – aber der Mann hatte schwarze Haare und trug keinen Tomlin, sondern einen normalen Schutzanzug. Was ist mit den Bewußtlosen oder mit der Gruppe, die nicht im Konverter war? Hat er sich, als der Unfall geschah, überhaupt selbst im Konverter aufgehalten?«

Palmer straffte die Gesichtsmuskeln. »Jorgenson hätte sich lange gemeldet. Jeder andere hätte mir schon fünfzigmal berichtet. Die Leute draußen wissen doch alle, daß ich ihn suche. Er muß auf der Krankenstation sein.«

»Er ist aber nicht hier. Ich sagte es doch! Können wir nicht einige der Jungs ins städtische Krankenhaus schaffen?«

»Ich hab's versucht – jemand muß ihnen das mit den Strahlungsschäden gesteckt haben. Sie weigern sich, Leute von hier aufzunehmen.« Palmer redete wie abwesend. Es war, als müsse er seine Gedanken erst kauen, bevor er sie ausspuckte, und sie waren verdammt zäh. »Jorgenson – nun Hoke – und Kellar ist schon seit Jahren tot. Kein Mann im ganzen Land kennt sich auf diesem Gebiet so gut aus, daß er auch nur richtig raten könnte; selbst ich bin nur bis Seite sechs gekommen. Ferrel, könnte ein Mann in einem Tomlin-Anzug mit fünffacher Armierung sich in zwanzig Sekunden retten, wenn er – sagen wir mal, neben dem Konverter steht? Was glauben Sie?«

Ferrel überlegte blitzschnell. Ein Tomlin wog etwa zweihundertfünfzig Pfund, und Jorgenson war ein Bulle von Kerl. Aber er war auch nur ein Mensch. »Es ist schwer zu sagen, was ein Mann in einer solchen Streß-Situation leisten kann, Palmer, aber ich bezweifle, ob er auch nur die halbe Distanz geschafft hätte.«

»Mmmmh, so ähnlich habe ich es mir gedacht. Könnte er

überhaupt noch leben, vorausgesetzt, er wurde nicht tödlich verletzt? Diese Anzüge schirmen die Strahlung fast vollkommen ab – das wird jedenfalls behauptet. Ihr Sauerstoffvorrat reicht vierundzwanzig Stunden, und sie sind gleichzeitig für die Raumfahrt konstruiert. Kohlendioxyd und Feuchtigkeit werden von chemischen Filtern aufgesaugt. Die Anzüge haben keine einzige Öffnung. Sie sollen einen Mann im Konverter vor so gut wie allem schützen.«

»Die Chancen stehen eins zu einer Million oder schlechter; andererseits ist es verdammt schwer, es genau einzuschätzen. Wunder geschehen täglich. Wollen Sie es versuchen?«

»Was bleibt mir denn übrig? Wir haben keine andere Wahl. Wir treffen uns sofort bei Nummer Vier. Nehmen Sie die nötigen Geräte mit, damit Sie an Ort und Stelle arbeiten können. Vielleicht kommt es auf Sekunden an. Palmers Gesicht glitt seitwärts und nach oben, als er an den Abschaltknopf griff, und auch Ferrel verlor keine Zeit.

Logisch betrachtet, war die Chance selbst in einem Tomlin gleich Null. Aber bis sich das bestätigte, mußte jede erdenkliche Anstrengung unternommen werden. Wenn ein so kompliziertes Verfahren außer Kontrolle geriet, mußte man sich selbst an einen Strohhalm klammern. Mit Sicherheit war inzwischen Isotop R entstanden – Palmer hatte nichts verschwiegen, obwohl er sich nicht ganz klar ausgedrückt hatte. Eines war sonnenklar: Wenn Hokusai es nicht schaffte, konnte es auch in den verschiedenen, teils unabhängig arbeitenden Filialen der National keinen Mann geben, der es auch nur versuchen würde.

Alles hing von Jorgenson ab. Und irgendwo in dieser halbgeschmolzenen, brodelnden Hölle, die sogar die Panzerung der Tanks durchdringen konnte, mußte er sein. Dieses Teufelszeug bewirkte ja sogar, daß sich die Männer durch das unkontrollierte Zucken ihrer Musekln die eigenen Knochen brachen.

Ferrels Gedanken mußten in seinem Gesicht gestanden haben, denn Jenkins fuhr erschrocken zusammen. »Jorgenson muß noch irgendwie da drinnen sein«, sagte der Doc rasch.

»Jorgenson! Aber er ist doch der einzige, der – mein Gott!«

»Genau. Sie bleiben hier und behandeln die Fälle mit den Muskelzuckungen, die vielleicht noch anfallen; Brown, Sie brauche ich draußen. Packen Sie alles Nötige zusammen, soweit es tragbar ist, falls wir ihn nicht schnell genug herbringen können. Rüsten Sie einen Wagen aus, und kommen Sie doppelt so schnell wie möglich zum Konverter. Ich nehme inzwischen den Notkarren.« Er fing sein Besteck auf, das Brown ihm zuwarf, schluckte ein Stimulans, ohne nachzuspülen, und war schon auf dem Weg. »Nummer Vier, und Beeilung.«

*

Palmer sprang gerade von seinem Roller, als sie um Drei herumgefahren waren und vor der provisorischen Absperrung um Nummer Vier anhielten. Er sah den Doc an, nickte und schob sich durch eine Gruppe von Männern, wobei er nach rechts und links Befehle schrie. Dann war er wieder bei Ferrel, der inzwischen abgestiegen war.

»Okay, Ferrel, dort rüber, und steigen Sie in einen Schutzanzug. Beeilen Sie sich! Wir gehen mit den Tanks rein, ob es geht oder nicht, und zur Hölle mit den Löscharbeiten. Briggs, schaffen Sie das Gerät aus dem Weg, und machen Sie die Strecke frei. Setzen Sie den großen Kran ein. Wir brauchen alle verfügbaren Leute in Schutzanzügen – geben Sie ihnen Eisenstangen mit. Sie sollen etwas suchen, das vielleicht noch wie ein Mensch aussieht. Jede Gruppe fünf Minuten; das müßten sie aushalten. Ich bin sofort zurück!«

Der Doc bemerkte die heillose Verwirrung, in der die Tanks und Maschinen um die Wände des Konvertergehäuses herumstanden, oder um das, was von ihnen übriggeblieben war. Die Maschinen schoben und zogen Schutt und Trümmer beiseite. Wo früher der Haupteingang gewesen war, ließen sie eine große Öffnung. Ein riesiger Kran räumte die größten Brocken weg. Offenbar hatte man versucht, die Reaktion zum Stillstand zu bringen, aber seine Kenntnisse über Atomtechnik reichten nicht aus, um auch nur zu raten, was hier unternommen worden war. Die Tanks fingen nun an, das übrige Gerät wegzuschieben, ohne daß es vorher erst abgerüstet wurde. Männer eilten innerhalb der Absperrung hin und her. Einige trugen schon Schutzanzüge, andere legten sie im Laufen an. Als er in seinen eigenen stieg, half ihm einer der Männer. Er fragte sich, was er, in dieses Ding gezwängt, wohl tun konnte, falls es etwas zu tun gab.

Palmer hatte seinen Anzug schon vor ihm angelegt und wartete neben einem der Tanks. Das flache, schwer gepanzerte Ungetüm hatte vorn eine Räumschaufel und einen Greifer, der sich in jede Richtung bewegen ließ. »Steigen Sie ein, Doc«, sagte Palmer, und Ferrel folgte ihm in das Innere des Fahrzeugs. Während Palmer nach den Kontrollen griff, schaltete er sein Kurzwellensprechgerät ein und rief Befehle zu den Piloten der anderen Tanks hinüber, die auf schweren Reifen heranrollten. Das dumpfe Dröhnen des Motors schwoll zu einem Brüllen an, und vom Manager gesteuert, setzte sich der Koloß in Bewegung.

»Seit der Vorführung vor sieben Jahren habe ich keins von den Dingern gefahren«, klagte er, während er an den Kontrollen arbeitete und eine leichte Neigung nach links korrigierte. »Als ich noch einfacher Ingenieur war, konnte ich gut damit umgehen. Verdammt statisch aufgeladen hier. Das Sprechgerät funktioniert nicht einwandfrei. Na, die Jungs werden schon genug verstehen. Jorgenson muß etwa am Hauptschaltpult gestanden haben, als die Sache losging. Dann hat er versucht, die südliche Kammer zu erreichen. Vielleicht hat er den halben Weg geschafft. Was meinen Sie?«

»Möglich. Wahrscheinlich nicht ganz.«

»Ja! Und dann hat das Zeug ihn vielleicht weitergeschoben. Wir müssen versuchen, so weit hineinzukommen.« Wieder bellte er ins Sprechgerät. »Briggs, lassen Sie die Leute so nah wie möglich rangehen. Sie sollen mit ihren Stangen zehn Meter links vom Pfeiler suchen, der da noch steht – können sie näher ran?«

Die Antwort kam verzerrt und unvollständig, aber Palmer hatte verstanden. Okay, wenn sie es nicht schaffen, schaffen sie es eben nicht. Ziehen Sie die Leute zurück, und halten Sie sie in Bereitschaft . . . Nein, zur Hölle mit Sicherheitsmaßnahmen. Schalten Sie mich auf Durchsage.« Er wartete, bis Briggs umgeschaltet hatte und schoß vorwärts, als wollte er sich in das Mikrofon hineinbohren. »Ich brauche Freiwillige! Jorgenson steckt irgendwo in diesem Dreck. Wir müssen ihn finden! Es ist unsere einzige Chance. Ich brauche ein paar verdammte Narren, die verrückt genug sind, es zu riskieren. Jeder fünf Minuten. Ob verheiratet oder ledig, ist egal! Jeder von euch Idioten – Passen Sie auf, Sie verdammter Dummkopf!«

Das galt dem ersten einer Gruppe von Männern, die nach vorn geeilt waren. Der erste Arbeiter stolperte auf etwas zu, das wie ein aufrechtstehender Gegenstand aussah. Er kippte, aber der Mann sprang ein Stück weiter, stand wieder sicher und begann zu stochern. »He! Sie mit dem Kran – fahren Sie weiter hinein, damit Sie die Männer notfalls rausholen können, wenn Sie so weit kommen . . . Gut so! Doc, ich weiß so gut wie Sie, daß die Leute dort nichts zu suchen haben, nicht einmal fünf Minuten lang; aber ich schicke noch weitere hundert Männer rein, wenn ich nur Jorgenson finde!«

Der Doc sagte nichts; er wußte, daß hundert weitere Narren es versuchen würden, und er erkannte auch die Notwendigkeit. Die Tanks konnten nicht weit genug hineinfahren, um gründlich zu suchen. Das Chaos von radioaktiver Materie, Geräten, Gebäudetrümmern und Zerstörung konnte nur von Männern mit langen Eisenstangen durchsucht werden. Im übrigen waren die Tanks für eine solche Operation viel zu langsam. Plötzlich gab es im kochenden Magma eine Eruption. Einer der Männer warf seine Stange hoch, knickte nach vorn ein und fiel. Der Kranführer fuhr den großen Längsarm herum und betätigte den Greifer. Er verfehlte den Mann, versuchte es noch einmal und hob die zuckende Gestalt an einem Arm hoch, um dann auf seiner Spur zurückzufahren. Dann schwenkte er das Opfer aus dem Gesichtskreis des Doc.

Selbst durch die Wände des Fahrzeugs und durch die Panzerung des Schutzanzuges strömte die Hitze herein. An den weniger stark isolierten Stellen wurde es unerträglich heiß. Er veränderte seine Sitzhaltung, um die Stellen möglichst nicht mit dem Körper zu berühren. Er sah, daß Palmer versuchte, die Kühlanlage auf äußerste Leistung zu schalten. Der Bedienungshebel schien zu klemmen. Dann gab es einen Ruck, und er funktionierte wieder. Ferrel lehnte sich zurück und versuchte, nicht daran zu denken, was den Männern passieren konnte, die sich nur mit einem Schutzpanzer in das tobende Inferno wagten. Sehen wollte er es schon gar nicht. Palmer versuchte weiterzufahren, aber das flüssige Zeug unter ihnen machte weiteres Vorrücken ungeheuer schwierig. Zweimal spritzte etwas gegen den Tank, drang aber nicht ins Innere.

»Fünf Minuten sind um«, ermahnte Ferrel Palmer. »Die Leute sollen sich anschließend sofort von Brown behandeln lassen. Sie müßte mit dem Unfallwagen inzwischen hier sein.«

Palmer nickte und gab die Anweisungen weiter. »Holen Sie alle mit dem Kran raus und bringen Sie sie zur Erste-Hilfe-Station. Und schicken Sie die nächste Gruppe hinein, Briggs. Verdammt, Doc, das kann noch den ganzen Tag dauern. Es dauert eine Stunde, bis wir hier alles durchsucht haben, und dann liegt er womöglich woanders. Es scheint hier schlimmer zu werden, wenn ich an die Berichte von vorhin denke. Ob man die Stahlplatte dort vielleicht flachlegen kann?«

Er bediente die Kupplung, die schleifte, dann aber griff. Schwerfällig setzte sich das Gerät in Bewegung und schob das Metall aus seiner aufgerichteten Position. Die Platte glitt vorwärts und blieb dann leicht geneigt liegen. Der Motor heulte auf, und langsam fuhr der Tank auf die Platte und bis zu ihrem entfernten Ende, das sich bedrohlich senkte dann aber irgendwo auflag. Palmer betätigte den Greifer und räumte ein großes

Stück Mauerwerk aus dem Weg, während die Männer mit den Stangen ihre Suche fortsetzten. Vergebens. Sie wurden abgelöst, später gingen wieder andere hinein.

Knisternd und von Nebengeräuschen zerhackt kam Briggs' Stimme durch die Hörer. »Palmer, hier ist ein Verrückter, der auf Ihren Greiferarm klettern will. Schwenken Sie bitte herüber, damit der Kran ihn anschließend wieder rausholen kann.«

»Schicken Sie ihn her!« Wieder griff er an die Hebel. Der Tank ruckte an, hob sich vorn, fuhr rückwärts, wendete und schoß wieder vorwärts. Dann wiederholte er das Manöver, während die stählerne Platte unter ihnen gefährlich schwankte.

Der Doc hielt den Atem an und sandte ein Stoßgebet aus. Seine Bewunderung für den Mann, der in diese glühende Hölle hinausgehen wollte, kannte keine Grenzen, und auch Palmers Leistung nötigte im höchsten Respekt ab.

Der Kranarm schwenkte in ihre Richtung und fuhr die Schaufel aus, aber er reichte nicht ganz zu ihnen herüber. Verglichen mit dem größeren Gerät war ihr Tank verhältnismäßig leicht und wendig, aber Palmer hatte schon das Äußerste riskiert. Das Fahrzeug hing über den Rand der Platte hinaus.

»Verdammt!« Palmer riß die Luke auf, sprang auf den Reifen hinaus und warf einen kurzen Blick nach unten. Rasch kletterte er wieder auf seinen Sitz. »Wir kommen nicht näher ran! Brrrr! Die Kerle haben jeden Dollar verdient, den sie kriegen!«

Aber der Kranführer griff in seine Trickkiste. Er ließ den Arm auf- und abschwingen, so daß sich die Schaufel wie ein riesiges Pendel in Bewegung setzte. Allmählich kam sie dem Greiferarm näher. Der Mann streckte einen Arm aus, ergriff den Längsbaum und stieß sich von der Schaufel ab, die hinter ihm zurückfuhr. Eine Sekunde lang hing er, dann gelang es ihm irgendwie, auf den Arm hinaufzuklettern, wo er mit den Beinen Halt fand. Der Doc stieß hörbar die Luft aus, und Palmer steuerte den Tank vorsichtig wieder nach vorn. Der Mann konnte mit seiner Stange jetzt einen weiten Bereich sondieren. Schnell und geschickt begann er mit der Arbeit.

»Ob's gutgeht oder nicht, der Mann bekommt als Prämie alles was er will«, murmelte Palmer. »Mein Gott!«

Jetzt war die Stange auf einen Gegenstand gestoßen, und der Arbeiter stocherte herum, um die Größe zu bestimmen. Dann zeigte er wild gestikulierend nach unten. Der Doc sprang ans vordere Fenster, während Palmer den Greifer ausfuhr und in die halb geschmolzene Masse unter der Eisenstange herabließ; er fand Widerstand. Endlich faßten die Zangen des Greifers den Gegenstand, konnten ihn aber nicht heben. Geschickt bediente der Manager die Steuerhebel und bewegte den Greifer hin und her. Der Gegenstand ließ sich nun bewegen und kam soweit hoch, daß man seine Umrisse einigermaßen erkennen konnte. Es war ganz bestimmt kein Tomlin-Anzug.

»Die Bleikiste für die Proben! Verdammt – Warten Sie. Jorgenson war ja nicht dumm; als er sah, daß er sich nicht mehr in Sicherheit bringen konnte, hätte er da nicht . . . vielleicht . . .« Palmer führte den Greifer wieder an den geschlossenen Deckel des Behälters, aber der Haken war zu groß. Der Mann, der sich noch immer an den Baum klammerte, begriff plötzlich. Er glitt zum Behälter hinunter und griff mit seinen gepanzerten Händen an den Deckel. Es gelang ihm, eine Ecke hochzuheben, so daß der Greifer einrasten und den Deckel ganz öffnen konnte. Er ließ die Hände sinken und hob sie dann wieder ruckartig.

Der Manager beobachtete seine Bewegungen und drehte mit dem Greifer die Kiste so, daß er sie an den Tank heranziehen konnte. Magma quoll aus dem Behälter, aber er enthielt auch noch etwas anderes.

»Fangen Sie an zu beten, Doc!« Palmer zog das Ding ganz heran, sprang nach draußen und ließ erbarmungslos Hitze und Strahlung eindringen.

Aber Ferrel kümmerte sich nicht darum. Er folgte dem anderen nach draußen, und zu dritt hoben sie die Gestalt eines riesigen Mannes in einem fünffach gepanzerten Tomlin aus dem Behälter! Irgendwie schafften sie es, die über fünfhundertfünfzig Pfund auf die Reifen und von dort in den Tank zu heben. Der

Platz reichte kaum für sie alle. Der Arbeiter war kaum im Tank, als er bewußtlos aufs Gesicht fiel.

»Kümmern Sie sich nicht um ihn – untersuchen Sie Jorgenson!« Palmers Stimme klang belegt nach den übermäßigen Anstrengungen der Suche und der anschließenden Bergung, aber er wendete den Tank und, ohne sich um das Risiko zu kümmern, fuhr er mit Höchstgeschwindigkeit nach draußen. Merkwürdigerweise schoß das Fahrzeug schneller durch die Trümmer nach draußen, als es auf der geräumten Strecke nach innen gelangt war.

Ferrel schraubte so rasch er konnte die Vorderplatte des Anzugs ab. Er hatte schon gemerkt, daß der Mann noch lebte; Leichen zucken nicht so heftig, daß man es durch eine dreihundert Pfund schwere Armierung spürt. Es war fast ein Wunder. Ein Seitenblick auf die Ruine des Konvertergehäuses zeigte, daß die Männer bereits wieder Gerät installierten, um die atomare Reaktion zu stoppen, aber er registrierte keine Einzelheiten. Die Vorderplatte war jetzt abgenommen, und er schnitt ein Loch in die Kleidung, um die nötigen Injektionen geben zu können. Zuerst Curare, dann Plasma, Aminosäuren, Paramorphin und zum Schluß wieder Curare, allerdings nicht ganz die wahrscheinlich nötige Menge. Mehr konnte er nicht tun, bevor der Mann aus seinem Panzer befreit war. Er wandte sich an den Atomarbeiter, der wieder zu sich gekommen war und gegen den Fahrersitz gelehnt aufrecht saß.

»Mir fehlt nichts weiter, Doc«, stieß der Bursche hervor. »Nur ein paar Verbrennungen und dann diese verdammte Hitze! Jorgenson?«

»Er lebt wenigstens«, sagte Palmer einigermaßen erleichtert. Das Fahrzeug hielt, und Ferrel sah Brown, die vom Unfallwagen herüberlief. »Legen Sie den Anzug ab, und lassen Sie Ihre Verbrennungen behandeln. Dann gehen Sie ins Büro. Vielleicht verpassen wir Ihnen vier Monate bezahlten Urlaub auf Hawaii.«

Im Gesicht des Mannes zeigten sich Überraschung und Zweifel. Dann grinste er und schüttelte den Kopf. »Wenn das so ist,

Boß, hätte ich verdammt lieber eine Anzahlung auf ein Haus, das groß genug ist für meine vielen Kinder.«

»Suchen Sie sich ein Haus, und es gehört Ihnen, und zwar komplett. Sie haben es sich verdient. Vielleicht kriegen Sie noch 'ne Medaille und 'ne Flasche Scotch extra. Hier, Leute, faßt mal mit an.«

Mit Browns Hilfe hatte sich Ferrel seines Anzugs entledigt, und dankbar atmete er die klare, kühle Luft. Dann ging er, den andern voran, zum Unfallwagen. Als er ihn erreichte, sprang Jenkins heraus und wies eine Gruppe von Männern an, zwei Leute auf Tragbahren in einen der Notkarren zu laden. Ruckartig nickte er Ferrel zu. »Der Unfallwagen war vollständig ausgerüstet, da haben wir beschlossen herzukommen und gleich hier mit der Arbeit anzufangen. Sue und ich haben die anderen so weit versorgt, daß sie erstmal warten können. Jetzt können wir uns auf Jorgenson konzentrieren. Er lebt noch!«

»Wie durch ein Wunder. Bleiben Sie hier draußen, Brown, bis Sie mit den Leuten aus dem Konverter fertig sind. Dann wollen wir sehen, ob Sie sich ein wenig ausruhen können.«

Die drei kräftigen jungen Burschen legten Jorgenson auf den bereitgestellten Behandlungstisch und spritzten den unförmigen Panzer mit einer Versenlösung ab, bevor sie ihn auseinandernahmen. Als sie fertig waren, setzte sich der Wagen in Bewegung. Aus einem kleinen Sterilisiergerät kamen frische Handschuhe, und die beiden Ärzte machten sich an die Arbeit. Sie behandelten das schwer verbrannte Gewebe und versuchten so viel wie möglich von der radioaktiven Materie zu finden und zu entfernen.

»Zwecklos.« Der Doc richtete sich auf. »Er hat es überall, stellenweise wahrscheinlich sogar in den Knochen. Wir müßten ihn durch einen Filter jagen, um alles herauszubekommen!«

Mit dem ganzen Ekel des Laien betrachtete Palmer das rohe Fleisch. »Kriegen Sie ihn hin, Ferrel?«

»Wir können es versuchen, mehr nicht. Es gibt nur eine Erklärung dafür, daß er noch lebt. Die Probenkiste muß sich eine ganze Zeitlang ziemlich hoch über dem Zeug befunden haben, und zwar bis vor sehr kurzer Zeit. Erst als sie versank, ist das Zeug eingedrungen. Jetzt ist er praktisch ausgetrocknet. Er hätte niemals genügend schwitzen können, um nicht an Überhitzung zu sterben, wenn er auch nur eine Stunde da unten gelegen hätte – Isolierung hin, Isolierung her.« In den Augen des Docs lag Bewunderung, als er auf die mächtige Figur des Mannes hinabsah. »Und er ist zäh. Wenn nicht, wäre er allein schon an Erschöpfung gestorben, als die Zuckungen einsetzten. Daran hätten auch Anzug und Behälter nichts geändert. Nahe genug daran war er ohnehin. Bevor wir die radioaktive Materie aus ihm rausbekommen haben, dürfen wir es nicht wagen, etwas gegen die Wirkung des Curare zu unternehmen. Das allein ist schon zeitraubende Arbeit. Spritzen Sie noch Salzlösung und Glukose intravenös, Jenkins. Und dann, Palmer, falls wir es überhaupt schaffen, stehen die Chancen fünfzig zu fünfzig, daß er den Verstand verloren hat.«

Der Wagen hielt nun, und die Männer hoben die Trage herunter und trugen sie in die Station. Jenkins hatte gerade die Injektionen gemacht. Er ging voran, aber der Doc blieb draußen stehen und rauchte einige tiefe Züge aus Palmers Zigarette. Dann folgte er den anderen.

Palmer hatte sich inzwischen eine neue Zigarette angesteckt. »Sehr heiter«, sagte er und ließ die Schultern hängen. »Ich habe immer wieder überlegt, ob es nicht einen Mann gibt, der uns helfen könnte, aber es existiert keiner. Ich bin ganz sicher, daß Hoke nicht damit fertiggeworden wäre, seit ich selbst im Konverter war. Wenn Kellar noch lebte, hätte er wahrscheinlich dreimal hingesehen und dann die Lösung aus dem Hut gezogen. Er hatte seinen Instinkt dafür, und er war ein Genie, wenn er uns mit seinen Tricks auch viel Arbeit weggenommen hat und uns gegenüber einen immer größeren Vorsprung erlangte. Aber – nun, wir haben Jorgenson. Entweder wird er gesund, oder . . .!«

Der Doc nickte. Er hatte nur halb zugehört. Die paar Züge aus der Zigarette hatten schon geholfen, aber er hätte viel für eine gute Tasse Kaffee gegeben oder für Emmas starken Tee.

Jenkins' gellender Schrei riß sie aus ihren Gedanken. »Doc! Jorgenson ist tot! Er atmet nicht mehr!«

IX

Die ganze Nacht hatte Emma Ferrel am Radio und vor dem Bildschirm gesessen und ihre Aufmerksamkeit zwischen beiden geteilt. Mit eng gerafftem Morgenmantel hatte sie dagesessen. Nur einmal, als ihr die Augen zufielen, war sie kurz aufgestanden, um sich einen starken Tee aufzubrühen.

Aber der Äther blieb stumm. Vorher waren wilde Gerüchte gemeldet worden. Von Aufruhr im Werk war die Rede gewesen. Der Gouverneur hatte sich gezwungen gesehen, die Nationalgarde anrücken zu lassen. Jetzt wurde alle Stunde ein Film mit einer Ansprache des Bürgermeisters Walker ausgestrahlt, der versicherte, er sei selbst im Werk gewesen, und die Lage sei unter Kontrolle. Die Bevölkerung wurde gebeten, Ruhe zu bewahren, und die Arbeiter aufgefordert, pünktlich zur Schicht zu erscheinen. Seit Anbruch der Dunkelheit wußte sie allerdings, daß die am Werk vorbeiführende Straße wegen »Bauarbeiten« gesperrt war, und daß dringend Blutkonserven benötigt wurden. Sie wußte, daß man bei schweren Fällen von Strahlungsverseuchung einen Blutaustausch vornehmen mußte.

Sie zog die Stirn in Falten und versuchte, sich an etwas zu erinnern, das sie vorhin aus ihrem kurzen Halbschlaf gerissen hatte. Es war etwas mit Blake gewesen, aber sie kam einfach nicht darauf.

Sie wußte nur eines: jemand hatte ihr telefonisch mitgeteilt, daß Roger Nachtschicht machen müsse. Dann hatte jemand angerufen und von einer Notoperation gesprochen, die ihn noch im Werk festhielt. Man versuchte, etwas zu vertuschen, und das gefiel ihr nicht. Sie hatte schon viel über diese geheimnisvollen Atomteilchen gehört, die freiwerden konnten; die man nicht sehen und nicht hören konnte, wenn sie in das Gewebe eindrangen und es zerstörten. Manchmal stellte sie sich die Dinger als bösartige kleine Röntgen-»Würmer« mit gefräßigen Reißzähnen vor, obwohl sie natürlich wußte, daß so etwas Unsinn war.

Ihr zweites Kind war daran noch vor der Geburt gestorben, egal was Roger sagte. Und nun wollten sie ihr auch noch den Mann nehmen.

Wieder versuchte sie, im Werk anzurufen. Sie mußte lange warten, bis die Vermittlung ihr endlich kurz sagte, die Leitung sei gestört.

Aus reiner Gewohnheit setzte sie sich noch einmal Teewasser auf. Tee war für sie in dieser Situation eine Art Lebenselexier. Langsam schlürfte sie das heiße Getränk und merkte erst ganz zuletzt, daß sie vergessen hatte, Milch hineinzutun . . . Warum war denn die Zeitung noch nicht da? Sonst kam sie immer schon früher.

Sie drehte den Fernsehton laut, als einer ihrer Lieblingssprecher auf dem Bildschirm erschien, aber heute unterschied er sich nicht von den anderen. Auch er las nur die Nachrichten vom Zettel. Wieder nur der Aufruf, Ruhe zu bewahren, und nicht die Spur einer weiteren Information.

Sie erinnerte sich an fast die gleichen Worte, in fast dem gleichen Tonfall gesprochen. Sie war ein kleines Mädchen, und ihre Familie hatte eine Farm am Ufer des Missouri. Sie hatte fassungslos auf die Wasser- und Schlammflut gestarrt, die ihren ganzen Besitz zerstörte. Über ein kleines Batteriegerät hatten sie auch damals gehört, der Fluß sei wieder zurückgetreten und die Lage unter Kontrolle. Alle Eingeschlossenen würden sofort mit Booten in Sicherheit gebracht werden.

Ihre Mutter war an Lungenentzündung und Unterkühlung gestorben, nachdem alles schon »unter Kontrolle« war.

Sie schaltete das Radio aus und lauschte unruhig auf die Geräusche von der Straße. Es herrschte unnatürlich wenig Verkehr, und selbst die paar Fahrzeuge, die vorbeifuhren, hörten sich irgendwie anders an. Jetzt sah sie, warum die Straße so ruhig war. Kein einziges Kind spielte auf den Höfen oder auf den Bürgersteigen. Die Straße lag praktisch verlassen da. Nur zwei Frauen, die Lebesnmittel eingekauft hatten, hasteten vorbei. Ein vierschrötiger Mann stolzierte hinterher und sah dauernd über die Schulter zurück. Sie hörte die Leute sprechen und blieb an der Tür, um die Worte zu verstehen.

». . . ihr Mann durfte nicht mal in die Nähe. Sie hatten da diese Wachen mit Maschinenpistolen. Sie haben alle Leute zurückgejagt. Als er sagte, daß sein Sohn da arbeitet, wollten sie nicht mal zuhören. Aber, wie Paul schon sagt, er ist selbst schuld. Warum läßt er seinen Sohn da arbeiten?« sagte die ältere Frau.

Die zweite Frau wollte auch etwas sagen, aber der Mann unterbrach sie. »Wenn das so weitergeht, mach' ich bei denen mit, die den Laden dichtmachen wollen. Sonst wachen wir alle eines Tages tot auf, weil wir an irgend etwas gestorben sind. Der Himmel weiß, was da vorgeht. Wie der Kerl in der Versammlung schon sagte –«

»Diese verdammten Idioten!« mischte sich die jüngere Frau ein. »Wenn diese Atomfritzen sich an die Gesetze gehalten hätten, wären sie schon lange nicht mehr hier –«

Emma schloß die Tür hinter sich. Der Haß und die Wut der Leute interessierte sie nicht. Sie brauchte Informationen. Jetzt wußte sie mehr, als sie im Radio gehört hatte. Die Anlage wurde von Wachen abgeriegelt, und niemand konnte hinein. Entweder war es gefährlich, nahe heranzugehen, oder die Arbeiter sollten vor Demonstranten wie diesen Leuten geschützt werden. Das bedeutete aber gleichzeitig, daß die Arbeit im Werk weiterging.

Plötzlich wußte sie wieder, was ihr entfallen war! Im Halbschlaf hatte sie es im Radio gehört: »Dr. Blake wird dringend gebeten, sich sofort zur Arbeit zu melden.« Nur dieser Satz. Es gab hier bestimmt nicht viele Ärzte, die Blake hießen. Und wie viele von ihnen sollten sich wohl »zur Arbeit melden«? Die meisten hatten eine Praxis, arbeiteten im Krankenhaus oder mußten vielleicht Hausbesuche machen. Es mußte also bedeuten, daß Blake unauffindbar war!

Wieder griff sie zum Telefon, und wieder dauerte es lange, bis das Rufzeichen ertönte. Sie ließ minutenlang durchklingeln, aber keiner meldete sich. Das konnte heißen, daß Blake schon unterwegs war. Es mußte auf jeden Fall heißen, daß Roger im Werk allein war! Dann dachte sie an das Jubiläum, das gestern anstand. Wenn die Blakes feierten, übertrieben sie gelegentlich ein wenig. Es konnte ihnen etwas zugestoßen sein. Oder vielleicht wollten sie ganz einfach keinen Anruf annehmen. In dem Zustand war bei den Blakes alles denkbar.

Sie humpelte über den Flur und schaute aus der Küche in die Garage. Früher, vor ihrer Hüftoperation, hatte sie den Wagen oft selbst gefahren, gut vielleicht nicht, aber sie hatte noch nie einen Unfall gehabt. Manchmal war Roger mitgefahren, ohne auch nur das leiseste Wort der Kritik zu äußern. Sie hatte regelmäßig ihren Führerschein erneuern lassen, wie es Vorschrift war. Außerdem war Rogers Wagen kein Turbinenfahrzeug. Bei dem geringen Verkehr konnte sie es wagen . . .

Sie war fest entschlossen und ging zur Treppe. Auf dem Weg stellte sie schnell die Kaffeemaschine an. Sie mochte zwar keinen Kaffee, aber nach der durchwachten Nacht konnten ein paar Tassen nicht schaden. Vielleicht genügte auch Tee. Sie wußte es nicht. So schnell sie konnte, ging sie nach oben. Sie nahm den ersten Rock, die erste Bluse, die sie fand und wählte dazu ein paar derbe Sandalen. Auf Strümpfe und Make-up verzichtete sie, und fast hätte sie vergessen, sich Unterwäsche anzuziehen. Sie fuhr sich mit dem Kamm durchs Haar und band es zu einem unordentlichen Knoten zusammen.

Der Kaffee war durchgelaufen, als sie wieder unten war. Sie mischte ihn mit kaltem Wasser und stürzte ein paar Tassen hinunter.

Einige Minuten verschwendete sie darauf, den Reserveschlüssel zu suchen, bis sie entdeckte, daß Roger ihn hatte stekken lassen. Das passierte ihm immer wieder. Sie stieg ein, und der Wagen sprang sofort an. Auch die Gangmarkierungen waren noch an derselben Stelle. Nur die Benzinstandanzeige war fast auf leer. Vorsichtig setzte sie zurück. Mit ihrem Bein hatte sie noch nie gut die Bremse bedienen können. Dann mußte sie sich eben auf die Handbremse verlassen. Langsam bog sie in die Straße ein und fuhr um die nächste Ecke. Zu ihrem Entsetzen war das Feinkostgeschäft gedrängt voll. Ein rascher Blick zeigte ihr, daß die Leute hauptsächlich Konserven einkauften. Der Schönheitssalon nebenan war geschlossen und auch der ein Stück weiter gelegene Friseurladen. Das Eisenwarengeschäft hatte geöffnet, und auf neuen Anzeigetafeln wurden Gewehre angeboten.

Auch die Tankstelle arbeitete, aber nur der Besitzer war da. Er füllte den Tank aber schüttelte den Kopf, als sie ihre Kreditkarte aus dem Handschuhfach holte. »Heute nur gegen bar. Zu viele Leute packen und ziehen weg. Ich weiß schon ein paar Dutzend.« Als sie das Geld abzählte beugte er sich vor und fragte: »Wollen Sie eine Zeitung – die von heute?«

Er zog eine aus seiner Jacke und zeigte auf das Datum. »Sie kostet nur einen Dollar, das ist billig. Diese Soldaten oder was das für Leute sind, haben die ganze Auflage wieder eingesammelt.«

»Meine ist heute überhaupt nicht gekommen.« Sie überlegte und versuchte dabei, die Schlagzeile zu lesen, was ihr nicht gelang. Ein Dollar war viel Geld für eine Zeitung, aber . . .

»Vielleicht wurde Ihre *doch* ausgetragen. Ich höre, daß man sie einigen Leuten sogar von der Veranda geholt hat. Ich habe einen Freund beim *Republican*. Der hat mir ein paar besorgt. Wollen Sie nun eine?«

Sie nickte und legte das Blatt neben sich auf den Sitz. Wieso hatte man die Zeitung überhaupt ausgeliefert, wenn man sie doch wieder einsammeln ließ? Die Schlagzeile verscheuchte alle anderen Gedanken:

ATOMKRAFTWERK EXPLODIERT!
Gebäude verwüstet,
Arbeiter mit Gewalt festgehalten,
Bürgermeister soll Hände
im Spiel haben.

Die Zeitung brachte ein Luftbild der Anlage. Es war ein schlechtes, offenbar am frühen Morgen aufgenommenes Foto. Ein Pfeil deutete das Gebäude an, das explodiert sein sollte. Sie las den Artikel und war ganz krank vor Angst. Dann schlug ihre Angst in Zorn um. Die Leute konnten auch nur rätseln. Sie wußten genausowenig wie sie selbst. Kein Wunder, daß man die Zeitungen wieder eingesammelt hatte. Ab heute würde sie das Blatt nicht mehr lesen. Sie kaufte es sowieso nur wegen des Feuilletons, und das wurde immer schlechter, seit die Zeitung von der Kette übernommen worden war, über die Roger dauernd schimpfte.

Sie ließ den Motor an und fuhr die Straße hinunter. An der nächsten Ecke warf sie das Blatt aus dem Fenster. Hätte sie es doch lieber verbrannt. Ein Junge stürzte darauf zu und hob es auf. Als sie weiterfuhr, versammelte sich eine Menschenmenge um ihn.

Es herrschte nur spärlicher Verkehr. Die Kneipen schienen ein gutes Geschäft zu machen, aber die meisten anderen Läden waren geschlossen oder gähnend leer. Auch jetzt sah sie nicht viele Kinder. Es waren fast nur größere, und auch Erwachsene tauchten nur hin und wieder auf. Die wenigen, die sie sah, standen meistens in Gruppen zusammen. Die Hauptstraße machte einen gespenstischen Eindruck, und an der sonst so belebten Kreuzung stand nicht einmal ein Verkehrspolizist. Sie passierte eine provisorisch abgesperrte Straße, in der sie eine riesige Menschenmenge sah. Wütend schrie jemand etwas durch einen Lautsprecher. Plakate und Transparente wiesen auf eine Protestversammlung der Bürger hin.

Dann hatte sie das Geschäftsviertel hinter sich gelassen. Hier war es wieder ruhig. Nur wenige Autos kamen ihr entgegen. Zwei von ihnen waren mit ganzen Familien und einem Teil ihres Hausrats beladen. Auch die großen weißen Kreuze auf den Fensterscheiben waren hier weniger häufig. Einige Häuser trugen böse Aufschriften, in denen die »Atomtrottel« aufgefordert wurden, nach Hause zu gehen – als ob sie hier nicht zu Hause wären, direkt hier in Kimberly!

Sie hielt neben einer jungen Frau, die zwei Kinder hinter sich herzog, die jämmerlich schrien. Das Gesicht der Frau war rot und verweint. Emma bremste behutsam und lehnte sich aus dem Fenster. »Kann ich Sie ein Stück mitnehmen?«

Die Frau stieg mit den Kindern ein und murmelte eine Adresse. Mürrisch schaute sie aus dem Fenster. »Ich bin die Frau eines Atomarbeiters«, sagte sie endlich trotzig.

»Das ist doch ganz in Ordnung«, bemerkte Emma. »Und ich bin die Frau des Doc.« Mit der Antwort schien die junge Frau zufrieden zu sein. Sie versuchte, ihre Kinder zu beruhigen. Sie brachte sogar den Anflug eines Lächelns zustande, als sie ausstieg und zu einem Wohnblock hinüberging, wobei sie sich nach allen Seiten umsah, ob keiner in der Nähe war. Es war niemand zu sehen.

Emma seufzte, aber es störte sie nicht mehr. Sie hatte schon einmal etwas Ähnliches erlebt, als sie acht Jahre alt war; etwas, an das sie sich nicht genau erinnern konnte. Sie wußte nicht, was damals geschehen war. In weiße Laken gehüllte Männer waren in der Gegend herumgefahren, und die Farbigen, die man traf, hatten vor Angst gezittert. Etwas Schlimmes war geschehen und geschah immer noch, bis sich dann langsam wieder alles beruhigt hatte. An Einzelheiten konnte sie sich nicht erinnern, aber sie kannte das Gefühl der Angst von damals, keine Angst, die man bekämpfen konnte, sondern die Angst vor etwas Unbekanntem. Und heute war es ähnlich. Diese Angst vor etwas Unbekanntem lag wie ein Nebel über den Dingen und den Menschen.

Dann tauchte Blakes Haus vor ihr auf, und ihr wurde leichter ums Herz. Der Wagen parkte vor dem Haus, und sie fuhr dicht auf und hielt. Hoffentlich bekam sie kein Strafmandat, weil der Abstand zum Bürgersteig zu groß war. Dann klingelte sie. Das heißt, sie versuchte es, denn die Klingel blieb stumm. Sie klopfte an die Tür, aber nichts rührte sich. An der Küchentür das gleiche Ergebnis, aber der Vorhang war zurückgezogen, und sie konnte hineinschauen. Überall lagen Flaschen und zerbrochenes Glas herum, und unter einem verbrannten Topf sah sie ein Feuer.

Sie ging zur Vordertür zurück, streifte eine Sandale ab und schlug damit gegen die Tür. Es machte schrecklichen Lärm, aber niemand öffnete.

Unvermittelt wurde in einem Haus gegenüber ein Fenster aufgerissen und eine Männerstimme brüllte sie an. »Sie da! Machen Sie, daß Sie wegkommen! Wir wollen hier keinen Ärger! Sie können aber welchen kriegen, wenn Sie nicht sofort verschwinden. Ich habe ein Gewehr, und ich werde es auch gebrauchen.«

Auch andere Fenster flogen auf. Emma spürte, daß sie rot wurde, als sie mit Mühe die Stufen hinunterging und zu ihrem Wagen zurückkehrte. Welch ein Unding zu glauben, sie wolle Ärger machen.

Dann dachte sie ganz nüchtern nach. Die Leute waren völlig im Recht, wenn sie sich gegen Störenfriede zur Wehr setzten. Vielleicht hatten sie schlechte Erfahrungen gemacht. Sie kletterte in das Auto und fuhr unter den mißtrauischen Blicken der Nachbarschaft schneller, als ihr lieb war, davon. Von Blakes Haus kam noch immer kein Lebenszeichen.

Fast automatisch fuhr sie auf die Straßensperre zu, schaltete das Radio ein und machte es dann angewidert aus. Nur wenige Autos und ein paar Lastwagen waren auf der Straße. Die letzteren waren alle mit uniformierten Bewaffneten besetzt. Sie umfuhr das Gesperrtzeichen und hielt sich hinter einem der Lastwagen. Niemand versuchte, sie anzuhalten. Sie wußte schon lange, daß es einem einen Haufen Ärger ersparen kann, wenn man einen Wagen mit dem Arztzeichen fährt. Man mußte sich nur normal verhalten.

Weit vorn sah sie den hohen Fahnenmast mit der Firmenflagge, die im Wind flatterte. Irgendwas stand also wenigstens noch.

Jetzt hatte sie wieder die Vorstellung von den kleinen Röntgen-Würmern im Kopf, aber sie versuchte sich einzureden, daß sie ihre Zähne verloren hatten und kein Gewebe mehr zerstören konnten. Sie konnte allerdings nicht so recht daran glauben. Ihre Hände wurden naß von Schweiß, wie immer, wenn sie in die Nähe der Anlage kam. Aber sie fuhr unbeirrt weiter und bog in die Straße zum Werk ein. Sie mußte hinein. Sollten sie doch beißen. Nach einiger Zeit würden sie sie vielleicht in Ruhe lassen. Roger schienen sie ja auch nichts zu tun.

Sie hatte die Wachposten an der Abzweigung halb erwartet, und es gab nur eine Möglichkeit durchzukommen. Wenn man sie allerdings anhielt, konnte es nicht funktionieren. Aber vielleicht . . .

Sie hielt sich so dicht wie möglich hinter dem Lastwagen mit den Uniformierten, kurbelte das Fenster herunter, wies auf das Firmenzeichen vorn am Wagen und schrie: »Ferrel! Noteinsatz!« Es waren keine Leute vom Werk, sondern ebenfalls Uniformierte. Vielleicht wußten sie nicht, ob Dr. Ferrel ein Mann oder eine Frau war.

Sie war an ihnen vorbei, bevor sie sich dazu entschließen konnten, sie anzuhalten. Sie schaute in den Rückspiegel und stellte erleichtert fest, daß man sie wenigstens nicht verfolgt hatte.

Der Lastwagen vor ihr bog von der Straße ab und fuhr über das Grasland einen kleinen Hügel hinauf. Sie sah, daß auch der Haupteingang bewacht wurde. Den Trick von vorhin konnte sie hier nicht anwenden, denn dort standen bestimmt auch Werksleute. Da lohnte sich der Versuch nicht. Sie mußte abwarten, was geschah.

Der Posten, der herauskam, trug die Firmenuniform. Sie ließ

ihre Blicke über die Anlage gleiten. Alle Gebäude standen noch wie sie sie kannte, außer einer einzigen der häßlichen Strukturen, die ihr sowieso nie besonders gefallen hatte. Sie ahnte, daß hinter dem Eingangstor diese kleinen Strahlentiere mit ihren scharfen Zähnen auf sie warteten, aber sie wehrte sich gegen dieses unangenehme Gefühl und versuchte, ganz natürlich zu wirken, als der Posten auf sie zukam.

»Mrs. Ferrel! Sie dürfen hier nicht rein. Strengste Anweisungen. Ich verstehe gar nicht, daß Sie überhaupt bis hierher gekommen sind.«

»Wie geht es meinem Mann?« fragte sie. Sie starrte den Mann an und versuchte, sich daran zu erinnern, wie Roger ihn angeredet hatte. Dann fiel es ihr ein. »Ist alles in Ordnung mit ihm, Murphy?«

Der Mann fuhr nervös mit der Hand um seinen Mützenrand, schüttelte den Kopf und sah zu den Leuten von der Nationalgarde hinüber, die auf dem Hügel beschäftigt waren. »Mrs. Ferrel, mit wem von uns ist denn noch alles in Ordnung? Ich weiß es nicht. Er ist irgendwo da drinnen. Gott sei ihm gnädig. Aber Sie dürfen nicht rein.«

»Gut«, erklärte sie, »aber zurück gehe ich nicht. Wenn Sie mich zurückschicken, fahre ich gegen den nächsten Baum. Wie geht es den Kindern ihrer Tochter, Murphy?« Jetzt wußte sie wieder, daß er zu den Leuten gehörte, die Roger außerhalb des Werks umsonst behandelte.

Er starrte sie an und kämpfte mit sich. Endlich nickte er. »Wenn Sie nicht die Frau des Doc wären, würde ich Sie den ganzen Weg zurück nach Kimberly jagen«, sagte er böse. »Aber nun haben Sie schon zuviel gesehen, also bleiben Sie hier. Und machen Sie mir keine Vorwürfe, wenn es hier heiß hergeht. Die Leute von der Nationalgarde haben mehr Angst hier zu stehen als vor einer Bestrafung wegen Desertierens . . . Nun, Sie wollen es ja nicht anders. Aber bleiben Sie im Wagen. Sonst kann ich für nichts garantieren.«

Er wandte sich an einen anderen Posten: »Bill, laß sie da drüben parken, wenn du den Wagen da noch reinquetschen kannst.«

»Gleich hier vorne«, sagte sie ruhig.« Dann bin ich schneller im Werk, wenn das Tor wieder geöffnet wird.«

Er spreizte die Hände und nickte.

Nachdem der Posten ihr einen Platz zugewiesen hatte, nicht ohne einige saftige Flüche auszustoßen, lehnte sie sich bequem im Sitz zurück und beobachtete das kleine Stück der Krankenstation, das von ihrem Standort aus zu sehen war. Bei Murphy hatten Festigkeit und ein paar Argumente ausgereicht.

X

Dodd bereitete die künstliche Beatmung vor, und Jenkins hielt schon die Sauerstoffmaske in der Hand, als Ferrel an den Tisch trat. Er fühlte den Puls, der vorher kaum vorhanden schien, jetzt aber ganz schwach wieder einsetzte. Die Pausen waren dreimal länger als normal. Dann blieb er ganz stehen. »Adrenalin!«

»Habe ich eben ins Herz gespritzt, Doc!« Jenkins bearbeitete Jorgensons Brust, um das Herz wieder in Gang zu bringen. Seine Stimme klang hysterisch, aber Palmer war noch hysterischer. Er stürzte mit geballten Fäusten auf Ferrel los. »Doc, Sie müssen –.«

»Sie machen verdammt, daß Sie rauskommen!« Ferrels Hände entwickelten plötzlich ein Eigenleben, als sie in rasender Eile nach den Instrumenten griffen, die Brust des Mannes freilegten und wütend gegen die Zeit ankämpften, die unerbittlich weiterlief. Das war keine saubere chirurgische Arbeit mehr – selbst ein Schlachter hätte sich das nicht leisten dürfen. Ferrel wütete mit seinen Instrumenten. Die Knochen, die er so brutal zertrümmerte, würden nie wieder glatt zusammenwachsen. Aber um Kleinigkeiten konnte der Arzt sich jetzt nicht kümmern.

Er zerrte das Fleisch zur Seite und die Rippen, die er zerhackt hatte. »Stoppen Sie die Blutung, Jenkins!« An Dodd und Jenkins vorbei tauchten seine Hände in die Brusthöhle, fanden das Herz und waren plötzlich ganz sanft und vorsichtig. Mit geübten Griffen begann Ferrel die Massage. Es war die Arbeit eines Mannes, der jede Funktion dieses lebenswichtigen Organs kannte. Hier Druck anwenden, dann dort, dann nachlassen; wieder Druck – nur nicht so schnell! Reiner Sauerstoff wurde in die Lungen geleitet, so hatte das Herz weniger Arbeit. Ganz gleichmäßig. Ein Schlag pro Sekunde, sechzig in der Minute.

Etwa eine halbe Minute nach dem Herzstillstand ließ seine Massage das Blut wieder zirkulieren; die Zeit war zu kurz gewesen, um sich wegen eines etwaigen Gehirnschadens Sorgen machen zu müssen. Das Gehirn war das erste Organ, das bei längerem Aussetzen des Kreislaufs für immer geschädigt wurde. Wenn das Herz jetzt innerhalb nicht allzu langer Zeit wieder selbsttätig schlug, war der Tod um ein Opfer betrogen. Wie lange? Er hatte keine Ahnung. Als er Medizin studierte, hieß es zehn Minuten, aber in einem Fall waren es zwanzig Minuten gewesen. Während seiner Assistenzarztzeit war der Rekord auf etwas über eineinhalb Stunden hochgetrieben worden. Dieser Rekord stand noch, aber es hatte sich um einen Ausnahmefall gehandelt. Jorgenson war zum Glück ein kräftiger Mann mit robuster Gesundheit. Er war topfit gewesen. Bedachte man allerdings die Qual dieser langen Stunden, die Einwirkung der Radioaktivität, die Narkotika und das Curare, bedurfte es schon eines Wunders, um ihn am Leben zu halten.

Drücken, massieren, Druck weg; nur nicht zu schnell. Da! Eine Sekunde lang spürten seine Finger ein leises Flattern, dann wieder; aber dann war nichts mehr. Trotzdem, solange das Organ noch auf diese Weise reagieren konnte, bestand Hoffnung. Wenn nur seine Finger nicht ermüdeten und er die Arbeit verpfuschte, bevor das Herz sich selbst überlassen werden konnte.

»Jenkins!«

»Yes, Sir!«

»Haben Sie schon mal Herzmassage gemacht?«

»Wir haben an der Universität an Modellen geübt. Einmal auch in der Anatomie, an einem Hund. Fünf Minuten lang. Ich – ich glaube aber kaum, daß Sie sich da auf mich verlassen können, Doc.«

»Ich werde es vielleicht müssen. Wenn Sie es fünf Minuten lang an einem Hund geübt haben, werden Sie es auch an einem Menschen können. Wahrscheinlich wenigstens. Sie wissen ja, was davon abhängt.«

Jenkins nickte so steif wie schon vorhin. »Ich weiß – darum können Sie sich auch nicht auf mich verlassen. Ich versprach Ihnen doch, ich würde es Ihnen sagen, wenn ich nicht mehr kann. Es wird verdammt nicht mehr lange dauern.«

Konnte ein Mann seine Kraft noch richtig einschätzen, wenn er fast am Ende war? Der Doc wußte es nicht, wenn der Junge jetzt seine Nerven spürte, konnte der Zusammenbruch rasch erfolgen, aber Jenkins war ein besonderer Fall. Seine Nerven schienen zwar aufs Äußerste angespannt, aber dennoch strahlte er eine Ruhe aus, die die meisten älteren Kollegen unter dieser Belastung kaum aufgebracht hätten. Wenn es aber nötig war, mußte er ihn ganz einfach einsetzen. Eine andere Lösung gab es nicht.

Seine Finger fühlten sich schon steif an – noch nicht müde, aber die Anzeichen waren da. Ein paar Minuten noch, dann konnte er nicht mehr. Da war wieder dieses leise Flattern, eins – zwei – dreimal! Dann war es wieder weg. Es mußte eine Lösung geben! Unmöglich konnte man es während der ganzen wahrscheinlich noch benötigten Zeit durchhalten, auch nicht mit Jenkins' Hilfe! Höchstens Michel von der Mayo-Klinik konnte es – Mayo-Klinik! Dort gab es ein Gerät. Wenn man das rechtzeitig herschaffen könnte! Beim letzten Medizinerkongreß war die Maschine vorgeführt worden.

»Jenkins, rufen Sie die Mayo-Klinik an. Lassen Sie sich das von Palmer genehmigen. Verlangen Sie Kubelik, und stellen Sie ihn nach hier durch, damit ich selbst mit ihm sprechen kann.«

Er hörte Jenkins' Stimme aus dem Nebenraum. Sie klang ausgeglichen aber engagiert. Dodd sah ihn kurz an und verzog den Mund zu einem grimmigen Lächeln, während sie mit der Beatmung fortfuhr. Dodd war durch nichts aus der Ruhe zu bringen.

Der Junge kam zurück. »Hat nicht geklappt, Doc! Palmer ist nicht zu erreichen, und dieses halbtote Mißverständnis in der Vermittlung lehnt ab.«

Schweigend betrachtete der Doc seine Hände. Er überlegte. Dann gab er es auf. Wenn er den Jungen nochmal schickte, würde er schlappmachen. »Okay, Jenkins, dann müssen Sie hier übernehmen. Nur mit der Ruhe. Langsam anfangen. Legen Sie Ihre Hände auf meine. Spüren Sie die Bewegung? Ganz leicht, nicht so schnell. Sie werden es schaffen. Sie müssen es! Sie haben sich weit besser gehalten, als ich je von Ihnen erwarten durfte, und Sie brauchen sich nicht zu mißtrauen. Haben Sie die Technik jetzt?«

»Ja, Doc. Zum Kuckuck, ich will's versuchen. Aber, was immer Sie vorhaben, kommen Sie so schnell wie möglich zurück! Ich bin am Ende. Ich mache Ihnen doch nichts vor! Sie sollten Meyers bitten, Dodd abzulösen, und Sue müßte geholt werden. Sie ist das beste Tonikum für meine Nerven, das ich kenne.«

»Holen Sie sie her, Dodd.« Der Doc nahm eine Injektionsspritze, füllte sie rasch mit Wasser und fügte einige Tropfen Jod hinzu, wodurch die Mischung sich gelblichbraun färbte. Dann zwang er seine müden, alten Beine in einen leichten Trab zur Tür hinaus in Richtung Telefonzentrale. Vielleicht war das Mädchen ein wenig starrköpfig, aber es gab andere Methoden, mit Leuten umzuspringen.

Er hatte allerdings nicht mit der Wache vor der Kommunikationszentrale gerechnet. »Halt!«

»Ich bin Arzt. Es geht um Leben und Tod!«

»Hier darf niemand rein – ich habe meine Befehle.« Die Bedrohung mit dem Bajonett genügte ihm anscheinend nicht, denn der Mann brachte das Gewehr in Anschlag. Sein vorgeschobenes Kinn verriet die ganze dümmliche Arroganz des kleinen Befehlsempfängers. »Hier ist keiner krank. Woanders sind genug Telefone. Zurück und zwar sofort!«

Der Doc ging weiter und hörte das leise Klicken, als der Posten die Waffe entsicherte. Der verdammte Narr machte Ernst. Mit einem Achselzucken trat Ferrel einen Schritt zurück, hob unauffällig die Injektionsspritze hoch und hielt sie so, daß der Mann sie sehen mußte. »Haben Sie schon mal gesehen, wenn dieses Ding Curare spritzt? Es erreicht Sie schneller als Ihre Kugel mich.«

»Curare?« Die Blicke des Mannes schossen zur Nadel hinüber. »Ist das nicht das Pfeilgift, mit dem man Leute tötet?«

»Ja – Kobragift. Ein Tropfen auf Ihre Haut, und Sie sind in zehn Sekunden tot.« An diesen beiden Behauptungen stimmte natürlich kein Wort, aber der Doc rechnete mit der abergläubischen Ignoranz der Primitiven, was Gifte anbetraf. »Diese kleine Nadel kann Sie damit ganz hübsch besprühen. Es ist ein schneller Tod, aber kein sehr angenehmer. Hätten Sie nicht Lust, Ihr Gewehr hinzulegen?«

Ein regulärer Soldat hätte vielleicht geschossen, aber dieser Mann ging kein Risiko ein. Vorsichtig legte er die Waffe ab, wobei er ständig die Nadel im Auge behielt. Auf den Wink des Doc schob er das Gewehr mit dem Fuß von sich weg. Ferrel ging mit der erhobenen Nadel auf den Mann zu, der ängstlich zurückwich. Ferrel nahm die Flinte an sich. Er wollte es vermeiden, von hinten erschossen zu werden. Wieder Zeit verloren! Aber er kannte sich in dem kleinen Gebäude aus und ging direkt in die Telefonzentrale und auf das Mädchen zu.

»Stehen Sie auf!« Das Mädchen hörte seine Stimme hinter ihrem Rücken. Als sie sich umdrehte, sah sie das Gewehr in seiner einen, die Spritze in der anderen Hand. Die letztere berührte fast ihre Kehle. »In dieser Spritze ist Curare, ein tödliches Gift, und es hängt zu viel davon ab, daß ich ein Gespräch durchkriege, um mich auch noch um ärztliche Eide zu kümmern, junge Dame. Hoch jetzt! Stöpsel loslassen! So ist es recht; und jetzt nach draußen. Flach auf den Bauch legen und Hände auf den Rücken. So, jetzt fassen Sie Ihre Fußknöchel an. Gut so! Wenn Sie sich bewegen, werden Sie sich verdammt nicht lange bewegen!«

Gut, daß er hin und wieder einen Gangsterfilm gesehen hatte. Sie hatte Angst und gehorchte, aber hatte sie Angst genug, ihm nicht absichtlich das Gespräch zu vereiteln? Er mußte es selbst durchstellen. Verdammt, die roten Lampen waren Fernleitungen, aber welcher Stöpsel? Vielleicht der innere? Das schien logisch. Er hatte schon mal zugeschaut, aber er wußte es nicht mehr. Nun diese Schalter herumlegen – nein, zur anderen Seite.

Der Rufton kam, und rasch wählte er die Vermittlung für Ferngespräche, dabei beobachtete er aus den Augenwinkeln das auf dem Boden liegende Mädchen. Er dachte an Jenkins und an die vergeudete Zeit und daran, daß die Zeit immer noch weiterlief, unwiederbringlich.

»Vermittlung, es geht um einen Notfall. Hier ist Walnut 7654; Ich brauche ein Ferngespräch mit Dr. Kubelik, Mayo-Klinik, Rochester, Minnesota. Wenn Kubelik nicht da ist, jeden anderen aus seiner Abteilung. Höchste Eile ist geboten.«

»Gern, Sir.« Die Mädchen in den Fernämtern waren glücklicherweise meistens tüchtig. Er hörte die wiederholten Schaltsignale, während sie das Gespräch durchstellte. Er hörte sie mit der Hausvermittlung sprechen, wieder verlorene Zeit. Endlich erschien ein Gesicht auf dem Schirm. Es war nicht Kubelik, sondern ein wesentlich jüngerer Mann.

Ferrel verschwendete keine weitere Zeit. »Ich habe hier einen Fall, wo es um jeden Preis darum geht, einen Mann zu retten. Es hängt ungeheuer viel davon ab. Es geht aber nicht ohne Kubeliks Maschine. Er kennt mich, falls er da ist. Ich bin Ferrel. Wir trafen uns zuletzt auf dem Medizinerkongreß. Er hat mir die Maschine erklärt.«

»Kubelik ist noch nicht hier, Dr. Ferrel; ich bin sein Assistent. Aber wenn Sie die Maschine zur Anregung der Herz-Lungen-Tätigkeit meinen, die ist schon fertig gepackt und wird heute morgen nach Harvard geflogen. Die haben dort einen eiligen Fall und brauchen den Apparat vielleicht.«

»Nicht so dringend wie ich.«

»Ich rufe schnell an – Warten Sie bitte eine Sekunde, Dr. Ferrel, übrigens kenne ich Sie wahrscheinlich. Sind Sie nicht der Mann von National Atomics?«

Der Doc nickte. »Genau der. Was ist nun mit der Maschine? Können wir uns nicht die Formalitäten sparen?«

Der Kopf auf dem Schirm nickte kurz. Er schien sich entschieden zu haben. Aber in seinem Gesicht lag noch etwas anderes, Undefinierbares. »Wir werden Ihnen die Maschine sofort schikken, Dr. Ferrel. Haben Sie einen Landeplatz?«

»Kimberly Airport ist etwa acht Meilen entfernt. Ich schicke sofort einen Wagen hin. Wie lange wird es dauern?«

»Zu lange, wenn Sie das Ding mit dem Lastwagen abholen müssen. Die Maschine wird gerade in einen VTL-Hubschrauber geladen. Haben Sie denn keinen Platz, wo der runtergehen kann?«

Eine Maschine, die senkrecht starten und landen konnte, veränderte natürlich die Situation. »Vor unserer Krankenstation ist ein freier Platz. Den können wir ausleuchten.« Schlimmstenfalls mußte Jones eine Beleuchtung improvisieren. »Wird das genügen?«

»Bestens. Einen Augenblick bitte.« Das Gesicht verschwand aus dem Schirm, und man hörte, wie der Mann eine Nummer wählte. Dann folgte eine leise geführte Unterhaltung, die allmählich lauter und erregter wurde. Am Ende klangen die Worte wie von weither, so daß Ferrel nichts verstehen konnte. Dann war der Mann wieder im Schirm und sah Ferrel an.

»Okay, die Maschine wurde zu Ihnen umgeleitet. Die Männer werden sich beeilen. Sie können in vierzig Minuten bei Ihnen landen.«

Das war schneller, als der Doc gehofft hatte. Hastig bedankte er sich und griff schon nach dem Stöpsel in der Konsole.

»Warten Sie, Dr. Ferrel«, hielt ihn der jüngere Mann zurück.

»Können Sie die Maschine auch bedienen, wenn Sie sie haben? Das ist verdammt komplizierte Arbeit.«

»Kubelik hat sie ausführlich erklärt, und ich bin komplizierte Arbeit gewohnt. Ich muß und werde es riskieren. Es wird zu spät sein, Kubelik selbst zu bitten, nicht wahr?«

»Wahrscheinlich. Okay, hier ist schon das Fernschreiben vom Flughafen. Die Maschine startet gerade. Viel Glück.«

Ferrel bedankte sich mit einem abschließenden Nicken und überlegte kurz. Dieser prompte Service war natürlich hochwillkommen. Andererseits war der Gedanke, daß die bloße Erwähnung der National Atomics eine solche Kehrtwendung veranlassen konnte, sehr beunruhigend. Trotz aller Bemühungen Palmers schienen sich die Gerüchte wie ein Lauffeuer zu verbreiten. Mein Gott, was ging hier vor? Er hatte zu viel zu tun gehabt, um sich Sorgen zu machen oder sich vorzustellen . . . Nun, immerhin hatte er dadurch die Maschine bekommen. Er sollte dankbar sein. Er stellte eine Verbindung mit Palmer her und hoffte, der Mann würde sich in seinem Büro aufhalten. Er hatte Glück, denn zur Abwechslung stimmte Palmer ohne Widerrede der Landung der Maschine auf dem Werksgelände zu. Er versprach, für Beleuchtung zu sorgen und einen Mann abzustellen, der diese in Betrieb zu setzen hatte.

Unsicher schickte sich der Posten gerade an, Verstärkung zu holen, als der Doc das Gebäude verließ. Das endlos scheinende Gespräch hatte also doch nicht so lange gedauert. Er legte das Gewehr weit von dem Mann entfernt auf den Rasen und rannte zur Krankenstation zurück. Was Jenkins wohl ausgerichtet hatte. Es mußte einfach gutgegangen sein!

Nicht Jenkins, sondern Brown stand über Jorgenson gebeugt. Ihre Augen waren feucht, ihr Gesicht verkniffen, und sie war ganz weiß um die Nase. Sie schaute auf und schüttelte den Kopf, als er zum Tisch eilte, fuhr aber mit ihrer Arbeit fort.

»Hat Jenkins schlappgemacht?«

»Unsinn! Dies ist Frauenarbeit, Dr. Ferrel, und ich habe ihn abgelöst. Weiter nichts. Ihr Männer versucht euer Leben lang, rohe Kraft anzuwenden, und wundert euch dann, daß Frauen doppelt soviel leisten, wo starke Muskeln nur stören. Ich habe ihn rausgejagt und selbst übernommen. Das ist alles.« Aber ihre Stimme stockte dabei, und Meyers beobachtete viel zu auffällig die Werte des Sauerstoffgeräts.

»He, Doc!« durchbrach Blakes Stimme die Stille. »Gehen Sie da weg; wenn diese Dr. Brown Hilfe braucht, bin ich sofort da. Ich habe bis vorhin wie ein Holzklotz geschlafen. Wir waren ziemlich voll, und da haben wir die Türklingel abgestellt und ein Kissen auf das Telefon gepackt. Ich habe also nichts mehr gehört, bis irgendeine Idiotin kam und einbrechen wollte. Sie wurde aber von den Nachbarn zum Teufel gejagt. Ruhen Sie sich aus.«

Ferrel seufzte erleichtert. Blake mochte stockbesoffen gewesen sein, als er endlich ins Bett kam, und das würde auch den Unfug mit dem Telefon erklären, aber seine animalische Robustheit hat ihn alles wieder ausschwitzen lassen, ohne sichtbare Spuren zu hinterlassen. Die einzige Veränderung war, daß sein übliches unverschämtes Grinsen fehlte, als er neben Brown trat, um sich über Jorgensons Zustand zu vergewissern. »Ich bin heilfroh, daß Sie hier sind, Blake. Wie steht es mit Jorgenson?«

Browns Antwort kam mit monotoner Stimme und im Rhythmus ihrer Handbewegungen. »Hin und wieder kommt sein Herz wieder, aber es dauert nicht. Aber soweit ich sehen kann, verschlechtert sich sein Zustand wenigstens nicht.«

»Gut. Wir müssen es noch vierzig Minuten lang schaffen, dann können wir die Arbeit einer Maschine überlassen. Wo ist Jenkins?«

»Eine Maschine? Ach, das Herz-Lungen-Gerät von Kubelik natürlich. Er arbeitete daran, als ich dort war. Bis dahin werden wir Jorgenson auf jeden Fall am Leben erhalten, Dr. Ferrel.«

»Wo ist Jenkins?« wiederholte er scharf, als sie schwieg und nicht die geringste Lust zu verspüren schien, die erste Frage zu beantworten.

Blake wies zu Ferrels Büro hinüber, dessen Tür jetzt geschlossen war. »Dort drüben. Aber lassen Sie ihn nur, Doc. Ich habe alles mit angesehen, und es ist ihm unangenehm genug. Er ist ein guter Junge, aber eben doch nur ein Junge, und dies höllische Ding kann jeden von uns fertigmachen.«

»Das weiß ich alles.« Der Doc machte sich auf den Weg in sein Büro, eigentlich eher, um sich eine anzustecken. Blakes ausgeruhtes Gesicht war wie eine Insel der Ruhe in diesem Meer von Überanstrengung und Nervenanspannung. »Machen Sie sich keine Sorge, Brown, ich habe nicht die Absicht, ihm Vorwürfe zu machen. Also brauchen Sie Ihren Mann nicht so eifrig zu verteidigen. Ich bin schuld, ich hätte auf ihn hören sollen.«

Der dankbare Blick, den Brown ihm zuwarf, rührte ihn, und er kam sich wie ein Schuft vor wegen der Schroffheit, mit der er auf Jenkins' Abwesenheit reagiert hatte. Wenn nicht bald etwas geschah, würden sie bald alle in einer noch schlimmeren Verfassung sein als dieser Junge, der ihm den Rücken zuwandte, als er die Tür öffnete. Die schweigende, zusammengesunkene Gestalt rührte sich nicht, als Ferrel dem Jungen die Hand auf die Schulter legte, und seine Stimme klang leise und gedämpft.

»Ich bin zusammengeklappt, Doc – vollkommen zusammengeklappt. Ich konnte einfach nicht mehr! Ich stand da. Jorgenson hätte sterben können, weil ich mich nicht im Griff hatte. Das ganze Werk konnte in die Luft fliegen, und alles durch meine Schuld. Immer wieder sagte ich mir, daß ich durchhalte, dann brach ich zusammen. Ich schrie wie ein Baby! Ich, Dr. Jenkins, *Nerven*spezialist!«

»Ja . . . Hier, trinken Sie dies jetzt, oder soll ich Ihnen Ihre verdammte Nase zuhalten und es Ihnen reinkippen?« Das war sehr grobe Psychologie, aber es funktionierte. Der Doc reichte ihm den Drink, wartete, bis der andere getrunken hatte, und bot ihm eine Zigarette an, bevor er sich in seinen Sessel sinken ließ. »Sie haben mich gewarnt, Jenkins, und ich habe es auf eigene Verantwortung riskiert. Sie trifft wirklich keine Schuld. Ich möchte Sie aber einiges fragen.«

»Nur zu – was macht es schon aus?« Jenkins hatte sich offensichtlich ein wenig erholt. Das merkte man an dem Anflug von Trotz, der aus seiner Stimme herauszuhören war.

»Wußten Sie, daß Brown solche Arbeit machen kann? Und haben Sie Ihre Hände weggenommen, bevor sie anfing?«

»Sie sagte mir, daß sie die Massage beherrscht. Das hatte ich vorher nicht gewußt. Und das andere; ich weiß nicht . . . Doch, Doc, sie legte ihre Hände auf meine. Aber –«

Ferrel nickte zufrieden. Er hatte richtig geraten. »Ich dachte es mir. Sie sind erst dann zusammengeklappt, wie Sie es nennen, als Ihr Verstand Ihnen sagte, daß sie es durften. Dann haben Sie die Arbeit weitergegeben. In diesem Sinne bin ich auch zusammengeklappt. Ich sitze hier, rauche und unterhalte mich mit Ihnen, während draußen ein Mann liegt, der dringend meiner Aufmerksamkeit bedarf. Die Tatsache, daß andere ihm diese Aufmerksamkeit angedeihen lassen, von denen einer ausgeruht, der andere in besserer Verfassung ist als ich, hat damit überhaupt nichts zu tun.«

»Aber so war es doch gar nicht, Doc. Außerdem brauche ich keinen Zuspruch von der Galerie.«

»Den kriegen Sie ja nicht, mein Sohn. Gut, Sie haben geschrien – warum denn nicht? Dadurch entstand kein Schaden. Als ich hereinkam, habe ich Brown aus demselben Grund angeblafft: Erschöpfung und überreizte Nerven. Wenn ich jetzt rausginge und die beiden ablösen müßte, würde ich selbst schreien oder mir wenigstens in die Zunge beißen. Nerven brauchen nun einmal ein Ventil; physisch hilft es ihnen nicht, das Bedürfnis ist psychologisch.« Der Junge war nicht überzeugt, und der Doc lehnte sich in seinem Sessel zurück und starrte ihn nachdenklich an. »Haben Sie sich schon mal gefragt, warum ich überhaupt hier bin?«

»No, Sir.«

»Es hätte ja sein können. Vor siebenundzwanzig Jahren, als ich ungefähr so alt wie Sie heute, gab es keinen Chirurgen im Land – vielleicht sogar in der Welt –, der einen größeren Ruf hatte als ich, wenn es um komplizierte Gehirnoperationen ging. Einige meiner Techniken werden heute noch angewendet . . . Ich dachte, Sie erinnern sich vielleicht durch Namensassoziationen . . . Ich war damals mit einer anderen Frau verheiratet, Jenkins, und ein Baby war unterwegs. Gehirntumor – Ich mußte es tun, kein anderer konnte es. Ich schaffte es auch irgendwie, aber ich verließ den Operationssaal wie betäubt. Erst nach drei Tagen wurde mir mitgeteilt, daß das Kind gestorben war; es war nicht meine Schuld – das weiß ich heute –, aber damals dachte ich anders.

Ich versuchte, mich als praktischer Arzt niederzulassen. Die Chirurgie war für mich gestorben. Und weil ich ein guter Diagnostiker war, was die meisten Chirurgen nicht sind, fand ich mein Auskommen. Als diese Firma dann einen Arzt brauchte, meldete ich mich und wurde eingestellt; natürlich hatte ich immer noch einen gewissen Ruf. Es war ein neues Gebiet, das ständige berufliche Weiterbildung erforderte. Hier benötigte man die Kenntnisse der meisten Spezialisten zusätzlich zu denen eines praktischen Arztes. Ich hatte alle Hände voll zu tun, und hier gelang es mir auch, meine fast schon pathologische Abneigung gegen die Chirurgie zu überwinden. Verglichen mit mir, wissen Sie überhaupt nicht, was Nerven sind, oder was ein Zusammenbruch bedeutet. Ihr bißchen Geschrei war ein unbedeutender, kleiner Zwischenfall.«

Jenkins verzichtete auf einen Kommentar, aber er zündete sich die Zigarette an, die er noch in der Hand hielt. Ferrel machte es sich in seinem Sessel bequem. Er wußte, daß man ihn im Notfall rufen würde, und war froh, eine Weile nicht an Jorgenson denken zu müssen.

»Es ist schwer, einen guten Mann für diese Arbeit zu finden, Jenkins. Er muß zu viel auf zu vielen Gebieten wissen, wenn auch das Gehalt sehr gut ist. Wir haben viele Bewerbungen geprüft, bevor wir uns für Sie entschieden, und ich bedaure unsere Entscheidung nicht. Sie sind für diesen Job besser qualifiziert, als Blake es seinerzeit war. Aus Ihren Unterlagen mußte man den Eindruck gewinnen, Sie hätten sich für diesen Job ganz besonders vorbereitet.«

»Das war auch der Fall.«

»Hmm.« Diese Antwort hatte der Doc trotz allem nicht erwartet. Kein Arzt bereitete sich systematisch auf einen Job in einer Atomanlage vor. Die meisten bewarben sich, weil sie die hohen Gehälter, die National zahlte, mit ihrem bisherigen Einkommen verglichen hatten. »Sie wußten also, was hier verlangt wird, und haben sich darauf eingerichtet. Darf ich fragen warum?«

Jenkins zuckte die Achseln. »Warum nicht? Vertrauen gegen Vertrauen. Es ist etwas kompliziert, aber das Wichtigste ist schnell gesagt. Dad – er ist mein Stiefvater – hatte eine eigene Atomanlage, wenn sie auch nicht so groß war wie die National. Aber sie war verdammt gut. Ich habe schon mit fünfzehn im Werk als Techniker gearbeitet. Aber was die medizinische Entwicklung in bezug auf Radioaktivität betraf, waren wir unterentwickelt. Dad bestand darauf, daß ich Medizin studierte. An der Universität lernte ich Sue kennen. Sie war schon im Abschlußsemester. Damals hatte ich noch Geld genug, um mit ihr über die Dörfer zu ziehen. Aber sie blieb nicht lange. Sie hatte schon einen Job bei der Mayo-Klinik, als ich noch Medizin paukte. Jedenfalls . . .

Dad kriegte einen Riesenauftrag. Es ging um ein neues Verfahren, das wir entwickelt hatten. Es war nicht einfach, die Ausrüstung zu finanzieren, aber Dad schaffte es, und wir fingen an . . . Ich vermute, daß Konstruktionsfehler dafür verantwortlich waren, daß eine der Steuerungsanlagen ausfiel. Das Verfahren selbst war in Ordnung! Wir hatten es hundertmal durchgetestet. Jedenfalls waren wir pleite, und ich konzentrierte mich auf mein Medizinstudium. Sue unterstützte uns. Sie verschaffte mir sogar eine Assistentenstelle an der Mayo-Klinik. Da ging es nicht um atomare Probleme, aber ich wollte, was ich gelernt hatte, eines Tages anwenden. Darum bewarb ich mich hier, und Sie stellten mich ein.«

»Bei National können Sie in Atomwissenschaften graduieren«, erinnerte ihn der Doc. Das Gebiet war noch zu neu, als daß es an den Universitäten gängiges Lehrfach wäre, und es gab keine besseren Lehrer als Palmer, Hokusai oder Jorgenson. »Außerdem bekommen Sie während der Ausbildung Gehalt.«

»Ja, aber die mag zehn Jahre dauern, und das Gehalt reicht nur für einen Unverheirateten. Ich habe aber Sue nicht geheiratet, damit sie weiterarbeiten muß; während meiner Assistentenzeit hat sie das natürlich getan, aber ich wußte, daß ich sie mit dem Gehalt, daß ich hier bekommen würde, ernähren kann. Als Atomtechniker mit dem Berufsziel Ingenieur waren die Aussichten nicht so gut. Zur Zeit können wir ein wenig Geld zurücklegen, und später könnte ich es mir immer noch überlegen . . . aber Doc, was soll das alles? Sie versuchen, mich zu beruhigen wie ein kleines Kind!«

Ferrel grinste ihn an. »So ungefähr, mein Sohn. Allerdings war ich außerdem neugierig, und der Erfolg gibt mir recht. Sie fühlen sich doch jetzt besser, nicht wahr?«

»Einigermaßen, wenn man von dem absieht, was da draußen los ist. Ich habe vom Wagen aus einiges gesehen. Ich könnte ein bißchen Schlaf gebrauchen, aber sonst geht's wieder.«

»Gut.« Dem Doc hatte diese kleine private Unterhaltung genau so genützt wie seinem jungen Kollegen. Er war jetzt ausgeruhter, als wenn er nur seinen Gedanken nachgehangen hätte. »Ich schlage vor, wir gehen nach draußen und schauen nach, wie es Jorgenson geht. Da fällt mir ein, wie geht es denn Hoke?«

»Hoke? Oh, der ist gerade in meinem Büro und arbeitet mit Papier und Bleistift, da er ja nicht raus darf. Ich überlege mir –«

»Atomtechnik? Dann gehen Sie doch hin und reden Sie mit ihm. Er ist ein feiner Kerl und wird Sie bestimmt nicht zurückweisen. Wahrscheinlich hat kein Mensch hier mit dieser Isotop-R-Geschichte gerechnet. Vielleicht können sie ihm sogar eine Anregung geben. Außer den Tankbesatzungen sind keine Männer mehr im Konverter. Da Blake und die Schwestern hier sind, gibt es jetzt kaum etwas für Sie zu tun.«

Ferrel sah Jenkins nach, der durch den Operationsraum zu

seinem Büro ging. Seit Palmers erstem Anruf hatte er sich nicht mehr so mit der Welt im reinen gefühlt wie gerade jetzt. Auch die Blicke, die Brown erst Jenkins und dann ihm zuwarf, gefielen ihm. Das Mädchen konnte mit den Augen mehr sagen als die meisten Frauen mit dem Mund! Er ging an den Operationstisch zurück, wo Blake nun die Herzmassage durchführte, wobei eine der ausgeruhten Schwestern ihm am Respirator assistierte. Das Beatmungsgerät zischte rhythmisch, während es Sauerstoff in die Lungen pumpte und dann wieder absaugte. Bei solcher Behandlung konnte der Organismus eine Zeitlang überleben, aber man näherte sich schon der kritischen Grenze, die sich bei früheren Fällen ergeben hatte.

Mit besorgtem Gesicht sah Blake von der Arbeit auf. »Es sieht nicht sehr gut aus, Doc. Sein Zustand hat sich in den letzten paar Minuten verschlechtert. Ich wollte Sie gerade rufen. Ich –«

Seine Worte gingen in dem dumpfen Dröhnen unter, das von oben kam. Es war das typische Motorengeräusch eines der größeren Senkrechtstarter beim Abflug oder bei der Landung. Er sah Browns fragenden Blick und nickte. Schweigend legte er dann seine Hände auf die Blakes, um die delikate Arbeit der Stimulierung der natürlichen Herztätigkeit zu übernehmen. Als Blake vom Tisch zurücktrat, schwieg das Motorengeräusch, und Doc machte eine Kopfbewegung zur Tür hin.

»Gehen sie lieber zur Maschine und überwachen Sie das Abladen des Apparates – Schnappen Sie sich ein paar Leute zum Tragen – oder Jones soll welche holen. Die Maschine ist ein Experimentiermodell und ziemlich schwer. Sie wiegt bestimmt ein paar hundert Pfund oder mehr.«

»Ich hole die Leute selbst. Jones hat keine Zeit.« Trotz der geschickten Hände des Doc blieb das Flattern aus, das man an Jorgensons Herz schon einige Male bemerkt hatte. Ferrel tat, was er konnte. »Wann war das letzte Mal?«

»Vor ungefähr vier Minuten, Doc. Gibt es noch Hoffnung?«

»Schwer zu sagen. Her mit der Maschine, und wir hoffen weiter.«

Aber das Herz wollte immer noch nicht reagieren, obwohl die ständige Massage den Blutkreislauf sicherstellte und wenigstens ein Ersticken der Körperzellen verhinderte. Vorsichtig und mit äußerster Konzentration versuchte er, endlich wieder dieses Flattern hervorzulocken. Einmal gelang es ihm fast, aber er war nicht ganz sicher. Jetzt kam alles darauf an, wie schnell die Maschine angeschlossen werden konnte, und wie lange ein Mann durch Herzmassage überhaupt am Leben erhalten werden konnte. Dieser Punkt war noch nicht geklärt.

Ohne Zweifel aber brannte die Lebensflamme in Jorgenson nur noch schwach, während draußen in der von Menschen geschaffenen Hölle die Minuten verrannen, die sie noch davon trennte, das Mahlersche Isotop zu bilden. Der Doc war sonst nicht sehr gläubig, aber heute kam ihm der naive Glaube seiner Kindheit zurück, und er hörte Brown das Gebet mitsprechen, das er auf den Lippen hatte. Er sah, wie der Sekundenzeiger der Uhr einen weiteren Umlauf vollendete, dann noch einen, bis er vom Hintereingang her endlich die Schritte von Männern hörte. Immer noch zitterte das Herz nicht unter seinen Händen. Wieviel Zeit hatte er noch für die komplizierte und ungewohnte Operation? Hatte er überhaupt noch Zeit?

Er schaute zur Seite und bemerkte, daß die Maschine schon ohne ihre schützende Verpackung dastand. Blake und ein paar Männer, die mit dem Flugzeug gekommen sein mußten, waren damit beschäftigt, den ungefügen Apparat neben Jorgenson zu rücken.

Ein weiterer Seitenblick auf die Maschine, und er sah an der Bedienungstafel das scheinbar unentwirrbare Durcheinander von Induktionsspulen und Drahtbündeln, deren einzelne Drähte in haarfeinen Platinfäden endeten, die alle richtig angebracht werden mußten, um bei Jorgenson die Herztätigkeit und den Atmungsapparat zu steuern. Alles war sorgfältig programmiert, und doch erschreckte ihn die Kompliziertheit der Anlage. Über der Bedienungskonsole hingen Bögen, auf denen eine Unzahl von Werten eingetragen waren, und wieder erschreckte ihn die

Anzahl der Daten. Mit ihnen hätte man sich eigentlich vorher gründlich beschäftigen müssen. Die Bögen waren nur zur Gedächtnisauffrischung gedacht. Der Doc konnte sie jetzt nur kurz überfliegen. Wenn er irgendwo einen Fehler machte, würde sich ein zweiter Versuch erübrigen. Das stand fest. Und wenn seine Finger zitterten oder seine müden Augen sich im falschen Moment ein wenig zu lange schlossen, gab es für Jorgenson keine Rettung mehr. Jorgenson wäre tot!

XI

»Übernehmen Sie die Massage, Brown«, befahl er, »und lassen Sie keine Pause eintreten, egal, was geschieht. Gut. Sie, Dodd, assistieren mir. Achten Sie auf meine Zeichen. Wenn es gutgeht, können wir uns alle anschließend ausruhen.«

Er wandte sich der Maschine zu. Ein schneller Blick überzeugte ihn, daß die Techniker das Gerät schon angeschlossen hatten. Barsch bedeutete er ihnen, aus dem Weg zu gehen, und schaltete mit den Füßen Supersonar und Ultraviolett ein. Den Operationssaal vorschriftsmäßig zu sterilisieren war nicht mehr möglich.

»Dr. Ferrel! Warten Sie einen –«

Einer der Männer, die anscheinend mit dem Flugzeug gekommen waren, trat vor. Aber der Doc konnte keine Zeit mehr für letzte Instruktionen verschwenden. Er wandte sich wieder Jorgenson zu und machte eine ungeduldige Handbewegung zu Jones hinüber. »Schaffen Sie die Leute aus dem Weg, und bereiten Sie die Konserven für den anschließenden Blutaustausch vor!«

»Nein. Warten Sie einen Augenblick, Dr. Ferrel!« Es war die Stimme desselben Mannes, dieses Mal beharrlicher.

Der Doc zog die Stirn in Falten. Angespannt überflog er die Daten über der Konsole. »Blake, helfen Sie Jones, die Leute zurückzuhalten. Wenn Sie Schwierigkeiten haben, rufen Sie die Wachen! Okay, Brown, so geht es. Fertig, Dodd.«

Grimmig überlegte Ferrel mit dem Teil seines Gehirns, den er für diesen Gedanken frei hatte, ob er Jenkins gegenüber wohl seine Prahlerei würde rechtfertigen können, er sei einer der größten Chirurgen der Welt; einst hatte es gestimmt, da kannte er keine falsche Bescheidenheit, aber das war lange her, und dies war im günstigsten Fall ein teuflischer Job. Als Kubelik diese Operation auf dem Medizinerkongreß an einem Hund durchgeführt hatte, war die alte Faszination wieder über ihn gekommen. Sein Gedächtnis für Details war noch gut, und auch auf seine Hände konnte er sich verlassen. Aber um ein großer Chirurg zu sein, braucht man noch etwas anderes, und er wußte nicht, ob das noch in ihm war.

Als aber dann seine Hände die nötigen mikroskopisch genauen Bewegungen vollführten, als Dodd gleichsam zu einem zweiten paar Hände wurde, zweifelte er nicht mehr. Was immer dieses andere war, das ein großer Chirurg haben mußte: Er spürte, wie es ihn durchströmte, und es war ein erhebendes Glücksgefühl, das über die Dringlichkeit und Bedeutung der Arbeit an sich noch weit hinausging. Heute würde er es wohl zum letzten Mal empfinden, und wenn die Operation gelang, konnte er es in seinem Gedächtnis speichern als Teil der Erinnerungen an frühere Erfolge. Der Mann auf dem Tisch war nicht mehr Jorgenson, seine übertrieben ausgestattete Krankenstation war wieder der Operationssaal der Mayo-Klinik, aus der Brown kam und diese seltsame neue Maschine, und seine Hände waren wieder die des großen Ferrel, des Wunderknaben der Mayo-Klinik, der das Unmögliche schon vor dem Frühstück gleich zweimal schaffte.

Ein Teil seines Gefühls galt dem Apparat selbst, dem man es ansah, daß er verschiedentlich auseinandergenommen und geändert worden war. Er war nicht so dekorativ wie es später nachgebaute Apparate wohl sein würden. Massiv und häßlich, mit überrall scheinbar regellos hervorstehenden Teilen wirkte er eher wie ein Requisit aus den Folterkammern der Inquisition als die Glanzleistung eines Wissenschaftlers. Aber er funktionierte. Das hatte er ja schon selbst gesehen. In diesem häßlichen Gewirr von Teilen wurden Ströme erzeugt und moduliert, die normale Nervenimpulse simulierten, die zusammenwirkten, um Atmung und Kreislauf den Bedürfnissen des Organismus anzupassen. Abtastinstrumente waren über verschiedenen Blutgefäßen anzubringen, die das Sauerstoffverhältnis prüften und den Anteil der Schadstoffe in Venen und Arterien. Der Apparat hatte eine Art Gehirn, einen ausgeklügelten Rechner, der die Befehle des Gehirns zur Steuerung der Organe ersetzen mußte, wenn dieses sie nicht mehr selbst geben konnte oder sonst in seinen Funktionen beeinträchtigt war.

Die Presse hatte ihn eine Art Super-Schrittmacher genannt, was natürlich Unsinn war. Ein Schrittmacher steuert nur das Herz und regt es zur Tätigkeit an. Dieser Apparat regulierte Blutkreislauf und Atmung gleichzeitig und erzwang die Tätigkeit beider Systeme. Ein normaler Schrittmacher wäre bei Jorgenson nutzlos gewesen.

Der Stimulator war das gemeinsame Produkt höchster medizinischer und Ingenieurskunst; aber so bewundernswert der Apparat auch war, er ließ sich nicht vergleichen mit der Technik, die Kubelik entwickelt hatte, genau die Nerven und Nervenstränge auszuwählen und zusammenzufassen, die nötig waren, um das Unmögliche in den Bereich chirurgischer Machbarkeit zu rücken. Während er nun angespannt das Programm anwandte, das Kubelik vermutlich auswendig wußte, versuchte Ferrel praktisch, die gesamte Arbeit des anderen Mannes nachzuvollziehen!

Brown unterbrach, und diese Unterbrechung mitten in einer solchen Operation zeigte ganz klar, wie angespannt sie selbst war. »Das Herz hat ein wenig geflattert, Dr. Ferrel.«

Ferrel ließ sich nicht stören und nickte nur. Mancher Chirurg fühlte sich durch Sprechen gestört, aber unter seinen wenigen Mitarbeitern waren gelegentliche Bemerkungen an der Tagesordnung, von denen er nur die Wichtigsten registrierte. »Gut. Das gibt uns mindestens den doppelten Spielraum, den ich erwartet hatte.«

Konzentriert beschäftigte er sich zuerst mit dem Herzen. Hier lag das größere Risiko. Ob es die Maschine in diesem Fall schaffte? Curare und radioaktive Materie, die einander im Organismus bekämpften, waren eine schwierige Kombination. Aber die Maschine steuerte die Nerven in der Nähe dieses lebenswichtigen Organs und schickte ihre Impulse zu den Muskeln durch. Hier hatte das Curare in einem komplizierten Prozeß die Nerven gelähmt und dadurch die vom Gehirn ausgehenden Impulse blockiert. Konnten die Nervenimpulse der Maschine durch die paralysierten Nervenstränge gezwungen werden? Wahrscheinlich – denn die Stärke der Signale war steuerbar. Man mußte es versuchen und würde dann sehen.

Brown zog die Hände zurück und starrte ungläubig. »Es schlägt, Dr. Ferrel! Von selbst . . . es schlägt!«

Wieder nickte er. Die Maske verbarg sein Lächeln. Noch hatte er keinen technischen Fehler gemacht. Er hatte die Operation korrekt durchgeführt, nachdem er sie einmal bei einem Hund gesehen hatte! Er war immer noch der große Ferrel! Dann sank sein Ego wieder auf Normalgröße herab, aber das Hochgefühl blieb. Daß Jorgenson noch lebte, war schon ein Triumph; diese Tatsache eröffnete eine hauchdünne Chance. Über seine Verfassung, wenn er wieder zu sich kam, mochte der Doc im Moment noch nicht nachdenken.

Das Problem, die Maschine an die Muskeln des Atmungsapparats anzuschließen, war weniger schwierig, wenn auch zeitraubender. Dabei zeigte Brown, was sie wert war. Sie schien seine Gedanken erraten zu können. Sie wußte im voraus, was er brauchte, und ihre Hände arbeiteten synchron mit ihren Gedanken. Als die Lungen endlich wieder selbsttätig arbeiteten, war es für ihn keine Überraschung. Er nickte befriedigt und machte sich an die Feineinstellung der Sensoren, die der Maschine die jeweiligen Werte lieferten und dadurch ihre Funktion steuerten. Die

Grobeinstellung war schon vorgenommen worden – wahrscheinlich auf Weisung des Assistenten von Dr. Kubelik.

Der Rest war nicht mehr problematisch. Ferrel überließ die weitere Arbeit Blake. Er wartete, bis er Jorgenson gefahrlos die Sauerstoffmaske vom Gesicht nehmen konnte und machte noch zwei, drei Einstellungen an den Kontrollen. Dann trat er zurück und legte Maske und Handschuhe ab.

»Ich gratuliere, Dr. Ferrel!« Es war eine gutturale, fremde Stimme. »Eine wahrhaft große Operation – wirklich ausgezeichnet. Fast hätte ich Sie davon abgehalten, aber jetzt bin ich froh, daß ich es nicht tat; es war ein Vergnügen, Ihnen zuzuschauen, Sir.« Erstaunt sah Ferrel in das bärtige, lächelnde Gesicht des Mannes, der ihn vor der Operation unterbrochen hatte, und plötzlich wußte er: das war Kubelik selbst! Er murmelte eine Entschuldigung dafür, daß er den Chirurgen nicht erkannt hatte. Kubelik jedoch hatte eine solche Entschuldigung keineswegs erwartet. Mit seiner riesigen Pranke ergriff er die Hand des Doc.

»Ich, Kubelik, bin selbst mitgekommen, wie Sie sehen. Einem anderen traute ich die Arbeit mit der Maschine nicht zu, und glücklicherweise befand ich mich am Flughafen. Dann, als Sie mich beiseite schoben, bevor ich Ihnen meine Hilfe anbieten konnte, wußte ich, daß die Zeit für Erklärungen nicht reichte. Und Sie schienen so sicher, so zuversichtlich . . . also hielt ich mich still im Hintergrund und verfluchte mich dabei. Ich fliege jetzt zurück – da Sie mich nicht brauchen –, und ich habe viel gelernt . . . Nein, kein Wort; kein Wort von Ihnen, Sir. Zerstören Sie das Wunder nicht mit Worten. Das Flugzeug wartet, und ich gehe. Aber meine Bewunderung für Sie bleibt!«

Ferrel stand immer noch da und betrachtete seine Hände, als das Dröhnen der Flugzeugmotoren wieder einsetzte. Dann schaute er zu der atmenden Gestalt hinüber, deren Halsschlagader wieder regelmäßig schlug. Das war vorläufig die Hauptsache; Kubelik hatte ihn bewundert, der Mann, der alle anderen Chirurgen für Narren oder Trottel hielt. Sekundenlang empfand er Stolz, dann dachte er nicht mehr daran.

»Nun«, sagte er zu den anderen und empfand wieder die ganze Schwere der Situation, »müssen wir hoffen, daß Jorgensons Gehirn nicht durch seinen Aufenthalt im Konverter oder die langen Wiederbelebungsversuche geschädigt ist. Wir müssen versuchen, ihn fit zu machen, bevor es zu spät ist. Gott möge uns Zeit geben! Blake, Sie kennen die Routine so gut wie ich. Sie und die ausgeruhte Schwester machen weiter. Tun Sie für die Patienten in den Krankenzimmern und im Warteraum nur das unbedingt Nötige. Sind noch mehr gekommen?«

»Seit einiger Zeit keine mehr; das scheint fürs erste vorbei zu sein«, sagte Brown.

»Hoffentlich. Dann suchen Sie Jenkins und legen Sie sich irgendwo hin. Das gilt auch für Sie, Meyers und Dodd. Blake, wenn es geht, lassen Sie uns drei Stunden. Dann wecken Sie uns. Bis dahin kann es kaum neue Entwicklungen geben, und wenn wir ausgeruht sind, holen wir die Zeit wieder auf. Jorgenson hat absolute Priorität!«

Der alte Ledersessel konnte zur Not als Bett dienen, aber Ferrel war zu erschöpft, um die drei Stunden Ruhe so zu nutzen, wie er es hätte tun müssen. Er mußte es auf jeden Fall versuchen. Er überlegte, was Palmer wohl von all seinen Sicherheitsvorkehrungen gehalten hätte, wenn er wüßte, wie leicht Kubelik hereingekommen und wieder abgeflogen war. Aber das war nicht so wichtig. Damit, daß jemand in die Nähe, geschweige denn hereinkommen würde, konnte keiner rechnen.

Was das anbetraf, schien er sich allerdings gründlich geirrt zu haben. Lange vor Ablauf der drei Stunden wurde er vom Motorenlärm eines weiteren Senkrechtstarters geweckt. Er war so müde, daß er nicht einmal Neugier empfand, und sank in den Schlaf zurück. Dann fetzte ein anderes Geräusch um seine Ohren und riß ihn endgültig in die Wirklichkeit. Es war das scharfe Bellen eines Maschinengewehrs vom Haupteingang her. Eine Pause, dann noch ein Feuerstoß. Er erinnerte sich, das Geräusch schon vor der Ankunft der Maschine registriert zu haben, die Salven konnten ihr also nicht gegolten haben. Auf jeden Fall gab es nun zusätzliche Probleme. Er konnte nicht weiterschlafen, selbst wenn es ihn nicht direkt betraf. Er stand auf und ging in die Station hinaus, als gerade ein kleingewachsener Mann durch den Hintereingang hereinkam.

Nach einem schnellen Blick zu Blake hinüber schlurfte er auf Ferrel zu. Ruckartig und ein wenig wichtigtuerisch sprudelte er seine Worte hervor. Das Ganze wäre komisch gewesen, wenn man nicht die Ernsthaftigkeit des Mannes gespürt hätte. »Dr. Ferrel? Ääh – Dr. Kubelik – Sie wissen doch, von der Mayo-Klinik – er sagt, Sie hätten nicht genügend Personal; überall liegen Patienten herum. Wir haben uns freiwillig gemeldet – ich, vier andere Ärzte und neun Schwestern. Ich hätte das mit Ihnen absprechen müssen, aber ich bekam keine Verbindung. Da haben wir uns erlaubt, direkt herzukommen. Wir luden so schnell wir konnten unsere Sachen in die Maschine. Jetzt wird gerade ausgeladen.«

Ferrel sah durch eines der hinteren Finster nach draußen. Die Laderampe der Maschine war ausgefahren, und allerhand medizinisches Gerät wurde aus dem Rumpf geholt. Jetzt ärgerte er sich, daß er nicht um Hilfe gebeten hatte, als er telefonisch den Stimulator anforderte; aber er war es so gewohnt gewesen, mit seiner eigenen kleinen Belegschaft auszukommen, daß er gar nicht daran gedacht hatte, wie bereitwillig Männer seiner Profession auf Hilfeersuchen in Notsituationen reagierten.

»Sie wissen, daß es nicht ohne Risiko ist, hierherzukommen? Dann bin ich Ihnen und Kubelik besonders dankbar. Wir haben etwa vierzig Patienten, die intensive Behandlung benötigen, obwohl ich, ehrlich gesagt, nicht weiß, wo Sie Platz zum Arbeiten haben.«

Der Mann wies mit dem Daumen ruckartig über die Schulter nach draußen. »Machen Sie sich darüber keine Sorgen. Wenn Kubelik etwas macht, dann macht er es gründlich. Wir haben alles, was wir brauchen, mitgebracht, praktisch die gesamte Ausrüstung der Klinik zur Behandlung von Strahlenschäden. Sie müßten höchstens mit dem einen oder anderen Gerät aushelfen. Wir haben sogar ein Behandlungszelt und tragbare Unterkünfte für die Patienten. Sollen wir Ihnen hier zur Hand gehen oder einfach die Patienten zum Zelt schaffen? Übrigens läßt Kubelik bestens grüßen. Sehr ungewöhnlich bei ihm!«

Über Grüße von Haus zu Haus schien Kubelik recht konkrete Vorstellungen zu haben, wenn sie hier auch auf sehr dramatische Weise Ausdruck fanden. Wenn der Mann die Freiwilligenaktion organisiert hatte, war es ein Wunder, daß er nicht die ganze Klinik samt Personal hergeschickt hatte.

»Wir machen in der Station allein weiter«, entschied Ferrel. »Die aus den Krankenzimmern sollten besser in Ihr Zelt gebracht werden. Auch die Patienten im Warteraum. Wir sind hier für jeden Notfall hervorragend ausgerüstet, sind es aber nicht gewohnt, daß die Leute länger bleiben. Darauf sind wir nur ungenügend eingestellt. Dr. Blake wird Ihnen alles zeigen und die Routine erklären, nach der wir hier arbeiten. Er sorgt auch für Leute, die helfen können, das Zelt aufzustellen. Haben Sie übrigens beim Landen die Schießerei vom Eingang her gehört?«

»Das haben wir. Wir haben sie sogar beobachtet. Eine Gruppe von Uniformierten schoß mit einem Maschinengewehr nach draußen, allerdings nur in den Sand. Ein paar Leute rannten weg. Sah aus, als ob sie mit den Fäusten drohten. Wir fürchteten, wir würden auch was abbekommen, aber sie haben uns wohl nicht gesehen.«

Blake prustete amüsiert. »Sie hätten wahrscheinlich auch was abbekommen, wenn unser Manager nicht vergessen hätte, Anweisungen zu geben, auch den Luftraum abzusichern. So müssen sie es für eine Routinelandung gehalten haben.« Er bedeutete dem kleinen Arzt, ihm zu folgen und wandte sich noch kurz an Brown. »Zeigen Sie dem Doc die Ergebnisse, während ich weg bin, Honey.«

Ferrel vergaß sein neues Hilfskorps und drehte sich zu dem Mädchen um. »Schlimm?«

Sie verzichtete auf einen Kommentar und legte einen Bleischutz über Jorgensons Brust, der alle Strahlung vom unteren

Ende seines Körpers abschirmte. Dann brachte sie das Strahlenmeßgerät an den Hals des Mannes. Der Doc schaute nur kurz hin; das genügte ihm. Offensichtlich hatte Blake sein Bestes getan, alle radioaktive Materie aus den fürs Sprechen wichtigen Organen zu entfernen, wohl in der Hoffnung, daß man der restlichen Radioaktivität durch örtliche Betäubung vorläufig Herr werden könnte. Dann hätte das Curare lange genug entgegengewirkt, daß man von Jorgenson die benötigte Information hätte bekommen können. Genauso offensichtlich war ihm das nicht gelungen. Es hatte keinen Sinn, jetzt die Blockierung durch die Droge zu neutralisieren, nur damit er wieder unter die Einwirkung der noch präsenten Radioaktivität geriet. Das Zeug war zu fein verteilt, als daß man ihm mit chirurgischen Mitteln hätte beikommen können. Was nun? Darauf hatte er keine Antwort.

Jenkins' feinnervige Hand nahm ihm das Meßgerät weg, und der Junge prüfte selbst. Er runzelte die Stirn schon, als der Doc leicht überrascht aufsah, und sein Gesicht blieb unverändert düster. Er nickte langsam. »Ja, das hatte ich erwartet. Sie haben so schöne Arbeit geleistet. Ein Jammer. Ich habe von der Tür aus zugesehen und war fast überzeugt, daß Sie es hinkriegen würden. Aber . . . Jetzt müssen wir ohne ihn zurechtkommen; Hoke und Palmer ist nichts eingefallen, das sich überhaupt zu testen lohnt. Kommen Sie mit in mein Büro, Doc. Hier können wir jetzt doch nichts tun.«

Ferrel folgte Jenkins in das kleine Büro, das vom inzwischen leeren Warteraum abging. Die Männer von der Klinik hatten schnelle Arbeit geleistet. »Sie haben also nicht geschlafen. Wo ist Hokusai jetzt?«

»Mit Palmer draußen; er hat versprochen, vorsichtig zu sein, wenn Sie das beruhigt . . . Hoke ist ein netter Kerl. Ich wußte gar nicht mehr, wie das ist, mit einem Atomfachmann reden, ohne daß er einen auslacht. Auch Palmer. Ich wünschte . . .« Sein Gesicht hellte sich auf, und zum erstenmal lag ganz normaler Stolz in seinen Zügen. Dann zuckte er die Achseln, und sein Gesicht straffte sich wieder. Seine Augen waren gerötet.

»Wir haben die wildesten Pläne entworfen, aber nachher war alles gar nicht so toll.«

Aus der Tür hörten sie Hokes Stimme, als der kleine Kerl hereinkam, um sich vorsichtig auf einen der drei Stühle zu setzen. »Nein, es war nicht so toll. Es ist schon mißlungen. Jorgenson?«

»Bewußtlos. Von ihm können wir nichts erwarten. Was ist geschehen?«

Hoke spreizte die Arme und schloß die Augen. »Nichts. Wir wußten, daß es nicht funktionieren konnte, nicht wahr? Mr. Palmer wird gleich zurück sein. Dann überlegen wir weiter. Palmer und ich sind hauptsächlich Theoretiker, und Sie auch, Doktor, wenn Sie gestatten. Ich denke, wir sollten die Anlage verlassen. Jorgenson war der Produktionsmann. Ohne Jorgenson kein Erfolg!«

Innerlich gab Ferrel ihm recht: man sollte raus hier und zwar schnell! Aber er sah auch Palmers Standpunkt ein: den Kampf aufzugeben, ging ihm gegen den Strich. Und wenn die Explosion, die ein bisher noch nicht zu berechnendes Gebiet verheeren konnte, wirklich stattfand, hätten die Kernkraftgegner ihren großen Tag. Sie könnten vielleicht sogar den Kongreßausschuß zwingen, noch weit über den schon anhängigen Gesetzesantrag hinauszugehen. Die verrückten Randgruppen, die nach Abschaffung aller Atomkraftwerke schrien, könnten ungeheuren Zulauf erhalten. Man wollte ja jetzt schon die Werke in abgelegene Ödgebiete verlegen, wohin man mit noch so hohen Löhnen kein Personal locken konnte. Sollte es aber Palmer durch einen glücklichen Zufall doch noch gelingen, das Werk zu retten, ohne daß weitere Verluste an Menschenleben und Sachwerten entstanden, so wäre das Beweis genug, daß man die Atomkraft mit einiger Sicherheit handhaben konnte. Die Gemäßigteren konnten auf diese Weise gewonnen werden, und das immer noch vorhandene Risiko würde angesichts des ungeheuren Nutzens der von National hergestellten Produkte mindestens erträglich scheinen.

»Was genau passiert denn, wenn der Laden hier hochgeht?« fragte er.

Jenkins hob die Schultern und biß sich auf die Lippen, während er einen mit atomtechnischen Formeln vollgekritzelten Bogen überflog. »Das kann man nur raten. Nehmen wir einmal an, eine Millionen Tonnen des neuen Sprengstoffs, den die Armee verwendet, würde in einer Milliardstel Sekunde hochgehen. Verglichen mit einer atomaren Explosion verbrennt dieser Sprengstoff normalerweise wie jedes Feuer, nämlich langsam und ruhig. Geht aber alles auf einen Schlag hoch, könnte diese Menge ein Loch sprengen, das den ganzen Kontinent von der Hudson Bay bis zum Golf von Mexiko auseinanderreißt! Wo jetzt der Mittlere Westen liegt, wäre dann ein hübscher kleiner See. Es ist natürlich möglich, daß nur im Umkreis von achtzig Kilometern alles zerstört wird. Irgendwo zwischen den beiden Extremen wird die Wirkung einer solchen Explosion wohl liegen. Dies ist ja keine simple Wasserstoffbombe.«

Der Doc zuckt zusammen. Zwar hatte er sich vorstellen können, daß das Werk in die Luft fliegt und ein paar Gebäude im Umkreis zerstört werden, aber an diese Größenordnungen hatte er nicht im Traum gedacht. Er hatte die ganze Sache eher für ein örtlich begrenztes Problem gehalten, aber so sah es nun wohl nicht mehr aus. Kein Wunder, daß Jenkins die ganze Zeit dem Wahnsinn nahe gewesen war; bei ihm war es keine Phantasie, sondern eiskaltes und hartes Tatsachenwissen, das ihn fast verrückt machte. Ferrel starrte in die Gesichter der Männer, als sie sich wieder über ihre Tabellen beugten, ihre Berechnungen Schritt für Schritt nachvollzogen, um einen möglichen Fehler zu korrigieren. Er beschloß, sie alleinzulassen.

Ohne Jorgenson schien keine Aussicht zu bestehen, das Problem zu lösen, und für Jorgenson hatte er die Verantwortung. Natürlich konnte man es ihm nicht direkt anlasten, wenn der Laden zum Teufel ging, und doch trug er schwer an seiner Verantwortung, denn die Leute schienen wirklich keine Lösung zu wissen. Wie nun, wenn er eine direke Verbindung zwischen

Gehirn und Sprechwerkzeugen herstellte? Er konnte den Mann festschnallen und alle Nerven unterhalb des Halses blockieren. Statt der normalen Atemwirkung über die Stimmbänder zu trauen, konnte er einen künstlichen Kehlkopf verwenden. Wenn es nur half. Aber das Meßgerät zeigte ja, daß es nicht ging. Die Befehle konnten vom Gehirn aus nicht durchdringen. Die noch immer vorhandene Radioaktivität würde sie fehlsteuern – immer unter der Voraussetzung, daß sein Gehirn noch intakt war, was man getrost bezweifeln konnte.

Zu Jorgensons Glück war das Zeug im Kopf sehr fein verteilt. Es gab nirgends eine so starke Konzentration, daß sie das Gehirn unweigerlich zerstört hätte. Aber dieser Vorteil nützte wenig, so lange man die restlichen Strahlungsherde nicht entfernen konnte, und das war nach dem gegenwärtigen Stand der Medizin nicht möglich. Auch ein einfacheres Verfahren wie etwa das, den Mann die Fragen lesen zu lassen, um dann die Antworten zu buchstabieren, vielleicht durch Lidzucken, während der Frager auf die Buchstaben des Alphabets zeigte, kam nicht in Frage.

Nerven! Jorgensons Nerven waren blockiert. Ferrel überlegte, ob es ihnen allen nicht ähnlich ging. Vielleicht lag die Lösung ganz nahe und wurde nur deshalb nicht gefunden, weil bei allen die Nerven durch Angst und Überreizung blockiert waren. Jenkins, Palmer, Hokusai – rein theoretisch hätte jeder von ihnen auf die Lösung kommen können, aber die zwingende Notwendigkeit, sie zu finden, hatte ihnen den Blick getrübt. Das mochte auch auf Jorgensons Behandlung zutreffen. Er versuchte, sich zu entspannen. Zwanglos ließ er seine Gedanken schweifen, um irgend etwas aus seinen beruflichen Kenntnissen, vielleicht scheinbar zusammenhanglos, zutage zu fördern, das ihm in dieser Situation helfen konnte. Unwillkürlich aber konzentrierten sich seine Gedanken sofort wieder auf die Notwendigkeit, etwas zu unternehmen, und zwar sofort!

Hinter sich hörte Ferrel müde Schritte. Es war Palmer, der durch den Vordereingang hereinkam. Er hatte in der Krankenstation nichts zu suchen, aber diese Vorschriften waren schon seit Stunden außer Kraft gesetzt.

»Jorgenson?« Palmer eröffnete die Unterhaltung mit der gleichen Frage im gleichen Tonfall und las die Antwort im Gesicht des Doc. Es gab nichts Neues. »Sind Hoke und der junge Jenkins noch drüben im Büro?«

Der Doc nickte und stapfte hinter Palmer her. Er konnte den Männern drüben zwar nicht helfen, aber er hoffte immer noch, daß die Beschäftigung mit anderen Dingen ihm helfen könnte, sich an die eine oder andere Kleinigkeit zu erinnern, die er vielleicht übersehen hatte. Außerdem war er neugierig auf die weitere Entwicklung. Er ließ sich in den dritten Sessel sinken. Palmer setzte sich auf die Tischkante.

»Kennen Sie einen guten Spiritisten, Jenkins?« fragte der Manager. »Wenn das der Fall ist, bin ich sogar bereit, mit Kellars Geist in Verbindung zu treten. Die größte Kapazität der ganzen Atomphysik! Und ausgerechnet er mußte sterben, bevor dieses verdammte Isotop R auftauchte, ohne uns auch nur die geringste Ahnung darüber zu hinterlassen, wie lange wir noch an dieser Nuß knacken müssen. He, was ist los?«

Jenkins' Gesicht war noch schmaler geworden, und er hatte sich im Sessel hoch aufgerichtet, aber er schüttelte den Kopf. Seine Mundwinkel zuckten nervös. »Nichts. Es sind wohl die Nerven. Hoke und ich haben aber etwas gefunden, das uns einen groben Anhalt darüber gibt, wie lange dies noch läuft. Wir wissen es noch nicht genau, aber anhand unserer Beobachtungen draußen und nach der allgemeinen Theorie liegt der Zeitpunkt etwa zwischen sechs und dreißig Stunden; zehn Stunden wäre wahrscheinlich korrekter!«

»Viel länger kann es nicht dauern. Es jagt die Männer jetzt schon zurück! Selbst die Tanks können nicht mehr dorthin fahren, wo noch einiges zu verrichten wäre. Wir benutzen die Schutzpanzerung um Nummer Drei als Hauptquartier für die Leute; in einer weiteren halben Stunde müssen sie sich wahrscheinlich noch weiter zurückziehen. Die Strahlungsmeßgeräte registrieren schon gar nichts mehr, und das Zeug spritzt fast ständig durch die Gegend. Die Hitze ist fürchterlich; sie ist auf über dreihundert Grad angestiegen. Dadurch könnte sogar Drei zu heiß werden.«

Der Doc sah ihn an. »Nummer Drei?«

»Ja. Der Beschickung ist nichts passiert. Das I-713 ist schon vor Stunden genau nach Plan rausgegangen.« Palmer griff nach einer Zigarette, merkte, daß er schon eine im Mund hatte, und warf die Packung auf den Tisch zurück. »Das sind wichtige Daten, Doc; wenn wir noch einmal davonkommen, werden wir ausrechnen können, wodurch denn die Abweichung in Nummer Vier bewirkt wurde – wenn wir davonkommen! Funktioniert es denn mit den variablen Faktoren, Hokusai?«

Hokusai schüttelte den Kopf, und wieder antwortete Jenkins anhand seiner Notizen. »Keine Chance. Gewiß, wenigstens theoretisch müßte R eine Periode von zwischen zwölf und sechzig Stunden haben, bevor es ins Mahlersche Isotop übergeht. Es hängt davon ab, welche Reaktionsketten es durchläuft und welche Nebenreaktionen stattfinden. Es kann alle möglichen geben, und es kommt darauf an, welche Substanzen die Neutronen jeweils aufnehmen oder freilassen. Auch Konzentration und Menge des R oder schwankende Temperaturen können die Vorgänge beeinflussen. Das ist zweifellos eine der variablen Reaktionen.«

»Die ständig wiederkehrenden Ausbrüche beweisen das«, ergänzte Hoke.

»Sicher. Aber da kommt zuviel zusammen. Wir kriegen das Zeug nicht fein genug, um einen Punkt zu erreichen, wo die Energie nicht mehr wie Regen herunterrauscht. Sobald ein Teilchen sich in ein Mahlersches Isotop umwandelt, entwickelt es genug Energie, um das nächste über den Haufen zu blasen und damit umzuwandeln. Dieses tut dasselbe, und das Ganze geschieht mit Lichtgeschwindigkeit! Wenn wir es nur schaukeln könnten, die gesamte Umwandlung über einen möglichst langen Zeitraum zu strecken. Aber das geht nicht, wenn es uns nicht gelingt, jede über ein Zehntel Gramm schwere Masse von jeder anderen zu isolieren! Und wenn wir damit anfangen, die einzelnen Massen auf kleinere zu reduzieren, riskieren wir es, auf eine der kurzen Reaktionsketten zu treffen, die jeden Augenblick losgehen kann; durch reinen Zufall erhielten wir anfangs eine Konzentration, die die kürzeren Ketten ausschloß, aber jetzt können wir die Massen nicht auf kleinere reduzieren, diese dann auf noch kleinere. Das wäre zu riskant!«

Ferrel hatte vage gewußt, daß es solche Variablen gab, aber die Theorie dahinter war noch neu und für ihn zu kompliziert. Das Wenige, was er über Atomphysik wußte, hatte er zu einer Zeit gelernt, da die einfacheren radioaktiven Substanzen in der Regel eine Umwandlung von Radium zu Blei durchliefen und eine ganz bestimmte, festliegende Halbwertzeit hatten. Die heute verwendeten superschweren Atome dagegen konnten unterschiedliche Reaktionen durchlaufen und doch als gleiche Substanz enden. Man hatte ihm das mal erklärt, aber die Kompliziertheit der zusätzlichen Elektronengürtel war durch falsche Vergleiche alles andere als verständlicher geworden. Die Ingenieure hatten von verdoppelten Kernen gesprochen, von Mesonenketten und einer Menge anderer Dinge. Einmal hatte er geglaubt, dem Verständnis nahegekommen zu sein, als er hörte, wie sie über zerbrechende Bindungen sprachen. Dann aber stellte er fest, daß sie jede Bindung – was immer das war – in den Begriffen der Quantentheorie und daher als unteilbar betrachteten! Seit er Hoke und Jenkins kannte, erschienen ihm all diese früheren Diskussionen reichlich naiv.

Heute aber am er überhaupt nicht mehr mit. Er stand auf und ging zu Jorgenson zurück.

Palmers Worte hielten ihn zurück. »Ich wußte es natürlich, aber ich hoffte noch immer, ich hätte mich geirrt. Dann – evakuieren wir also! Wozu wollen wir uns noch länger belügen! Ich rufe den Gouverneur an. Vielleicht kann ich ihn veranlassen, den umliegenden Bezirk zu räumen. Hoke, Sie können den Männern sagen, sie sollen verdammt machen, daß sie hier rauskommen! Wir konnten nur noch auf das Isotop mit der Gegenreaktion hoffen, aber wir haben keine Chance, genug davon zu bekommen. Früher wäre es sinnlos gewesen, I-631 in Mengen von tausend Pfund herzustellen. Also . . .«

Er griff nach dem Telefon, aber Ferrel schaltete sich ein. »Was ist mit den Leuten auf der Krankenstation? Sie sind mit dem Zeug vollgepumpt. Die meisten haben mehr als ein Gramm, fein im Körper verteilt. Wir können sie hier doch nicht liegenlassen!«

Das entstehende Schweigen wurde von Jenkins' leisem Flüstern unterbrochen. »Mein Gott! Was sind wir für verdammte Narren. Seit Stunden reden wir über I-631, und ich habe keine Sekunde lang daran gedacht. Und nun stoßen Sie beide mich geradezu mit der Nase auf den Zusammenhang, und ich merke immer noch nichts!«

»I-631? Aber da ist nicht genug. Vielleicht zwanzig Pfund oder sogar weniger. Mehr herzustellen, dauert dreieinhalb Tage. Das bißchen, was wir haben, nützt nichts, Dr. Jenkins. Das haben wir doch schon abgehakt.« Er entzündete ein Streichholz und ließ einen Tropfen Tinte auf ein Stück Papier fließen und steckte es an. Er ließ es ein paar Sekunden brennen und starrte dabei in die Flamme. Dann löschte er das kleine Feuer. »So ähnlich«, meinte er. »Ein Tropfen Wasser gegen einen Waldbrand.«

»Falsch, Hoke. Ein Tropfen für den Kurzschluß, der den ganzen Sturzbach auslöst – vielleicht. Sehen Sie, Doc, I-631 ist ein Isotop, das mit R atomar reagiert – das haben wir geprüft. Wenn es mit dem Zeug zusammenkommt, zerfallen beide in nichtradioaktive Elemente, und es entsteht ein bißchen Wärme. Es ist genau wie bei vielen anderen solchen Reaktionen, nur diese verläuft nicht explosionsartig. Sie tauschen nur in aller Freundschaft Teilchen aus und wandeln sich in einfachere Atome um, die stabil sind. Wir haben ein paar Pfund davon. Damit können wir zwar im Konverter Nummer Vier nichts machen, aber wir haben genug, um jeden Mann in der Krankenstation zu behandeln, *einschließlich Jorgenson*!«

»Wieviel Wärme entsteht?« Der Doc fuhr aus seiner Lethargie hoch, und als guter Arzt dachte er sofort wieder in Einzelheiten. »In der Atomtechnik mag es eine geringe Temperatur sein; ist sie aber für den menschlichen Körper niedrig genug?«

Äußerst gespannt schauten Hokusai und Palmer zu, als Jenkins rechnete. »Sagen wir mal fünf Gramm für Jorgenson, um sicherzugehen, für die anderen weniger. Zeit für Reaktionen . . . Hier ist die erzeugte Gesamtwärme, und hier ist die wahrscheinliche Reaktionszeit im Körper. Das Zeug ist wasserlöslich in seiner Chloridform, so wird die Verteilung im Körper kaum Schwierigkeiten machen. Was halten Sie davon, Doc?«

»Eine Temperaturerhöhung von etwa 7,5 bis 9 Grad. Hmm!«

»Zu viel!« rief Jenkins. »Jorgenson würde jetzt keine fünf Grad vertragen.« Wütend schaute er auf seine Zahlen und trommelte nervös mit den Fingern.

Der Doc schüttelte den Kopf. »Es ist nicht zu viel! Wir senken seine Körpertemperatur im hypothermischen Bad um ungefähr zehn Grad. Selbst wenn sie während der Behandlung um zwölf Grad steigen sollte, gehen wir kein Risiko ein. Gott sei Dank haben wir genug Gerät. Die Gefrieraggregate in der Kantine müssen ausgebaut und hergeschafft werden. Dann sollen die Leute improvisierte Bäder fertigmachen. Inzwischen können die Freiwilligen sich in den Zelten um die anderen Männer kümmern. Wir konzentrieren uns auf Jorgenson. Auf diese Weise kriegen wir sie wenigstens alle hier raus, selbst wenn wir das Werk nicht retten können!«

Verwirrt starrte Palmer die anderen an, aber dann verhärtete sich sein Gesicht zu wilder Entschlossenheit. »Gefrieraggregate – Freiwillige – Zelt? Okay, Doc, Sie kriegen, was Sie brauchen!« Er griff nach dem Telefon und gab Anweisung, das I-631 zur Krankenstation zu schicken, in der Kantine die Kühlung auszubauen und im Behandlungszimmer wieder zu installieren und weiteres Gerät zu bringen, um das der Doc gebeten hatte. Jenkins war schon draußen, um die Ärzte im Zelt zu instruieren. Er kam gerade in die Station zurück, als auch schon der Doc mit Palmer und Hokusai eintraf.

»Blake übernimmt draußen«, verkündete Jenkins. »Er sagt, falls Sie Dodd, Meyers, Jones oder Sue brauchen, sie schlafen.«

»Nicht nötig. Aus dem Weg, wenn Sie schon zuschauen müssen.« Ferrel gab den beiden Ingenieuren Anweisungen, während er und Jenkins die Kühleinheiten und das Bad neben dem Bett anschlossen, in dem Jorgenson lag. »Bereiten Sie sein Blut darauf vor, Jenkins. Wir senken den Blutdruck auf ein Minimum, um kein Risiko einzugehen. Wir müssen genau das Absinken der Temperatur überwachen und Herz und Atmung so regulieren, wie es unter diesen Bedingungen normal ist. Kubelik mag für solche Kompensation Vorsorge getroffen haben, aber ich weiß nicht, wo er die entsprechenden Apparaturen eingebaut hat. Sonst müssen wir ohne sie auskommen.«

»Und beten«, fügte Jenkins hinzu. Er nahm dem Boten den kleinen Behälter aus der Hand, bevor der Mann noch ganz den Raum betreten hatte, und begann, die Lösung vorzubereiten. Er wog das weißliche Pulver und maß sorgfältig das Wasser ab; beides in dem Tempo, in das er automatisch verfiel, sobald er im Streß war. »Doc, wenn dies nicht funktioniert – wenn Jorgenson verrückt ist oder sowas – werden Sie einen zweiten Verrückten zu behandeln haben. Noch eine falsche Hoffnung, und ich bin erledigt.«

»Nicht einen zweiten Verrückten, sondern uns alle vier. Glauben Sie, uns geht es anders als Ihnen? Die Temperatur sinkt schon ganz schön; vielleicht geht es etwas zu schnell, aber die Organwerte stimmen. Wir haben neunundzwanzig Grad.« Das in Jorgensons Rectum eingeführte Thermometer mit Fernskala war für cryotherapeutische Arbeit gedacht. Anders als normale Fieberthermometer sprach es auf Temperaturveränderungen sofort an. Langsam und mit quälendem Widerstreben bewegte sich die kleine Nadel auf der Skala, bis sie endlich sechsundzwanzigeinhalb Grad erreicht hatte. Ferrels Blicke klebten an der Skala, während er Puls und Atmung auf den entsprechenden Rhythmus verlangsamte. Er wußte nicht mehr, wie oft er Palmer schon weggeschickt hatte, und gab es jetzt ganz auf.

Beim Warten überlegte er, wie die Leute draußen im Zelt wohl mit ihrer Arbeit fertig wurden. Sie hatten noch genügend Zeit, ihre behelfsmäßige Kühlung zu installieren und die Männer gruppenweise zu behandeln – wahrscheinlich zehn Stunden; Hypothermie war heutzutage Routine. Jorgenson war der einzige wirklich eilige Fall. Für den Doc kaum erkennbar, aber nach normalem Standard sehr schnell, war die Temperatur weiter gesunken. Die Nadel stand auf fünfundzwanzig Grad.

»Wir sind soweit. Geben Sie die Injektion, Jenkins. Wird das reichen?«

»Nein. Es ist fast genug, aber wir müssen langsam rangehen. Zuviel wäre fast so schlimm wie zuwenig. Steigt die Nadel?«

Sie stieg, und zwar schneller, als es Ferrel lieb war. Während die injizierte Substanz durch die Blutgefäße floß und sich auf die feinen radioaktiven Ablagerungen verteilte, stieg die Nadel auf fünfundzwanzigeinhalb, dann auf sechsundzwanzig und höher. Bei achtundzwanzig Grad verharrte sie, um dann langsam wieder zu sinken, da das Kühlbad die Hitze der Körperzellen absorbierte. Der Strahlungsmesser registrierte immer noch Isotop R, aber schon viel schwächer.

Die nächste injizierte Dosis war kleiner, die dritte noch kleiner. »Es reicht bald«, war Ferrels Kommentar. »Die nächste sollte es tun.«

Bei den Teilinjektionen hätte Jorgenson gar nicht so stark unterkühlt zu werden brauchen, aber das war nicht weiter schlimm. Endlich, als das letzte Teilchen der I-631-Lösung in die Blutgefäße des Mannes eingetreten war, nickte der Doc. »Keine Radioaktivität mehr. Die Kühlung ist abgeschaltet, und die Nadel steht auf einunddreißigeinhalb Grad. Die restlichen paar Grad hat er rasch aufgeholt. Bis wir die Auswirkungen des Curare behandeln können, ist die Temperatur normal. Es wird ungefähr eine halbe Stunde dauern, Palmer.«

Der Manager nickte und sah zu, wie sie die Hypothermie-Ausrüstung abbauten und das Mittel gegen Curare verabfolgten. Das dauerte regelmäßig länger als die Behandlung mit Curare selbst, aber einen Teil der Arbeit hatte der Körper schon selbst erledigt. Der Rest war einfach Routine. Glücklicherweise waren die Auswirkungen des Paramorphins kaum noch spürbar; diese zu beseitigen, hätte weiterer zeitraubender Arbeit bedurft.

»Telefon für Mr. Palmer. Mr. Palmer wird verlangt. Holen Sie bitte Mr. Palmer an den Apparat.« Die Worte des Girls hatten nicht die übliche gekünstelte Präzision, sie klangen wie ein nervöser Singsang. Auch sie schien es erwischt zu haben, und sie litt sonst wahrhaftig nicht an übersteigerter Phantasie. »Mr. Palmer wird am Apparat verlangt.«

»Palmer.« Der Manager hatte den nächstbesten Hörer abgenommen. Er hatte keine Sichtscheibe, und man wußte nicht, mit wem er sprach. Aber Ferrel sah, daß die Genugtuung, die Palmer bei Jorgensons Wiederbelebung empfunden hatte, aus seinem Gesicht verschwunden war. »Alles stoppen! Sofort raus da und Evakuierung vorbereiten, aber so, daß es nicht jeder merkt. Weitere Befehle abwarten! Sagen Sie den Leuten, daß Jorgenson aus dem Gröbsten heraus ist, damit sie wenigstens was zu reden haben.«

Er fuhr zu den anderen herum. »Sinnlos, Doc. Wir kommen leider zu spät. Das Zeug hat eine Nummer zugelegt, und die Männer räumen jetzt den Konverter Drei. Ich warte auf Jorgenson, aber selbst wenn er einen Ausweg weiß . . . wir kommen wahrscheinlich nicht mehr rein, um es zu versuchen!«

XII

Palmer wollte am Verwaltungsgebäude vorbei zu Briggs hinüber, der mit seiner Mannschaft an Nummer Vier arbeitete, aber er blieb abrupt stehen. Wenn er dort bloß zuschaute, ohne eine bessere Antwort zu wissen als die Männer selbst, wäre er alles andere als eine Hilfe. Briggs war durchaus in der Lage, alles zu tun, was im Moment überhaupt getan werden konnte, und das war nicht viel, wie man schon von weitem sehen konnte. Praktisch konnte man nur noch dem Zeug aus dem Wege gehen, und das taten die Männer auch.

Was immer zu tun war – ob der Rat nun von Jorgenson kam, oder ob den Leuten selbst etwas einfiel –, konnte nur von den schwer gepanzerten Tanks aus erledigt werden und möglichst aus einiger Entfernung. Wenn genügend I-631 dagewesen wäre, hätte man es natürlich über das Magma sprühen können. Aber so?

Widerstrebend kehrte er um und ging an einer Gruppe von Leuten vorbei, die Schutzpanzerungen hinter sich herzogen, die sie den leichten Traktoren und Tanks zusätzlich einbauen wollten. Auch die Leute waren langsam am Ende. Bisher waren sie noch bereit gewesen, das Ganze als Herausforderung zu sehen, und hatten ihm die Lösung überlassen. Aber nun gaben sie auf. Ihm war schon berichtet worden, daß eine kleine Gruppe versucht hatte, durch den Frachtausgang abzuhauen. Andere hatten anscheinend versucht, durch den Haupteingang auszubrechen. Zwar waren die Wachen noch mit ihnen fertig geworden, aber wenn die Männer wirklich verschwinden wollten, konnten sie sich in einem der Tanks mit Leichtigkeit den Weg freimachen. Falls sich die Leute etwa in separate Gruppen aufsplitterten, von denen einige loyal blieben, andere ausbrechen wollten, könnte es einen gewaltigen Aufruhr geben. Vielleicht stand das Chaos ohnehin schon nahe bevor. Die Belastbarkeit eines Menschen hat Grenzen, und unter dieser grauenhaften Beanspruchung mußten die Männer einfach die Selbstbeherrschung verlieren.

Waren nicht auch seine eigenen Nerven angegriffen? Ein Beweis dafür war die Tatsache, daß ihm immer phantastischere Projekte durch den Kopf gingen, obwohl der mit Logik befaßte Teil seines Gehirns genau wußte, daß es nur eine einfache und keine komplizierte Lösung geben konnte, wenn es überhaupt eine gab. Das Problem der Umwandlung war nicht durch magischen Unsinn gelöst worden, sondern durch Wissen und durch die ausreichende Akkumulation geeigneter Elemente am geeigneten Ort. Der Mechanismus eines Konverters war viel simpler als der des alten Zyklotrons, obwohl beim ersteren der Neutronenausstoß erheblich größer war und Mesonen in fast beliebiger Konzentration gewonnen werden konnten.

Er ging in sein Büro zurück. Vielleicht sollte er ein rasches Duschbad nehmen. Wenn er sich ein wenig erfrischt hatte, konnte er selbst vielleicht nicht mehr Arbeit verrichten, sicher aber die anderen zu mehr Arbeit anhalten.

Als er beim Eintreten Thelmas Gesicht sah, wußte er gleich, daß daraus nichts werden konnte. Die Anrufe für ihn hatten sich gehäuft. Nur ihren Tricks war es gelungen, die Leute hinzuhalten.

»Was gibt's jetzt wieder?« fragte er enttäuscht.

»Im Moment ist gerade wieder Bürgermeister Walker dran. Er ist der Schlimmste.«

Palmer nahm das Gespräch in seinem Büro entgegen und griff dabei nach der Flasche unter seinem Schreibtisch. Ein Bad wäre besser gewesen, aber irgend etwas brauchte er zur Auffrischung seiner Lebensgeister. »Okay, Walker, Sie sind der erste, aber ich habe noch mehr Gespräche«, sagte er. »Was gibt's?«

Er verwünschte den unglückseligen Zufall, der Walker ausgerechnet zum Zeitpunkt der Katastrophe in sein Büro geführt hatte. Immerhin versuchte der Mann, beim Thema zu bleiben und sich kurz zu fassen, als er die Situation schilderte.

Kimberly geriet langsam außer Kontrolle. Palmer war ziemlich sicher, daß nicht Guilden hinter der völlig erlogenen Schlagzeile steckte, und auch mit dem angeblich als Notmaßnahme vom Gouverneur veranlaßten Wiedereinsammeln und sogar Stehlen der Zeitungen dürfte er nichts zu tun haben. Das sah aus wie das Werk eines Fanatikers, und so tief war Guildens verlegerische Moral noch nicht gesunken. Die Konfiszierungsaktion hatte die Narren aber davon überzeugt, daß im Artikel die Wahrheit stand. Die Tatsache, daß er keine näheren Einzelheiten enthielt, war ein Grund mehr für die Leute, alles Mögliche in ihn hineinzulesen. Den Rest erledigten die Massenversammlungen. Bisher war es zwar noch nicht zu gewalttätigen Ausschreitungen gekommen, aber viel größer durfte die Angst der Leute nicht werden, bis sie sich in alle Richtungen entlud, wenn auch das Werk selbst gemeint war.

Palmer unterbrach Walker. »Es gibt nichts, was ich tun könnte, Walker, und vielleicht sogar nichts, was uns morgen überhaupt noch interessiert. Wir sind nahe daran aufzugeben.«

Der Mann wurde blaß und sah plötzlich krank aus. Dann riß er sich wieder zusammen. Er atmete tief ein, verzog das Gesicht und nickte. »Wenn es soweit ist, werden wir es wohl erfahren, nicht wahr? Kommt es dann noch darauf an, was hier draußen geschieht?«

»Ich weiß nicht. Wenn alles einigermaßen ruhig bleibt, könnte uns das schon helfen. Wir haben noch eine hauchdünne Chance.«

»Okay.« Walker schien plötzlich wieder im Vollbesitz seiner Kraft und wirkte energiegeladen. »Wenn die Dinge so stehen . . . nun, wir werden die Leute schon unter Kontrolle halten. Falls wir überhaupt noch etwas tun können, teilen Sie es mir sofort mit.«

Er legte auf.

Hier war bewiesen, was Palmer schon immer gewußt hatte. Wenn man einem Mann nur die volle Wahrheit über seine Lage sagte, konnte er mit fast allem fertigwerden. Aber als der Angriff aus der Dunkelheit erfolgte, und er nicht wußte, gegen was er kämpfte, brach er zusammen und wäre beinahe verrückt geworden. Die ganzen Vertuschungsversuche, die der Gouverneur angeordnet hatte, waren von vornherein ein Fehler gewesen. Bei geringfügigeren Schwierigkeiten in der normalen Tagespolitik mochte so etwas sinnvoll sein, aber nicht bei einer Katastrophe dieses Ausmaßes.

Aber es war nicht allein ein Fehler der Politiker gewesen. Die Werke selbst hatten damit angefangen. Sie hatten es aufgegeben, die Leute über die Tatsachen zu unterrichten – unangenehme, manchmal fast unverdauliche Tatsachen, in schwerverständliche Mathematik gekleidet natürlich; man hatte nicht wahrhaben wollen, daß auch komplizierte Probleme verständlich gemacht werden können, wenn man sich nur Zeit läßt. Anstatt die besten Leute zu beschäftigen, um diese Aufgabe zu lösen, hatte man das schon Geheime noch geheimnisvoller dargestellt. Wenn es dann Ärger gab, war man dazu gezwungen, ihn zu vertuschen und sich auf Spiegelfechtereien zu verlassen. Morgans Vorschlag mochte funktionieren, aber nicht dauernd. Auf lange Sicht konnte man die Gesetzesvorlage nur dann erfolgreich bekämpfen, wenn man alles rücksichtslos aufdeckte.

Dann lachte er bitter. Er hatte Walker die Tatsachen mitgeteilt, sich selbst gegenüber aber hatte er sie bisher noch nicht zugegeben. Er wartete auf das Wunder, das sie alle retten sollte.

»Der Kongreßabgeordnete Morgan am Apparat«, verkündete Thelma.

Palmer fuhr überrascht auf. Verdammt! Was konnte Morgan wollen? Er hatte die Sendung an ihn doch termingemäß auf den Weg gebracht – die ganze Produktion aus der ersten erfolgreichen Umwandlung –, er hatte die Nationalgarde eingesetzt und beim Versand nur ein Minimum an Geheimhaltung gewahrt. Das Zeug müßte ihm doch schon gebrauchsfertig vorliegen.

Aber Morgan erwähnte die Sendung nicht einmal. »Palmer«, sagte er ohne alle Umschweife, »was würde passieren, wenn jetzt eine Wasserstoffbombe auf die Anlage fiele?«

»Dann würde es viele Tote geben«, antwortete Palmer. Er starrte auf den Bildschirm und versuchte, im Gesicht des anderen zu lesen, aber dessen Miene war todernst.

»Ich meine natürlich nicht Ihr Personal. Man hätte Zeit, die Leute zu evakuieren«, stellte Morgan richtig.

Palmer grinste verbissen. »Ich meine auch nicht das Werks-personal. Ich meine bis zur Hälfte der Bevölkerung der Vereinigten Staaten!«

Und das hätte es auch bedeutet. Wenn die Energie der Wasserstoff-Fusion in der Nähe der Masse der R-Isotope freigesetzt wurde, würde die Gesamtenergie eine Gewalt erlangen, die ausreichte, auf einen Schlag die ganze Masse in das Mahlersche Isotop umzuwandeln. Die Energie, die beim Kontakt der Bombe nicht geliefert wird, würde in einer kaum meßbar kurzen Kettenreaktion entstehen. Im winzigsten Bruchteil einer Sekunde wäre die gesamte Masse dann mit Atomfragmenten vermischte rohe Energie.

Morgan stöhnte. »Ich habe mir etwas Ähnliches gedacht. Ich verstehe nicht allzu viel davon, aber was ich weiß, versetzt mich in Angst und Schrecken. Allerdings habe ich noch nicht mit den Experten hier gesprochen. Sind Sie auch ganz sicher?«

»Hoke erzählt mir, daß er es schon lange weiß – Matsuura Hokusai, Sie haben von ihm gehört«, erklärte Palmer. »Das Zeug, das wir hier draußen haben, wird mit einem Zehntel der Energie in Gang gesetzt, die man für eine Wasserstoffreaktion benötigt – und in Relation zur Masse liefert es etwa sechsmal soviel Energie! Allerdings verursacht hauptsächlich die Geschwindigkeit der Reaktion den Schaden. Wasserstoff brennt vergleichsweise langsam. Warum fragen Sie?«

Morgan antwortete nicht gleich. Er wischte sich die Stirn mit einem Lappen, der schon feucht war, als ob er gelaufen wäre.

»Weil man diese großartige Idee hier soeben unterbreitet hat. Sie haben schon fast den Präsidenten überzeugt.« Er machte eine Pause und sah so aus, als könnte er es selbst nicht glauben. »Sie wollen Ihnen bis morgen Zeit geben, Ihre Leute zu evakuieren, um die Angelegenheit anschließend mit kleinen Fusionsbomben zu klären. Sie hoffen, es so kontrollieren zu können, daß Kimberly nicht allzu hart betroffen wird. Ich selbst kann sie von nichts mehr überzeugen. Bei den Diskussionen bin ich nur geduldeter Gast. Wenn sie wüßten, was ich Ihnen eben mitgeteilt habe, würden sie mich dreikantig rausschmeißen.«

Dies war die einfache Brutallösung, deren sich gern Leute bedienen, die meistens mit normalen materiellen Dingen zu tun haben. Wenn man eine Sache total zerstört, braucht man sich nicht mehr um sie zu kümmern. Wenn man ein Zimmer mit DDT vollpumpt, gibt es garantiert keine Wanzen mehr; um die giftigen DDT-Rückstände konnte man sich später kümmern. Aber in diesem Fall hatten sie es mit einer Sache zu tun, die solche Lösungen nicht vertrug. Sie lag gefährlich an der Grenzlinie zwischen Materie und Energie, und in einem solchen Fall konnte eine rein materielle Lösung nie ganz stimmen. Sie konnte zwar das Problem R erledigen, anschließend wäre niemand mehr da, der sich der Folgewirkungen annehmen könnte.

»Was kann ich tun?« fragte Palmer.

»Nennen Sie mir den Namen des besten Mannes, der zu finden ist, damit ich sofort mit ihm sprechen kann.«

»Morgenstern vom Massachusetts Institute for Technology«, antwortete Palmer. »Oder, wenn Sie noch schneller jemand haben wollen, schnappen Sie sich Hazelton der National Atomic Energy Control Commission. Der sollte in der Lage sein, die Leute zu überzeugen.«

Der Kongreßabgeordnete schnaufte in den Apparat. »Sie wissen ja gar nichts, Palmer. Sie glauben immer noch, daß die Leute sich von Fakten beeindrucken lassen, aber das stimmt nicht. Sie *können* einfach nicht glauben, daß ihre brillanteste Idee nicht nur völlig nutzlos, sondern mörderisch ist! Und man kann ihnen die Anfangsgründe einer Wissenschaft nicht in einer halben Stunde beibringen. Sie denken immer noch in Analogien – Feuer mit Feuer, Atome mit Atomen bekämpfen. Verdammt, Hazelton hat sich seit Jahren mit ihnen über Atomtechnik gestritten, und sie haben ihm noch nie geglaubt. Ich will es versuchen, aber versprechen Sie sich nichts davon.«

Palmer wandte sein Gesicht dem Fenster zu, während er über alles nachdachte. Ganz offenbar schauspielerte Morgan nicht. Der Mann setzte etwas aufs Spiel, an dem er genauso hing wie Palmer an seinem Werk. Und in der Politik war er genauso ein

Experte wie Hokusai in der Atomtechnik. Als er wieder seinen Gesprächspartner ansah, war sein Entschluß gefaßt.

Er hatte alle anderen Regeln außer Kraft gesetzt, nach denen er sein Leben bisher ausgerichtet hatte. Zur Hölle nun auch mit dieser letzten!

»Okay«, sagte er. »Die Leute sollen sich beruhigen. Sie werden ihre Bomben nicht brauchen, denn wir haben bereits eine Methode gefunden, den Prozeß zu stoppen. Jorgenson, der Mann, der das Verfahren entwickelt hat, befand sich im Konverter, als die Reaktionen aus dem Ruder liefen. Er hatte in dem Augenblick Meßinstrumente am Konverter, als das Ding hochging. In seinem Tomlin-Schutzanzug hat er es überlebt. Wir haben ihn nach einiger Zeit rausgeholt. Er ist jetzt soweit wiederhergestellt, daß er eine Methode aufzeigen konnte, die Reaktion unter Kontrolle zu bekommen. Kann Ihnen das helfen?«

Morgan erwog die Sache und nickte. »Das könnte sein. Besonders die Geschichte mit Jorgenson, der im Konverter war, als er hochging, aber dennoch überlebte. Eine so faustdicke Lüge hätte noch nicht einmal ich mir ausdenken können, aber das sind genau die Sachen, die diese Leute schlucken. Mindestens erreichen wir so einen Aufschub. Aber Gnade uns Gott, wenn sie uns hinter die Schliche kommen.«

Er legte auf, und Palmer eilte zur Tür, bevor das Intercom ihn zurückrufen konnte. Nach einem solchen Gespräch freute er sich fast schon auf Hokusais nächsten Bericht, obwohl der nichts Gutes enthalten konnte.

XIII

Ferrel schaute erst auf Jorgenson, dann auf den kleinen Schirm am Stimulator, der die Vitalvorgänge des Mannes deutete. Skeptisch schüttelte er den Kopf.

»Wir könnten ihn wahrscheinlich jetzt vom Apparat nehmen. Aber er sollte trotz seines besseren Zustandes noch mindestens vierundzwanzig Stunden dranbleiben.« Ferrel schnitt eine Grimasse. »Ich habe seinen Thorax übel zugerichtet. Die Heilung wird lange dauern, obwohl Blake gute Arbeit geleistet hat. Die Rippen werden einigermaßen zusammenwachsen, aber mit seinem Röntgenbild wird er keinen Schönheitswettbewerb mehr gewinnen. Das macht nichts aus, wenn er nur geistig gesund ist.«

Auch Jenkins betrachtete Jorgensons riesige Gestalt. »Er darf einfach nicht verrückt sein, Doc!«

»Er ist durch die Hölle gegangen. Er hat viel mehr ausgehalten, als ein normaler Mensch überhaupt ertragen kann.« Wieder schüttelte der Doc den Kopf. »Im Augenblick ist seine Verfassung besser, als wir je hoffen durften, aber wir können nicht wissen, welcher Schaden angerichtet wurde. Erwarten Sie von ihm nicht allzu viel Hilfe.«

»Wir müssen Hilfe erwarten, Doc. Wenn Hoke und Palmer feststellen, daß es draußen so aussieht, wie es sich anhört, dann brauchen wir eine bessere Lösung, als wir sie anzubieten haben. Es gibt eine. Es muß eine geben. Aber ohne Jorgenson werden wir sie nicht finden.«

»Hmm. Mir scheint, Sie haben selbst einige Ideen, mein Junge. Bis jetzt haben sie ja recht behalten, und wenn Jorgenson ausfällt . . .« Der Doc hatte seine Untersuchung beendet und ließ sich auf eine Bank sinken. Er wußte, daß sie nur warten konnten, bis die Drogen ihre Wirkung taten und Jorgenson das Bewußtsein wiedererlangte. Nun, da die Anspannung wich, machte sich seine Erschöpfung mit Gewalt bemerkbar; seine Hände zitterten, als er die Handschuhe abstreifte. »Wie dem auch sei, in fünf Minuten wissen wir mehr.«

»Und der Himmel sei uns gnädig, Doc, wenn es jetzt meine Sache ist. Ich habe immer schon was von Atomtheorie verstanden; ich bin damit aufgewachsen. Aber er ist der Produktionsmann, der Woche für Woche daran gearbeitet hat, und es ist sein Verfahren . . . Da kommen sie! Dürfen sie hier denn überhaupt rein?«

Aber Hokusai und Palmer warteten keine Erlaubnis ab. Zur Zeit war Jorgenson das Nervenzentrum der ganzen Anlage, zu dem sie immer wieder zurückfanden. Sie traten zu ihm hinüber und starrten ihn an. Dann setzten sie sich so hin, daß ihnen auch nicht das geringste Anzeichen seines wiedererwachenden Bewußtseins entgehen konnte. Palmer nahm die Unterhaltung da wieder auf, wo er sie abgebrochen hatte. Er richtete seine Bemerkung an Hokusai und Jenkins.

»Zur Hölle mit diesem Link-Stevens-Postulat! Immer wieder versagt es, bis man langsam glaubt, daß nichts dahintersteckt; und nun dies! Das ist keine Wissenschaft mehr, das ist Hexerei. Wenn ich hier jemals rauskomme, suche ich mir irgendeinen Narren mit mehr Mut als Verstand, der feststellt, warum. Hoke, sind Sie sicher, daß es sich um die Theta-Kette handelt? Die Chance dafür ist geringer als eins zu zehntausend, und das wissen Sie. Sie ist unbeständig, schwer in Gang zu setzen und hat die Neigung, sich rasch in einfachere Substanzen umzuwandeln.«

Hokusai spreizte die Arme und hob die schweren Lider zu einem fragenden Blick in Jenkins' Richtung. Dann nickte er. Der Junge übernahm für ihn die Antwort. Seine Stimme klang gelangweilt und uninteressiert. »Ich dachte, es müßte sie sein, Palmer. Keine andere weist in diesem Stadium einen derartigen Energieausstoß auf. Ich gehe jetzt nach Ihrer Beschreibung des Zustands draußen. Wahrscheinlich hat die letzte Substanz, mit der wir die Reaktion bremsen wollten, diese Kette erst entstehen lassen, und die Konzentration ist gerade so, daß es nun munter weitergeht. Wir tippten auf zehn Stunden als günstigste Möglichkeit. Also muß dies jetzt die kürzere Sechsstundenkette sein.«

Wieder ging Palmer nervös auf und ab, wobei er ständig zu Jorgenson hinübersah, egal, wo er sich gerade befand. »Und in sechs Stunden kann vielleicht die gesamte Bevölkerung im Umkreis evakuiert werden, vielleicht auch nicht, aber wir müssen es versuchen. Doc, ich kann jetzt nicht einmal mehr auf Jorgenson warten! Ich muß sofort den Gouverneur aufscheuchen!«

»Hier hat es noch vor gar nicht langer Zeit Lynchjustiz gegeben«, erinnerte ihn der Doc grimmig. Er kannte das Ergebnis eines solchen Falles von Ausschreitungen des Pöbels von seiner privaten Praxis her. Er wußte auch, daß die meisten Menschen sich nicht so leicht ändern; die Leute hier würden zwar gehen, aber vorher brauchten sie einen Sündenbock. »Schaffen Sie lieber zuerst die Männer hier raus, Palmer, und vor allem bringen Sie sich selbst in Sicherheit, und zwar möglichst weit weg. Ich habe ein wenig von den Vorfällen am Haupteingang mitbekommen, aber das war noch gar nichts, verglichen mit dem, was passiert, wenn der Räumungsbefehl eintrifft.«

Palmer grunzte. »Doc, ob Sie es glauben oder nicht, aber im Augenblick ist es mir scheißegal, was aus mir oder dem Werk wird.«

»Oder aus den Leuten? Wenn der wildgewordene Mob hier eindringt, um Ihren Skalp zu fordern, sind die Männer ohnehin auf Ihrer Seite. Sie wissen, daß es nicht Ihr Verschulden war. Sie haben gesehen, wie Sie draußen selbst Ihre Gesundheit, vielleicht sogar Ihr Leben riskierten. Im übrigen ist der Pöbel hinsichtlich seiner Angriffsobjektive auch nicht wählerisch, wenn er einmal losgelassen ist, und dann gibt es überall Gewalttätigkeit. Außerdem dürfte Jorgenson bald soweit sein.«

Ein paar Minuten mehr oder weniger würden bei einer Evakuierung auch keine Rolle spielen, und der Doc mochte in diesem Zusammenhang an seine behinderte Frau gar nicht erst denken; wahrscheinlich würde sie ohne ihn nicht mitgehen. Er sah den Behälter, mit dem Jenkins nervös spielte und stutzte einen Augenblick.

»Sagten Sie nicht, es sei riskant, das Zeug zu kleinen Partikeln zu verarbeiten, Jenkins? In dem Kasten befinden sich Teilchen verschiedener Größe, unter anderem ein ziemlich dicker Brocken, den wir herausgekratzt haben. Auch die verseuchten Instrumente sind darin. Warum ist das Ganze nicht explodiert?«

Jenkins' Hand fuhr hoch, als hätte er sich verbrannt, und er sprang einen Schritt zurück, bevor er sich wieder in der Gewalt hatte. Dann sauste er quer durch den Raum und kam mit dem I-631 zurück. Wie von Sinnen schüttete er das weiße Pulver über den Kasteninhalt. Hokusai hatte die Augen weit aufgerissen. Rasch goß er Wasser hinzu, damit das I-631 sich fein verteilen und jeden Zwischenraum ausfüllen konnte. Trotz der relativ geringen freigesetzten Energie hing fast schlagartig eine dichte, weiße Dampfwolke im Raum, mit der die Klimaanlage große Mühe hatte. Aber dann verzog sich der Dampf.

Hokusai wischte sich langsam die Stirn. »Die Anzüge – die Panzer der Männer.«

»Das habe ich alles schon lange zum Konverter schaffen und in die Schmelze kippen lassen«, antwortete Jenkins. »Und ich Idiot vergesse diesen Kasten! Brrrr! Entweder hat ein blinder Zufall uns gerettet, oder das herausgespritzte Zeug war von der gleichen Substanz, eine ziemlich lange Kette, die ich nicht kenne, und die mich auch nicht –«

»Uuuhh! Woohh . . . Wwa waaah?«

»Jorgenson!« Wie ein Mann fuhren alle herum, aber Jenkins erreichte ihn als erster. Jorgenson hatte die Augen geöffnet, und er konnte anscheinend die Augäpfel koordiniert bewegen. Seine Hände bewegten sich träge. Der Junge hing über seinem Gesicht. Er glühte vor Aufregung. »Jorgenson, verstehen Sie, was ich sage?«

»Aaahhh, oh.« Seine Augen bewegten sich nicht mehr. Sie fixierten Jenkins. Er griff sich mit einer Hand an die Kehle, mit der anderen versuchte er, sich aufzurichten. Es gelang ihm nicht. Er wirkte teilweise gelähmt, wohl eine der Nachwirkungen seines grauenhaften Erlebnisses.

Ferrel hatte kaum zu hoffen gewagt, daß der Mann noch bei Verstand sein könne, und in seine Erleichterung mischten sich Zweifel. Er stieß Palmer beiseite und schüttelte wütend den Kopf. »Bleiben Sie doch zurück! Das soll der Junge machen; er weiß, was man tun muß, damit der Mann nicht gleich einen Schock bekommt, und Sie nicht! Dies geht nicht überstürzt!«

»Ich – aah . . . der junge Jenkins? Hatten recht. Habe gedacht – alles falsch!« Irgendwo in Jorgensons gewaltigem Körper schien eine noch unerschlossene Reserve an Energie und Willenskraft zu stecken. Die Augen auf Jenkins geheftet, versuchte er noch einmal, sich aufzurichten. Noch immer hielt er die Hand an der Kehle, die ihm nicht gehorchen wollte.

Jenkins begütigte ihn sanft und schob die dünnen Drähte des Stimulators aus der Reichweite seiner riesigen Pranken.

»Ruhig bleiben, Mal. Es wird schon wieder gehen, aber Sie dürfen sich nicht aufregen. Auch nicht anstrengen.«

Jorgenson deutete ein Nicken an und verminderte seine Anstrengungen, aber mit der Hand griff er sich immer noch an die Kehle, als wollte er die Worte lösen, die sich nicht artikulieren ließen. Er atmete plötzlich tiefer und trieb damit unbewußt die Stimulatorwerte auf die doppelte Höhe. Jetzt kamen seine Worte, undeutlich und stockend zwar, aber er zwang sich dazu, sie wenigstens verständlich auszusprechen.

»Ihr Dad hat mir gesagt –«

»Dad ist tot, Mal. Jetzt –«

»Richtig. Nun sind Sie erwachsen. Vielleicht zwölf Jahre alt als wir . . . Das Werk –«

»Ruhig, Mal.« Jenkins gelang es, seine Stimme gleichgültig klingen zu lassen, obwohl die Knöchel an seinen geballten Fäusten weiß hervortraten. »Hören Sie zu, und versuchen Sie, nicht zu sprechen bevor ich fertig bin. Dem Werk ist nichts passiert, aber wir brauchen Ihre Hilfe. Es geht um folgendes.«

Für Ferrel ergaben die mit atomwissenschaftlichen Fachausdrücken gespickten Sätze, die er nun hörte, wenig Sinn, obwohl er begriff, daß es sich hier um eine Art Techniker-Kurzschrift handelte; nach Hokusais zustimmendem Nicken zu urteilen, schilderte der Junge die Situation kurz aber gründlich, und Jorgenson hörte aufmerksam zu, bis der Bericht beendet war. Dabei sah er den Jungen unverwandt an.

»Großer Mist. Muß nachdenken. Sie haben versucht –« Wieder versagte seine Stimme, und er bewegte den Kopf hin und her, als wollte er irgend etwas lockern. Jenkins legte dem Mann eine Hand auf die Stirn, um ihn zu beruhigen, und wieder sank Jorgenson zurück. Er ruhte sich eine Weile aus, bevor er es erneut versuchte.

»Aahh – wir brauchen – ohh! Verdammter Hals. AArrg–u-urrghh!«

»Sie haben verstanden?«

»Aahh!« Das klang zweifellos wie Zustimmung. Aber die Hände, die den Hals nicht mehr losließen, erzählten ihre eigene Geschichte. Der kurze Energieschub, den er erzwungen hatte, war erschöpft. Er schaffte keine Antwort mehr. Schwer atmend lag er da und rang um Worte. Dann war nur noch ein unverständliches Flüstern zu hören.

Palmer zog Ferrel am Ärmel. »Doc, können Sie denn gar nichts tun?«

»Ich kann nur versuchen.« Er maß eine ganz geringe Dosis einer Droge ab, und man sah ihm seine Zweifel an. Dann fühlte er Jorgensons Puls und entschloß sich zu der halben Menge. »Ich habe nur wenig Hoffnung. Der Mann ist durch die Hölle gegangen, und es war von vornherein nicht gut, ihn mit aller Gewalt wieder ins Bewußtsein zurückzuholen. Wenn man es zu weit treibt, wird er ohnehin nur Schwachsinn reden. Ich vermute jedenfalls, daß es nicht nur am Kehlkopf, sondern auch am Sprachzentrum liegt.«

Aber Jorgenson machte sofort wieder einen neuen Ansatz. Er konzentrierte sich auf einen letzten Versuch. Als seine Worte kamen, klangen sie rauh und gezwungen deutlich, hatten aber nicht die geringste Modulierung.

»Zuerst . . . variabel . . . um . . . zwölf . . . Wasser . . . stoppen.« Seine immer noch auf Jenkins gerichteten Augen schlossen sich, und er entspannte sich wieder. Er wehrte sich nicht gegen die Bewußtlosigkeit, die sich nun unvermeidlich auf ihn herabsenkte.

Hokusai, Palmer und Jenkins starrten sich wechselseitig fragend an. Der kleine Japaner war der erste, der verneinend den

Kopf schüttelte, die Stirn runzelte und die eben gehörten Worte wiederholte. Palmer tat es ihm nach und sagte: »Irres Gefasel.«

»Jorgenson! Unsere schöne große Hoffnung!« Jenkins ließ die Schultern hängen, und alle Farbe wich aus seinem Gesicht, das jetzt gespenstisch aussah in seiner ganzen Müdigkeit und Verzweiflung. »Oh, verdammt, Doc, starren Sie mich doch nicht so an! Ich kann kein Kaninchen aus dem Hut zaubern!«

Das hatte der Doc überhaupt nicht bemerkt, aber er starrte ihn immer noch an. »Das vielleicht nicht, aber Sie haben von uns allen die größte Phantasie, wenn Sie sie nicht dazu mißbrauchen, sich selbst Angst einzujagen. Nun, Sie haben den Job, und ich setze auf Sie. Wollen Sie dagegen wetten, Hoke?«

Das Ganze war natürlich Unsinn, und der Doc wußte es; aber irgendwann während der langen Stunden ihrer Zusammenarbeit hatte der junge Kollege angefangen, ihm einen seltsamen Respekt abzunötigen. Er hatte sich sogar blind auf dessen Nervosität verlassen, die nicht Angst war, sondern eher der Reaktion eines Vollblüters glich, der auf seinem Hausgeläuf zurückliegt und zum Aufholen ansetzt. Hoke war zu langsam und methodisch, und Palmer war zu sehr mit anderen Sorgen beschäftigt gewesen, um sich dem Problem in seiner entscheidenden Phase auch nur halb widmen zu können. Es blieb nur Jenkins, aber der hatte kein Selbstvertrauen.

Hoke zeigte mit keiner Andeutung, daß er den Wink des Doc verstanden hatte. Er hob nur schwach die Brauen. »Nein, ich denke, ich wette nicht. Dr. Jenkins, machen Sie nur!«

Palmer schaute kurz zu dem Jungen hinüber, in dessen Gesicht sich ungläubige Verwirrung spiegelte, aber er hatte weder Ferrels Ignoranz in atomaren Dingen noch Hokusais Fatalismus. Mit einem letzten Blick auf den bewußtlosen Jorgenson schoß er durch den Raum an das nächste Telefon. »Ihr Leute könnte herumalbern, wenn es euch Spaß macht. Ich leite sofort die Evakuierung ein!«

»Warten Sie!« Jenkins schüttelte sich. Nicht nur körperlich, er schüttelte sich auch den Verstand wieder klar. »Halt, Palmer!

Vielen Dank, Doc. Sie haben mich aus meiner verrückten Angst gerissen. Sie haben mich an etwas erinnert, das sehr lange zurückliegt. Ich glaube ich weiß, was Jorgenson uns zu sagen versuchte. Und vielleicht ist es die Antwort. Es muß die Antwort sein – es ist das einzige, was uns in diesem Stadium noch retten kann!«

»Zentrale, geben Sie mir den Gouverneur.« Palmer hatte zugehört, aber er bemühte sich weiter um seine Verbindung. »Jorgenson hat uns überhaupt nichts gesagt. Das konnte er gar nicht. Und falls Sie irgendeine verrückte Idee haben, können Sie sie vergessen! Jetzt ist nicht die Zeit zum Rätselraten, jedenfalls nicht, bevor die Leute evakuiert sind. Ich gebe zu, Sie sind ein verdammt gescheiter Amateur, aber Sie sind kein Atomfachmann.«

»Und wenn die Leute erst weg sind, ist es zu spät. Dann ist keiner mehr da, der die Arbeit macht!« Jenkins Hand schoß vor und riß Palmer das Telefon aus der Hand. »Streichen Sie das Gespräch; es hat sich erübrigt, Palmer, Sie müssen mir zuhören; Sie können nicht den halben Kontinent evakuieren, und keiner weiß, ob die Explosion weniger als den halben Kontinent bedroht. Es ist ein Glücksspiel, aber sie riskieren fünfzig Millionen Menschen gegen ein paar hunderttausend. Geben Sie mir eine Chance!«

»Ich gebe Ihnen genau eine Minute, mich zu überzeugen, und Ihre Argumente müssen verdammt gut sein! Vielleicht trifft die Explosion nur einen Umkreis von fünfzig Meilen!«

»Vielleicht. Und in einer Minute kann ich es nicht erklären.« Der Junge sah den Manager finster an. »Okay, Sie haben doch über einen Mann namens Kellar gejammert, der leider tot ist. Würden Sie ihm trauen, wenn er hier wäre? Oder würden Sie einem Mann trauen, der bei jedem Projekt Kellars mitgearbeitet hat?«

»Solchen Leuten würde ich absolut trauen, aber Sie sind nicht Kellar. Und ich weiß zufällig, daß Kellar ein Einzelgänger war. Seit Jorgenson sich mit ihm zerstritt und herkam, hat Kellar keinen Ingenieur von außerhalb mehr eingestellt.« Palmer griff wieder zum Telefon. »Sparen Sie sich Ihre Mühe, Jenkins.«

Wütend riß Jenkins den ganzen Apparat aus Palmers Reichweite. »Ich kam nicht von *außerhalb,* Palmer. Als Jorgenson Angst hatte, einen Versuch zu fahren und deshalb wegging, war ich zwölf; drei Jahre später wurde es so eng, daß Dad allein nicht mehr klarkam. Er beschloß aber, das Ding in der Familie zu lassen, und ich wurde zur Ausbildung aufgenommen. Ich bin Kellars Stiefsohn!«

In Ferrels Kopf fügten sich die Bruchstücke zum Mosaik. Innerlich ohrfeigte er sich, daß er das nicht vorher geahnt hatte. Diese Erklärung hatte sich doch geradezu aufgedrängt. »Daher also! Ich hatte mich schon gewundert, daß Jorgenson Sie kannte. Es paßt alles zusammen, Palmer.«

Sekundenlang schwankte der Manager noch. Dann zuckte er die Achseln und gab sich geschlagen. »Okay. Ich bin ein Narr, Ihnen zu trauen, Jenkins, aber für alles andere ist es nun wohl zu spät. Die unmittelbare Umgebung gegen den halben Kontinent. Welch ein Pokerspiel! Was brauchen Sie?«

»Männer – hauptsächlich Bauschlosser und Monteure, und ein paar Freiwillige für die Dreckarbeit. Ich brauche sämtliche Gebläse, Absaugvorrichtungen, Rohre und Zusatzgebläse. Die Leute sollen dies Gerät von den andern drei Konvertern abreißen und so nahe wie möglich am Konverter Nummer Vier wieder zusammenbauen. Die Gebläse müssen so aussgelegt sein, daß man sie mit einem Kran ins Innere heben kann – wie, ist mir egal; das wissen die Arbeiter besser als ich. Hinter dem Werk gibt es doch eine Art Fluß. Die Leute dort müssen weg, mindestens drei bis vier Meilen weit. Die Auslaßöffnungen der Gebläse müssen zum Fluß hin zeigen. Wo endet der überhaupt – vielleicht eine Art Sumpf?«

»Ja, etwa zwei Meilen weiter unten. Wir haben uns um das Entwässerungssystem nicht mehr gekümmert, denn das Land war für uns unwichtig, und als Abfalldeponie waren auch die Sümpfe geeignet.« Am Anfang hatte das Werk seine Abfallprodukte in den kleinen Fluß abgelassen, aber dann hatte es einen solchen Aufstand gegeben, daß die National gezwungen wurde, alles anliegende Land zu übernehmen und die Angst der Eigentümer vor Atomkraftwerken mit barem Geld zu beschwichtigen. Seitdem war es dem Unkraut und den Karnickeln überlassen. »Da wohnt im nahen Umkreis keiner mehr außer ein paar Fischern und Landstreichern, die nicht wissen, daß wir unseren Dreck da reinkippen. Das soll die Nationalgarde erledigen.«

»Gut. Das ist sogar ideal, denn dann bleibt das Zeug länger im Sumpf, weil die Strömung langsam ist. Und was ist nun mit diesem Super-Thermit, das Sie im vergangenen Jahr hergestellt haben? Haben Sie noch was davon?«

»Im Werk nicht mehr viel. Aber im Außenlager liegt es noch tonnenweise, bis die Armee es anfordert. Es ist aber verdammt heißes Zeug. Verstehen Sie was davon?«

»Genug, um zu wissen, daß ich es brauche.« Jenkins zeigte auf das Exemplar des *Weekly Ray*, das noch immer da lag, wo er es hingeworfen hatte, und der Doc erinnerte sich daran, den nichttechnischen Teil der Beschreibung durchgelesen zu haben. Das Super-Thermit setzte sich aus zwei getrenntgehaltenen superschweren Atomen zusammen. Für sich war keines weiter wichtig oder besonders aktiv, ließ man sie aber zusammen atomar reagieren, wurde enorme Hitze freigesetzt bei vergleichsweise unbedeutender Strahlung. »Es handelt sich um die konzentrierteste Hitzequelle, die es gibt, und das ist genau das, was ich brauchen werde. Wie ist es gelagert, und wie löst man es aus?«

»In Zehnpfundkanistern. Einige haben Stolperdrähte, andere werden elektrisch gezündet. Wieder andere haben empfindliche Zünder, die durch Stoß zerbrechen und dann die Reaktion auslösen. Das kann alles Hoke erklären – es war sein Projekt.« Palmer griff zum Hörer. »Sonst noch was? Dann raus und an die Arbeit. Wenn Sie ankommen, werden die Männer schon auf Sie warten. Ich komme nach, sobald ich die benötigten Sachen angefordert habe.«

Der Doc sah sie hinausgehen, und bald folgte ihnen der Manager. Nun war er auf der Station mit Jorgenson allein und mit seinen Gedanken. Sie waren nicht angenehm. Er stand zu sehr außerhalb des Kreises der Eingeweihten, um zu wissen, was los war, und er gehörte doch zu sehr dazu, um die Gefahren nicht zu kennen. Jetzt hätte ihm etwas Arbeit gutgetan . . .

Aber es gab keine. Er machte es sich in dem alten Ledersessel bequem und machte den Fehler, sich zum Schlafen zwingen zu wollen. Dabei versuchte er doch unbewußt, jedes Geräusch wahrzunehmen, das draußen zu hören war. Das Dröhnen der Kräne und Tankmotoren setzte ein. Er hörte hastig gebrüllte Anweisungen und, alles übertönend, das nervenzerfetzende Kreischen der Preßlufthämmer, wenn sie auf Metall trafen. Jeder einzelne Klang schien Möglichkeiten anzudeuten, ohne daß er jedoch wirklich wußte, was da vor sich ging. Der Decameron war langweilig, der Whisky schmeckte ordinär und ranzig, und Patiencenlegen war ein Spiel, bei dem sich nicht einmal das Betrügen lohnte.

Endlich gab er es auf und ging zum Krankenzelt hinaus. Es wäre besser für Jorgenson, wenn die Mayo-Leute sich um ihn kümmerten. Vielleicht konnte er sich auch selbst nützlich machen. Als er durch den Hintereingang trat, hörte er den Motorenlärm einer Anzahl von Hubschraubern, die schwerbeladen zur Landung einschwebten. Er schaute auf und sah sie hinter dem Dach eines der Gebäude verschwinden. Eine Gruppe von Leuten rannte auf die Maschinen zu. Er fragte sich, ob man einige der Männer wieder in diese glühende Hölle hinausjagen würde, aus der sie dann voll radioaktiver Stoffe wieder herauskamen; es war jetzt allerdings leichter, weil man die Isotope ohne chirurgische Arbeit eliminieren konnte.

Blake begrüßte ihn am Zelteingang. Er war sichtlich zufrieden, daß er die anderen herumkommandieren durfte. »Hauen Sie bloß ab, Doc. Wir können Sie hier nicht gebrauchen, und Sie brauchen Ruhe. Sonst sind Sie bald einer von den Patienten. Was gibt's Neues von euch Kurpfuschern?«

»Jorgenson konnte sich nicht verständlich machen, aber der Kleine hatte eine Idee. Sie arbeiten draußen gerade daran.« Aus seiner Stimme klang Zuversicht, die er nicht hatte. »Ich finde, Sie sollten Jorgenson ins Zelt nehmen; er ist noch bewußtlos, sein Zustand gibt aber nicht zu besonderer Besorgnis Anlaß. Wo ist Brown? Sie wird wissen wollen, was anliegt, falls sie nicht schläft.«

»Schlafen, wenn der Kleine wach ist? Ausgeschlossen. Mutterkomplex. Sie muß auf ihn aufpassen.« Blake grinste. »Sie sah, wie er rausrannte und Hoke ihm folgte. Da ist sie gleich mitgelaufen. Sie weiß bestimmt schon alles. Ich wollte, Anne würde mir nur ein einziges Mal so nachlaufen – Jenkins, der Wunderknabe! Na, das ist nicht mein Geschäft. Ich denke nicht daran, mir jetzt schon Sorgen zu machen. Okay, Doc, ich hole Jorgenson in ein paar Minuten. Suchen Sie sich 'ne Wiege, und klappen Sie die Augen zu.«

Der Doc grunzte und sah sich neugierig in dem hervorragend ausgerüsteten Zelt um. »Das habe ich mir schon selbst verschrieben, Blake, aber die Medizin scheint unverträglich. Ich werde Jagd auf Brown machen. Rufen Sie mich über die Sprechanlage, falls etwas Besonderes los ist.«

Dann machte er sich zum Zentrum des Geschehens auf. Er hatte es schon die ganze Zeit tun wollen, er hatte nur nicht gewußt, ob er vielleicht stören würde. Wenn allerdings Brown zuschauen konnte, dann natürlich er erst recht. Er kam an der Reparaturwerkstatt vorbei und bemerkte die Geschäftigkeit und das aufgeregte Durcheinander. Dann erreichte er Nummer Zwei, wo eine Anzahl von Leuten damit beschäftigt war, die Rohre und Gebläse abzubauen. Auch verschiedenes andere Gerät war zu sehen. Eine Seilumspannung, die bis über Nummer Drei hinausreichte, versperrte ihm den Weg. Er ging an ihr entlang und hielt nach Palmer oder Brown Ausschau.

Sie sah ihn zuerst. »Hallo, Dr. Ferrel, hier drüben auf dem Lastwagen. Ich dachte schon, daß Sie kommen würden. Von hier oben können wir gut sehen und werden wenigstens nicht zertrampelt.« Sie streckte eine Hand nach unten, um ihm zu helfen, und lächelte schwach, als er sie nicht nahm und schneller aufstieg, als seinen Muskeln lieb war. Er war nicht alt genug, um sich von einem Mädchen helfen zu lassen.

»Wissen Sie, was hier vorgeht?« fragte er und setzte sich auf eines der Querbretter. Dabei schaute er über die Köpfe der Männer hinweg zum Konverter hinüber. Das ganze Geschehen schien sich an einem Dutzend verschiedener Schwerpunkte abzuspielen, die sich in völliger Verwirrung kreuzten. Einen allgemeinen Plan konnte er nicht erkennen.

»Nicht mehr als Sie. Ich habe meinen Mann nicht gefunden, obwohl Mr. Palmer noch die Zeit fand, mich wegzujagen.«

Der Doc konzentrierte seine Aufmerksamkeit auf die Hubschrauber, die entladen wurden und wieder aufstiegen, um neue Fracht zu holen. Die Kisten mußten die kleinen Thermodynbomben enthalten. Das war das einzige, was er wußte und deshalb das Uninteressanteste. Andere Männer setzten die großen Rohrsektionen wieder zusammen, so daß sie schier endlose Schlangen bildeten. Tanks nahmen sie dann in Abständen auf den Haken und verschoben sie in Richtung auf den kleinen Fluß, der hinter dem Werk verlief.

»Das sind die Rohre mit den Absauggebläsen«, verriet er Brown. »Aber die anderen Geräte an den Haken kenne ich nicht.«

»Ich aber – ich habe sie in der Anlage gesehen, die früher Bobs Vater gehörte.« Sie sah ihn fragend an, und als er nickte fuhr sie fort. »Die Rohre sind zum Absaugen von Gasen, das stimmt. Und die großen viereckigen Dinger sind die Antriebsaggregate mit den Ventilatoren – sie werden in Abständen von etwa vierhundert Metern in die Rohrschlange eingebaut. Was da um die Rohre gewickelt wird, ist Isoliermaterial, damit die Gase nicht abkühlen. Will man das Magma vielleicht absaugen?«

Der Doc wußte es nicht, aber auch er konnte sich nichts anderes vorstellen. Er wußte allerdings nicht, wie die Männer nahe genug herankommen wollten. »Ich hörte, wie Ihr Mann Thermodynbomben anforderte. Wahrscheinlich will man das Magma in gasförmigen Zustand überführen und dann in den Fluß pumpen.«

Während er noch sprach, entstand an der einen Seite Bewegung. Er sah sofort hinüber und bemerkte, daß einer der Kräne sich mit einer riesigen Rahmenkonsstruktion abmühte, durch die eine Rohrsektion mit aufmontiertem Einsaugstutzen in Richtung Konverter führte. Obwohl schwere Gegengewichte angebracht waren, neigte sich der Kran bedenklich, aber Zentimeter um Zentimeter hob er seine Last und schob sie näher an den Konverter heran, wobei der Einsaugstutzen in ziemlicher Höhe vorn herausragte.

Unter dem Hauptabsaugrohr befand sich ein anderes, kleineres. Als es die Gefahrenzone fast erreicht hatte, stieß das kleine Rohr einen kleinen Gegenstand aus, der auf dem Boden aufschlug. Es entstand ein strahlendes Inferno von gleißendem, weißblauen Licht. Nach seiner Wirkung auf die Augen zu urteilen, mußte es heller sein, als man glaubte. Der Doc schützte seine mit dem Arm, als ihm jemand von unten etwas in die freie Hand schob.

»Aufsetzen. Palmer sagt, das Licht ist aktinisch.«

Er hörte Brown neben sich herumfummeln. Dann konnte er wieder klar sehen. Diesmal hatte er die Schutzbrille auf, als er wieder hinschaute. Eine rotglühende Wolke war aus dem Magma hochgeschossen. Sie verteilte sich in Bodennähe und lief dann nach oben hin spitz zu, bis sie durch den Stutzen eingesaugt wurde und plötzlich verschwunden war. Eine weitere Bombe glitt aus dem Rohr und zerbarst in flammender Hitze. Nebenan wurde ein zweiter Kran ausgerüstet, und ein paar Männer wickelten etwas um die Bomben, das wie Öllappen aussah. Wahrscheinlich paßte kein Rohr genau, und die Bomben wurden umwickelt, um das für den Ausstoß mit Preßluft erforderliche Kaliber zu erreichen. Drei weitere glitten aus dem Rohr, immer eine zur Zeit, und die Gebläseantriebe röhrten und ächzten, während sie die glühenden Gaswolken einsaugten und durch das Leitungssystem zum Fluß hinunterjagten.

Dann setzte der Kran ganz vorsichtig zurück, und einige Männer lösten die Rohrverbindung und ersetzten das Endstück durch ein anderes. Die erzeugten Temperaturen mußten so hoch liegen, daß die Rohrsektion bei längerer Verwendung geschmolzen wäre, schloß der Doc messerscharf; aber auch der Mann in der schwer gepanzerten Kabine hätte nicht länger arbeiten können, selbst wenn das Metall undurchdringlich gewesen wäre. Nun stand der andere Kran bereit und wurde an einer etwas weiter entfernt gelegenen Stelle eingesetzt. Auch die Männer, die den Austausch der Teile vornahmen und die Bomben nachluden, wurden ständig abgelöst. Die Arbeit wurde zur Routine; ein Kran übernahm die Arbeit des anderen, ein Rohrstück wurde ausgewechselt, während das andere schon wieder in Betrieb war. Der Doc kam sich vor wie der Besucher bei einem Tennis-Match, der zwar den Ball fliegen sieht aber die Regeln nicht kennt.

Brown mußte ähnliche Gedanken gehabt haben, denn sie nahm Ferrels Arm und zeigte auf einen kleinen braunen Kasten, den sie aus ihrer Handtasche hervorgekramt hatte. »Spielen Sie Schach, Doc? Dann sollten wir doch eine Partie spielen anstatt hier zu gaffen und dabei wie auf Kohlen zu sitzen. Außerdem ist es gut für die Nerven.«

Dankbar griff er den Vorschlag auf, ohne ihr zu erzählen, daß er in drei aufeinanderfolgenden Jahren Stadtmeister gewesen war; er würde es leicht angehen lassen, ihr Spiel beobachten und gelegentlich einen Turm, Läufer oder Springer opfern, damit es interessant blieb . . Angenommen, sie leiteten das gesamte Magma in den Fluß; würde dadurch das Problem gelöst? Es war zwar dann nicht mehr im Werk, aber auch noch nicht außerhalb der Sicherheitsgrenze von fünfzig Meilen.

»Schach«, kündigte Brown an. Er rochierte und schaute auf. Inzwischen arbeitete ein halbes Dutzend Kräne. »Schach! Und Matt!«

Er schaute rasch wieder auf das Brett. Ihre Dame blockierte einige seiner Figuren, und Schach geboten hatte sie mit einem Läufer. Er stutzte.

»Hmm. Wissen Sie, daß Sie seit sechs Zügen im Schach stehen? Ich hatte es nicht gemerkt.«

Sie runzelte die Stirn und stellte die Figuren neu auf. Der Doc eröffnete mit dem Damenbauer und warf einen Blick zu den Arbeitern hinüber. Den nächsten Zug machte er mit dem Damenläufer und sah, daß sie ihn mit ihrem Königbauern nahm. Er hatte sie ihn nicht bewegen sehen und gedacht, sie würde seine Dame mit ihrer blockieren. Bei diesem winzigen Brett mußte man besser aufpassen. Unentwegt taten die Männer ihre Arbeit. Sie hatten schon ein großes Areal freigeräumt, aber die unheimliche Gewalt des Thermodyn hatte den Boden doch sehr angegriffen, obwohl die Leute vorsichtig damit umgegangen waren. Die Zeit schien immer schneller zu laufen.

»Schachmatt!« Er hatte einen Tiefpunkt und wäre fast eingenickt. Sie korrigierte sich rasch. »Tut mir leid, ich habe meinen König für eine Dame angesehen. Doktor, es muß uns doch gelingen, wenigstens eine Partie richtig zu spielen.«

Aber schon nach wenigen Zügen wurde klar, daß es einfach nicht ging. Keiner von ihnen konnte sich im Augenblick auf Schach konzentrieren. Die Bauern erlaubten sich seltsame Kapriolen, und die Springer sprangen gleich zweimal. Sie gaben auf, als gerade einer der Kräne schwankte und sich ganz langsam auf die Seite legte. Das Endrohr fiel nach unten in die brodelnde Materie. Sofort waren die Tanks zur Stelle, brachten Haken an und schleppten den Kran frei, während das Rohr puffend zerschmolz. Auf diese Weise entlastet, konnte der inzwischen wieder aufgerichtete Kran mit eigener Kraft zurücksetzen, während ein anderer sich schon heranbewegte. Der Fahrer hatte Glück gehabt. Er sprang aus dem Führerhaus und winkte mit der gepanzerten Hand zum Zeichen, daß ihm nichts geschehen war. Wieder setzte die Routine ein, wenn auch knisternde Spannung in der Luft zu liegen schien. Endlos lange dauerte alles, obwohl die Sekunden dahintropften und zu Minuten wurden, viel zu bald auch zu Stunden.

»Oohhh!« Brown hatte eine Zeitlang intensiv das Geschehen beobachtet, aber plötzlich stampfte sie wild mit den Füßen auf, fuhr hoch und schlug sich mit der flachen Hand auf den Mund. »Doktor, ich habe eben nachgedacht; es hat alles keinen Zweck – es ist sinnlos!«

»Wieso?« Sie konnte überhaupt nichts wissen; aber die schwache Hoffnung, die er gehabt hatte, sank jetzt wieder auf den Nullpunkt. Seine abgestumpften Nerven reagierten noch immer auf das leiseste Warnzeichen.

»Das Zeug, das sie produziert haben, waren superschwere Isotope – sobald es das Wasser erreicht, sinkt es zu Boden, und alles häuft sich hier auf! Es fließt gar nicht den Fluß hinab!«

Sehr einleuchtend, dachte Ferrel; zu einleuchtend. Und eben weil es zu einleuchtend war, hatten die Ingenieure nicht daran gedacht. Er wollte von seinem Brett aufspringen, aber die Hand des Managers auf seiner Schulter hinderte ihn.

»Keine Panik, Doc, es ist alles in Ordnung. Also bringt man den Frauen heutzutage wenigstens *etwas* Naturwissenschaft bei, nicht wahr, Mrs. Jenkins . . . Sue . . . Dr. Brown, oder wie immer Sie heißen? Machen Sie sich trotzdem keine Sorgen – nach dem schon sehr alten Prinzip der Brownschen Bewegung verharrt jedes Kolloid im Schwebezustand, vorausgesetzt, es ist fein genug, um überhaupt ein Kolloid zu sein. Wir saugen es ein und es bleibt ziemlich heiß, bis es das Wasser erreicht. Wenn es eintaucht, kühlt es so schnell ab, daß es keine größeren Partikel bilden kann, die sinken würden. Eine Menge von dem Staub, der hier in der Luft hängt, ist ebenfalls schwerer als Wasser. Ich setze mich jetzt unter die Zuschauer, wenn es Ihnen nichts ausmacht. Die Männer haben alles unter Kontrolle, und ich habe von hier oben den besseren Überblick, falls wirklich irgend etwas schiefgeht.«

Ferrels anfängliche Verzweiflung verwandelte sich in das Gegenteil. Er fühlte sich sicherer, als gerechtfertigt war. Nun rückte er, damit Palmer sich setzen konnte. »Was hindert es denn daran hochzugehen, Palmer?«

»Nichts! Haben Sie ein Streichholz?« Er nahm einen tiefen Zug aus seiner Zigarette und entspannte sich, so gut er konnte. »Es hat keinen Zweck, Ihnen was vorzumachen, Doc, solange wir noch nicht mehr wissen. Wir pokern, und die Chancen stehen gleich; Jenkins sagt zwar, sie stehen neunzig zu zehn zu unseren Gunsten, aber er muß das glauben. Was wir hoffen, ist folgendes: indem wir das Zeug in Gas umwandeln, geht es augenblicklich von seiner vollen Konzentration in die feinstmögliche Form über. Im Wasser schwebt es dann in kolloiden Partikeln, und nirgends mehr dürfte sich eine Konzentration finden, die ausreicht, alles auf einmal explodieren zu lassen. Das große Problem ist, alles bis auf den letzten Rest hier rauszuholen. Sonst bliebe vielleicht genug übrig, um uns und die ganze Stadt zur Hölle zu pusten! Seit der letzten Veränderung spritzt es wenigstens nicht mehr. Die einzige Sorge der Männer sind jetzt Verbrennungen.«

»Wieviel Schaden könnte angerichtet werden, selbst wenn nicht alles auf einmal hochgeht?«

»Möglicherweise gar keiner, außer daß die Radioaktivität der Luft geringfügig ansteigt. Wenn man es langsam brennen lassen kann, sind eine Million Tonnen Dynamit nichts anderes als die gleiche Menge Holz. Eine einzige Stange aber, die sofort explodiert, bringt Sie um. Selbst wenn es keine gewaltsamen Eruptionen gibt, ist das Zeug im Sumpf natürlich noch monatelang tödlich, aber das würde uns kaum stören. Warum zum Teufel hat Jenkins mir denn nicht gesagt, daß er in die Atomindustrie will? Einen Mann, der unter Kellar gelernt hat, hätten wir doch mit Kußhand genommen. Es ist schwer genug, gute Leute zu kriegen.« Brown horchte auf, vergaß alles um sich her und fing begeistert an zu erzählen. Sie berichtete, wie Jenkins es geschafft hatte, sein Studium der Atomtheorie fortzusetzen, und andere Einzelheiten. Ferrel hörte nur mit halbem Ohr zu. Er sah, daß der Magmafleck ständig kleiner wurde, aber er sah auch, daß die Zeiger seiner Uhr unerbittlich weiterrückten. Die Zeit lief aus. Er merkte jetzt erst, wie lange sie hier schon gesessen hatten. Die Einsaugstutzen der drei Kräne berührten einander fast, und um sie herum lag der ausgebrannte Boden. Vom Konverter, vom Mauerwerk und von sonstigen Aufbauten war nicht das geringste mehr zu sehen; die Hitze des Thermodyn hatte wahllos alles in Gas verwandelt.

»Palmer!« Das tragbare Ultrakurzwellengerät um Palmers Hals wurde plötzlich lebendig. »He, Palmer, die Gebläse verrecken bald; die Rohre sind angefressen. Wir haben getan, was wir konnten, Ersatz heranzuschaffen, aber das Zeug versaut das Material schneller, als wir es ersetzen können. Wir halten nicht mehr länger als fünfzehn Minuten durch.«

»Nochmal prüfen, Briggs. Machen Sie weiter, so gut Sie können.«

Palmer betätigte einen Schalter und schaute zum Tank hinüber, der hinter den Kränen stand. »Jenkins, haben Sie das mitgekriegt?«

»Ja. Ich bin überrascht, daß die Dinger so lange gehalten haben. Wieviel Zeit noch bis Ladenschluß?« Seine Stimme war tonlos, weder Hoffnung noch Nervosität klangen durch, nur die totale Ausgebranntheit eines Mannes, den man bis an seine letzten Grenzen gefordert hatte.

Palmer sah nach und pfiff durch die Zähne.

»Zwölf Minuten nach Hokes Minimalschätzung! Wieviel ist noch übrig?«

»Wir schmeißen noch ein paar Bomben, um die letzten Taschen auszuräumen; ich hoffe, der Mist ist weg, aber ich kann nichts versprechen. Sie können mir den Rest I-631 runterschikken. Wir spülen ihn durch die Rohre, damit wenigstens die sauber sind. Was ist mit den alten Reifen und sonstigen Teilen, die mit R in Berührung gekommen sind? Haben wir die schon in die Suppe geschmissen?«

»Sie haben die letzten Sachen selbst hingeschafft, und Ihre Kräne hatten ja keinen direkten Kontakt. Ganz schönes Geld ist den Fluß runtergeschwommen – der Konverter, die Maschinen, einfach alles!«

Das Geräusch, mit dem Jenkins antwortete, ließ nicht gerade auf Trauer über diesen herben Verlust schließen. »Ich spüle jetzt die Rohre frei. Wozu haben sie denn Versicherung bezahlt?«

»Das war auch teuer genug! Aber bis jetzt hatte ich keinen Beweis, daß wir das Mahlersche Isotop in den Griff kriegen würden. So gesehen, haben wir ein Geschäft gemacht. Okay, kommen Sie sobald Sie fertig sind, und falls es Sie interessiert und wir endgültig überleben . . . Sie können sich ab sofort einen Ingenieurstitel hinter Ihren medizinischen kleben. Ihre Frau hat mir Ihre bisherigen Qualifikationen gezeigt, und ich denke, Sie haben die Abschlußprüfung bestanden. Sie sind also jetzt Atom-Ingenieur, graduiert bei der National!«

Brown hielt die Luft an, und ihre Augen strahlten sogar durch die Schutzbrille hindurch, aber Jenkins' Stimme klang gleichgültig. »Okay. Ich hatte damit gerechnet, daß Sie mir den Grad geben, wenn wir nicht in die Luft fliegen, aber darüber müssen Sie schon mit Dr. Ferrel sprechen. Er hat mit mir einen Vertrag für ärztliche Tätigkeit. Ich bin gleich da.«

Neun der geschätzten zwölf Minuten waren verstrichen, als Jenkins zu ihnen auf den Wagen kletterte und sich den Schweiß abwischte. Palmer klebte an seiner Uhr, und die Minuten flossen jetzt träger dahin, während draußen im Werk der letzte Laut erstarb. Die Männer standen herum und starrten entweder zum Fluß hinüber oder zu dem Loch, das früher Nummer Vier gewesen war. Schweigen. Jenkins regte sich als erster.

»Palmer, ich wollte Ihnen noch sagen, woher ich die Idee habe. Jorgenson versuchte mich daran zu erinnern – er phantasierte durchaus nicht – nur, ich verstand ihn nicht, bis der Doc meinen Verstand aufrüttelte. Die Idee stammt von Dad, der Jorgenson davon erzählte. Diese Methode war als letztes Mittel gedacht, falls die Reaktionen verrücktspielen sollten. Es war die erste Variable, die Dad teste. Ich war damals zwölf. Dad glaubte, daß Wasser das Zeug in seine verschiedenen Reaktionsketten aufteilen und auf diese Weise unschädlich machen könnte. Dad war allerdings nicht sicher, ob es funktionieren würde, wie er mir später sagte!«

Palmer schaute nicht von seiner Uhr hoch. Er zog nur tief die Luft ein und bellte: »Günstiger Augenblick, mir das zu erzählen!«

»Er hatte ja auch nicht Ihre Isotope, um das Zeug zu erhitzen«, sagte Jenkins sanft. »Wie wär's, wenn Sie statt auf Ihre verdammte Uhr mal zum Fluß hinüberschauen würden!«

Als Ferrel den Blick hob, hörte er plötzlich das Gebrüll aus vielen Kehlen. Den Fluß entlang nach Süden hin erstreckte sich eine riesige Dampfwolke, die sich nach oben und nach den Seiten immer weiter ausbreitete. Gleichzeitig hörte man jetzt ein pfeifendes Zischen. Palmer umarmte Jenkins und brüllte dabei wie am Spieß, bis Brown ihm den Jungen entwinden konnte.

»Dampf aus Hitze – Dampf, kein Sprühen von hochexplosiven Teilchen! Drei oder vier Meilen Fluß und dann die Sümpfe, Doc!« schrie Palmer Ferrel ins Ohr. »Alles ist fein verteilt und kocht jetzt vor sich hin, bis die letzte Kettenreaktion abgelaufen ist, Atom für Atom! Die *Theta*-Kette ist durchbrochen, sie ist nicht stabil! Dort ist jetzt alles viel zu fein verteilt, als daß noch etwas passieren könnte. Das Wasser wird noch ein wenig kochen, und möglicherweise trocknet das Flußbett aus, aber das ist alles!«

Der Doc war wie betäubt. Der ganze Druck war von ihm genommen. Er wußte nicht, was er tun sollte. Sich hinlegen und weinen? Oder sollte er aufspringen und sich die Lunge aus dem Hals schreien? Statt dessen blieb er gelöst sitzen und sah wie verloren zu der Dampfwolke hinüber. »Ich verliere also den besten Assistenten, den ich je hatte! Ich werde Sie nicht halten, Jenkins. Sie können gehen, wenn Palmer Sie haben will.«

»Hoke will, daß er an Isotop R arbeitet – das wäre ein Ansatzpunkt für den Raketentreibstoff, den er sucht!« Langsam klatschte Palmer in die Hände, wie ein aufgeregtes Kind, das einem Dampfbagger zuschaut.

»Zum Teufel Doc, suchen Sie sich, wen Sie wollen als Assistenten, bis Ihr Sohn nächstes Jahr die Universität verläßt. Sie wollten doch, daß er bei Ihnen arbeitet, jetzt haben Sie die Chance. Im Augenblick können Sie von mir haben, was Sie wollen! Nicht einmal Guildens Zeitungen können jetzt noch die Wahrheit verdrehen.«

»Sie sollten sich darum kümmern, daß die Verletzten ins Krankenhaus kommen, und auch mit den Leuten im Zelt muß etwas geschehen. Ich denke, ich nehme Brown an Jenkins' Stelle. Ich bitte mir aber das Recht aus, ihn in Notfällen zu beschäftigen, bis das Jahr vorbei ist.«

»Abgemacht!« Palmer klopfte dem Jungen auf die Schulter, um jeden Protest im Keim zu ersticken, während Brown ihm zuzwinkerte. »Ihre Frau arbeitet gern, Junge; sie hat es mir selbst gesagt. Außerdem arbeiten eine Menge Frauen hier, damit sie ein Auge auf ihre Männer haben können; das tut meine Frau übrigens auch meistens. Doc, Sie und die jungen Leute gehen jetzt nach Hause, und ich gehe auch. Kommen Sie erst zurück, wenn Sie wirklich wieder frisch sind, und lassen Sie sich diesmal nicht im Schlaf stören!«

Der Doc stieg vom Wagen und machte sich auf den Weg. Brown und Jenkins folgten ihm durch die vor Erleichterung ganz aus dem Häuschen geratene Menge. Sogar ein paar Autos bahnten sich ihren Weg zwischen den vielen Menschen hindurch. Eines war fast neben Ferrel, als sich die Tür öffnete und eine hagere Frau mühsam herauskletterte, die seinen Namen rief. Er blieb stehen und starrte sie ungläubig an, als sie auf ihn zuhumpelte.

»Emma!«

Sie drückte ihn kurz an sich. Als sie sah, daß Jenkins und Brown herüberschauten, wurde sie rot und stieß ihn von sich. Sie schluckte und zeigte auf den Wagen. Sie konnte nicht sprechen. Aber das machte nichts. Erklärungen waren jetzt überflüssig.

Er ließ sich hinter das Lenkrad fallen und griff nach ihrer

Hand. Er fand das Leben gar nicht mehr so schlecht. Noch besser würde es sein, wenn sie erst aus dieser Menge heraus und auf dem Weg nach Hause waren.

Dann kicherte er und stieg wieder aus. »Ihr drei macht euch vielleicht miteinander bekannt. Wenn ich weggehe, ohne vorher die zusätzlichen Desinfektionsmittel für die Duschen anzufordern, wird Blake schwören, daß ich alt und schwachsinnig bin. Das geht nicht!«

Alt? Vielleicht ein wenig müde, aber das war er schon öfter gewesen und würde es auch wieder sein. Mit Glück! Er machte sich keine Sorgen. Seine Nerven würden noch zwanzig Jahre und fünfzig Unfälle überstehen, und bis dahin war es an der Zeit, Blake ein wenig durch den Kakao zu ziehen.

Zur Entstehungsgeschichte des Buchs

Nerves wurde ursprünglich im März 1942 als längerer Unterhaltungsroman für *Astounding Science Fiction* geschrieben. Das war fünf Monate vor der offiziellen Inangriffnahme des Manhattan-Projekts und mehr als drei Jahre vor dem ersten Atombombentest.*

Die eigentliche Idee kam von dem Verleger Jon W. Campbell, der meinte, daß ein Unfall in einer industriellen Atomanlage den Stoff für eine gute Geschichte abgeben könnte, wenn sie aus der Sicht des Werksarztes erzählt wird.

Kernspaltung wurde selbst damals von Science Fiction-Lesern schon vorausgesetzt. Robert A. Heinlein hatte bereits eine ausgezeichnete Geschichte über eine Kernspaltungsanlage geschrieben. Und wir wußten auch, daß die Regierung an der Entwicklung von Atomwaffen interessiert war. Das ging schon aus der absoluten Geheimhaltung atomarer Forschungsergebnisse hervor. Die Anwendung der Atomkraft stand nahe bevor.

Das allerdings machte die Entwicklung einer Geschichte nach Campbells Vorstellungen einigermaßen schwierig. Ich konnte kein Atomkraftwerk nehmen, denn das hatte Heinlein schon getan. Es wäre auch unklug gewesen, über Dinge zu schreiben, die von der Regierung mit strikter Geheimhaltung belegt waren.

Die einzig verbleibende industrielle Möglichkeit schien die Umwandlung verwendbarer Isotope zu sein. (Ein Isotop ist ein Atom mit einem ganz bestimmten Atomgewicht. Der Ausdruck ist genauer als »Element«, da Elemente aus einer Mischung von Isotopen bestehen können; Uran enthält mehrere Isotope, von denen U-235 und U-238 die bekanntesten sind.)

Aber welche Isotope könnte eine solche Anlage mit Profit her-

*Wer den Roman mit der vorliegenden Version vergleichen will, findet das Original in *Adventures in Time and Space,* Ballantine Books 1975.

stellen? Die Antwort war entmutigend. Die Elemente sind in periodischen Tabellen nach Atomgewichten aufgeführt, von Wasserstoff bis Uran, und dort kann man alle möglichen Isotope finden. Die meisten sind entweder gebräuchlich oder so instabil, daß sie kommerziell wertlos sind. Die wenigen übrigen, wie radioaktives Kobalt, boten wenig Hoffnung auf weitverbreitete Anwendung.

Indessen hatten die Wissenschaftler vor einiger Zeit mit Hilfe teuren Forschungsgeräts mikroskopisch kleine Mengen von Elementen geschaffen, die schwerer als Radium waren, wie Plutonium und Neptunium. Aber darüber hinaus wurden die Isotope so instabil, daß einige fast sofort wieder zerfielen.

Nun, in Science Fiction sollte man sich möglichst genau an die Tatsachen halten; aber wenn die Tatsachen nicht funktionieren, sucht man nach einer Theorie, die sich eng an die Tatsachen anlehnt, sie logisch weiterführt. So ging ich von der plausiblen Annahme aus, daß die Instabilität sich auf eine kleine Gruppe von Isotopen beschränkt, und daß es sogar Isotope mit höherem Atomgewicht gibt, die wieder stabil werden können. So erhielt ich Isotope mit jeder gewünschten Eigenschaft, und zwar von I-350 aufwärts.

Als diese Theorie einmal feststand, erfand ich eine Geschichte dazu, einschließlich der Charaktere, die mich bei Romanen immer am meisten interessieren. Als ich sie schrieb, ging ich nicht so sehr ins technische Detail, da ich eine gute Geschichte schreiben, aber keine Vorlesung halten wollte. Für verständige Leser gab ich die Bezeichnungen der Isotope an, sonst nichts. (Beim Redigieren des Manuskripts schlich sich dann ein Fehler ein. Aus I-631 wurde in der ausgedruckten Version I-231; das war lächerlich, denn 231 ist ein bekanntes Atomgewicht. Aber niemand schien das zu bemerken.) Die Geschichte war ganz einfach als spannende Lektüre gedacht.

Anscheinend funktionierte das auch. Alle Zuschriften bezeichnete *Nerves* als die beste Geschichte in der ganzen Ausgabe. Diese seltene Einmütigkeit war äußerst befriedigend.

Allerdings, meine Bemühungen, nicht mit den Sicherheitsvorschriften der Regierung zu kollidieren, mißlangen total. Ich erfuhr das Jahre später von einer jungen Wissenschaftlerin, die während des Krieges in Oak Ridge arbeitete. Sie war Science-Fiction-Fan, und am Erscheinungstag ging sie zur Bibliothek, um sich die letzte Ausgabe von *Astounding* auszuleihen. Sie durfte sie nicht einmal sehen, denn ihr Sicherheitsstatus war nicht hoch genug. Meine Geschichte war als top secret erklärt worden! Natürlich kaufte sie ihr Exemplar am nächsten Kiosk.

Als ich die Geschichte schrieb, gab es keinen Markt für Science Fiction. Aber die Zeiten änderten sich. Ballantine Books fingen an, nach solchen Romanen Umschau zu halten. Mein alter Freund Frederik Pohl drängte mich, *Nerves* für den Verlag umzuschreiben. Das Buch mußte gestreckt werden. Ich wollte nicht, denn ein Dutzend Jahre waren vergangen, und ich zweifelte, ob ich die Atmosphäre der Geschichte wieder würde einfangen können. Aber er blieb mir auf den Fersen, bis ich einverstanden war. Dafür bin ich ihm dankbar.

Ich habe sie nicht direkt gestreckt. Soweit wie möglich ließ ich das Originalmaterial unangetastet. Aber es gab viele Details, die ich ursprünglich hatte auslassen müssen, um die Geschichte kurz genug für den Abdruck in einem Magazin zu halten. Die Handlung hätte früher einsetzen müssen, und zwar mit einem Unfall am Anfang, der schon die Szene für die spätere Katastrophe bereitet hätte. Die Charaktere Jorgensons, Palmers und der Frau des Doc hätten im Zusammenhang mit den Ereignissen, von denen sie betroffen waren, entwickelt werden müssen. Auch der politische Hintergrund hätte detaillierter gezeigt werden müssen. Hier hatte ich die Gelegenheit, der Geschichte die Teile hinzuzufügen, die ich immer mit mir herumgetragen hatte, die aber aus Platzgründen geopfert worden waren. Und schließlich konnte ich mich ein wenig ausführlicher über die Theorie äußern, die allem zugrunde lag. Aber glücklicherweise blieb es trotzdem dieselbe Geschichte.

Inzwischen hat der Roman fünf Auflagen erlebt. Während

der Planung der sechsten gestattete mir der Verleger freundlicherweise die erneute Durchsicht. Ein drittel Jahrhundert ist vergangen, seit ich die Geschichte schrieb, und ich betrachte sie heute mit mehr Objektivität. So habe ich sie noch einmal geringfügig geändert, um Unvereinbarkeiten herauszunehmen und einiges auführlicher und klarer darzustellen – im Ganzen jedoch wurde die Geschichte so belassen, wie sie von Anfang an gedacht war.

Wenn ich den Roman heute schreiben sollte statt zu Beginn des Atomzeitalters, würde er wahrscheinlich ganz anders ausfallen. Ich würde auf die sehr realen Gefahren mißbrauchten oder gestohlenen Plutoniums eingehen, auf das ungelöste Problem der Abfallbeseitigung – auf alle Probleme, die sich im Laufe der Jahre ergeben haben. Oder, da es heute genug Bücher über diese Themen gibt, hätte ich es überhaupt nicht geschrieben. Sicherlich hätte ich mich heute nicht zu solchen Phantastereien hinreißen lassen wie dem Postulat superschwerer künstlicher Isotope mit zunehmender Stabilität.

Oder vielleicht doch? Damals – der Roman hatte gerade seine zweite Auflage – schlug ich am 12. September 1967 die *New York Times* auf und entdeckte auf Seite 30 eine Überraschung. Ein wissenschaftlicher Artikel berichtete über die Entstehung eines superschweren Atoms, das erstaunlich stabil war. Dr. Albert Ghioroso vom Lawrence Radiation Laboratory äußerte die Ansicht, daß es möglich sein dürfte, eine neue Gruppe von Atomen herzustellen – und daß sie sich als stabil erweisen könnten.

In fünfundzwanzig Jahren ist aus meinen wildesten Spekulationen über die Zukunft eine ernsthafte Theorie geworden, die von einem renommierten Wissenschaftler vertreten wird.

Vielleicht werde ich Jorgenson, Palmer und Hokusai noch kennenlernen.

Lester des Rey
Oktober 1975

Die Taschenbuchreihe, in der die Zukunft zur Gegenwart wird. Erregende Abenteuer in der Unendlichkeit des Weltraums.

Band 21 135
Gary K. Wolf
Killerspiel

Band 21 136
Jerry Pounelle
Jenseits des Gewissens

Band 21 137
Kenneth Bulmer
Das Männlichkeits-Gen

Band 21 138
Isaac Asimov
Lucky Starr

Band 21 139

Zwischen hier und nirgendwo

von Gary K. Wolf

Eine sensationelle Erfindung hat die Technik der Personenbeförderung revolutioniert.
Es ist die „Brücke", eine Art Leitungssystem, das die Erde überspannt. Der Reisende wird elektronisch „zerlegt" und auf diese Weise durch die Leitungen geschickt, um am Zielort im umgekehrten Prozeß wieder zusammengesetzt zu werden. Diese Transportart erfreut sich steigender Beliebtheit, bis eine russische Primaballerina auf einer solchen Reise unterwegs „verlorengeht".
Ein Fall für Saul Lukas, Spezialist für heiße Kastanien, die er für andere aus sämtlichen Feuern holt.

Deutsche Erstveröffentlichung

Sie erhalten diesen Band im Buchhandel, bei Ihrem Zeitschriftenhändler sowie im Bahnhofsbuchhandel.

KEEPING A SPIRITUAL JOURNAL

KEEPING A SPIRITUAL JOURNAL

Edited by

EDWARD ENGLAND

HIGHLAND BOOKS

First published 1988
This edition 1991

ISBN: 0 946616 47 7

Printed in Great Britain for
HIGHLAND BOOKS
Broadway House, The Broadway,
Crowborough, East Sussex TN6 1HQ
by Clays Ltd, St Ives plc
Typeset by CST, Eastbourne

CONTENTS

REFLECTIVE WRITING
(an introduction)

by

EDWARD ENGLAND

Edward England is a book and magazine publisher. From 1966 to 1980 he was the religious editor of Hodder and Stoughton, and for most of those years a director. He is the editor of *Renewal* magazine.
He lives in Crowborough, East Sussex, with his wife, Ann, a former missionary in Thailand. They are active in their local parish church of All Saints.

'Unless "God is in it" there can be no spiritual journey or journal'

The practice of keeping a spiritual journal has become more widespread in recent years, encouraged by such popular devotional writers as Richard Foster, Thomas Merton, Catherine Marshall and Joyce Huggett.

My own interest in journalling has come from the authors I have published and from my wife. This book is concerned with the spiritual but it is worth observing that journal keeping is commonplace among professional writers.

Irving Wallace, the novelist, wrote: 'I keep a daily journal. I have since 1959. Every day ever since. I buy a ledger, a book-sized ledger. (I've found that you get discouraged if the pages are too large because you have to write too much.) One page for each day. I find that filling that page, which I usually do an hour or so before going to bed (now it's such a habit I can't think of doing without it) gets a lot of things out of your head. Also you get used to putting words on paper.'

In *A Writer's Notebook* Somerset Maugham refers to the *Journal* of Jules Renard, which he considers one of the minor masterpieces of French literature.

Maugham writes: 'Jules Renard was very honest, and he does not draw a pretty picture of himself in his *Journal.* He was malignant, cold, selfish, narrow and ungrateful. His only redeeming feature was his love for his wife; she is the only person in all these volumes of whom he speaks consistently with kindness. He was immensely susceptible to any fancied afront, and his vanity was outrageous. He had neither charity nor goodwill . . . But for all that the *Journal* is wonderfully good reading. It is extremely amusing. It is witty, and subtle and often wise.'

I would prefer to muse in John Wesley's famous journal which was published in a four-volume edition but which is now available in various edited versions. It preserves in a continuous narrative the story of the rise and growth of Methodism.

My mother kept a simple journal. She died when I was four and one of my few early memories is of her taking me to the local Methodist church. Because my father remarried I hesitated to ask him as I grew up what sort of person she was. I possessed nothing that belonged to her until in my early twenties I returned to Sheffield, where I was born, and was given a school exercise book, with arithmetic tables on the back, which had belonged to her. It was full of her own hand-writing. It was a kind of journal, expressing her faith, telling of her daily walk with God, and how he had provided for the family during the depression in the north of England. It became the most precious book I possessed.

It encouraged me to start recording events I wanted to remember, conversations with God and with friends, moments of decision, words that I dared to believe God had spoken to me. In 1980 I had the conviction, after 14 years with Hodder and Stoughton, that the time had come to step out into the unknown. Hodder Christian Books had been my life. At the time of leaving I copied out some words of John Haggai. They had been quoted by Charles Colson, when he was in London for the launching of his book *Life Sentence:*

Attempt something so impossible that unless God is in it, it is sure to fail.

Unless 'God is in it' there can be no spiritual journey or journal. In the years since I left Hodders, having God at the centre of my activity has become more important than 'attempting something so impossible'. Reflective writing has helped as I have launched a literary agency, become the publisher and editor of *Renewal,* and founded Highland Books. Because I am more active than introspective it has been a launching pad, a place of vision.

I was invited to hear Dr John Wimber speak at Holy Trinity Church, Brompton, London. His subject was signs and wonders. Afterwards I recorded four words: 'Faith is spelt RISK.' I had been agonising over the future of *Renewal,* which I had taken over when the Fountain Trust founded by Michael Harper closed down. Circulation was declining. With limited financial resources, and a reluctance to borrow, should I re-launch the small magazine in a large format, with full colour cover? The printing cost would almost double, the postage would soar, and I would be able to recoup only a fraction of this from an increased cover price. Wimber's recorded words propelled me into action. During the six months of planning to relaunch *Renewal* I mused on them again and again. 'Faith is spelt RISK' marked the turning point in the history of the magazine; indeed saved it from oblivion. Today it goes to fifty-seven countries and is completely self-financing.

'Journal keeping encourages a privatised Christianity,' someone suggests. Those who have read the books by Richard Foster will know differently. I first met the author in the pages of *The Celebration of Discipline*. When later he and his wife were guests in our home I found he had little time for journals that were concerned only with the writer. He encouraged 'global consciousness, ears that heard the sobbing moan of the world's hungry, that reflected that pigs in Indiana have superior housing to a billion humans on this planet'.

I was in Dallas for the launching of his book *Money, Sex and Power*. In a bookstore there I bought *The New Diary* by Tristine Rainer which tells how to use a journal for self-guidance and expanded creativity. It is not a religious book but her principles for beginners are very practical. When she is asked how to start writing a diary she responds: 'Write fast, write everything, include everything, write from your feelings, write from your body, accept whatever comes.' She advises to begin with the present moment, or period in your life. Or perhaps with a self-portrait, or a description of the day.

One passes from the stage of writing everything to being selective. From oneself to reflecting on the local community, events in the news, or maybe problems in Northern Ireland or South Africa, remembering always this is God's world.

I was privileged to publish for Catherine Marshall. Her books were bestsellers, among the few religious titles which can be marketed in secular bookshops. She started to keep a journal in her college days and continued during her years with Peter Marshall. When he died she recorded the loneliness, the feelings of inadequacy as a single parent, and later her decision to marry again and the joys and frustrations of trying to bring two broken families into wholeness.

After her death, Leonard LeSourd, her second husband, edited more journal writings and published them in *A Closer Walk* (Hodder). Like Jules Renard she was very honest.

> I'm going through one of those money anxiety periods this morning, Lord, so I know I've taken my eyes off you and placed them squarely on worldly matters. The sad thing is that I know better. Only the other day I was expressing my incredulity over a famous financier who committed suicide when his wealth diminished from fifteen million to ten million.
> So once again I go through the process of replacing fear with faith in connection with your provision.

On another day she decided to 'fast' from criticism. 'The Lord continues to deal with me about my critical spirit, convicting me that I have been wrong to judge any person or situation.'

A rather special mother in Kent, Rosemary Attlee, sent me the journal which her teenage son, William, had kept during the last four months of his life. A happy, athletic student he had been struck down by leukaemia. The first entry, on Saturday, July 24, 1971, reads:

> At last I have my notebook. I have wanted it for two whole days. A book in which I can write about thoughts and deeds and then in three days' time when I have run out of ideas, I can read it through and think what awful twaddle—I hope that doesn't happen.

We asked his mother to write an introduction which she did with the same honesty, anguish and love which we found in William's writings. 'A testimony to the amazing grace of God,' said Bishop Morris Maddocks when *William's Story* (Highland Books) was published. William was stimulated to keep a journal by reading Thomas Merton's *The Sign of Jonas*.

> A truly brilliant book. Almost makes me want to become a monk. I have actually thought of going into the church, but don't think it is quite right for me, or I am not quite right for it yet. I have a long way to go. When I think about myself and Christianity and the amount I know and put into practice I feel very very small indeed. Yesterday I saw an ant crawling over the rush matting in Pa's study, which is my bedroom while I am ill. It was a great effort for the tiny chap. That's how I feel. I pray that I could be more at one with God, with him the whole day, to be able to see him and love him in everything.

A month later he was beset by 'this terrible lethargy, which makes me just want to sit down and vegetate like a cabbage or brussel sprout. A very unpleasant feeling, but one that can be overcome by action and decision.' One morning he would feel 'really bad, and the next ready to get up and be about and doing anything.' Thursday, October 7, was a special day.

> Today, believe it or not, it is a very important, notable, thoroughly memorable day. Today, twenty years ago, the world stood hushed and waited with baited breath. Then the great event took place, the event which was to revolutionise my life, to change me entirely, and to affect me catastrophically for the remainder of my years on this planet—I was born!

He was soon to die. The final entries are in November. He was learning to leave everything to God 'emotionally, spiritually, organisationally, everything; all I have to do is his will, which is let him do everything. It should be so easy, and as a matter of fact I think it is getting easier, but I will have to be on my guard against false emotion which I find so rampant in my effort.' The final entry is on November 25. 'Tonight I have left my writing far too late, and everything I do turns to sleep, so I won't be writing at all. This is all you are getting.'

William died in the afternoon of the following day leaving behind a wonderful inspirational record.

'Keeping a journal,' says John Sanford, 'is the most inexpensive form of psychotherapy I know.' In *Burnout* (Arthur James) he recommends clergy and others who have a ministry in the church to keep one to give a perspective on their personal difficulties, so they will not be overcome by them. 'A journal is a book in which we record all matters of importance for our conscious life. We write down our dreams, our fantasies, our urges, and our creative thoughts. In our journal we write down our problems, what is worrying us, what is getting us down, and our darkest, most unthinkable thoughts. Anything of importance to the life of the soul can be written in our journal.'

The idea for this volume of collected experience came from a seminar which my wife, Ann, gave at Lee Abbey, a community and conference centre in Devon. There were many interested folk with practical questions: how to start? what to write? when? how to keep it secret?

Ann had kept an occasional journal ever since she became a Christian while a medical student in Cardiff. At first she wrote down verses of scripture, lines from a hymn, words which she had found comforting and encouraging. It was a sporadic but none-the-less helpful record of God's dealings with her.

> It was the means of confirming a decision, of reminding me of past guidance when times were difficult, of God's love and goodness, of blessing experienced. I still have the small black loose-leaf notebook I bought when I was a student. It lasted me through my house-jobs, through Bible college and my first years as a missionary in Thailand. I didn't write much but what I did write was valuable and I treasure it today. It does have the merit of being quickly read, unlike the journal I started keeping more recently. Already a third fat notebook is almost full. What I write is often repetitive and rambling but valuable to me in quite a different way. Although it too serves as a reminder of God's goodness it is much more than that. It is a means of listening to God, a tool for growth. And it has tremendous potential which I have hardly begun to explore.

What turned her into a more regular journal keeper was unexpected arthritis in her hands.

> I started writing this journal because I was very

frightened. Quite suddenly my hands became extremely painful. Everything I did hurt; all the ordinary things you use your hands for a hundred times a day without thinking about them—holding a pen, drying dishes, chopping vegetables, using a knife, combing my hair, examining a patient. It wasn't having pain that worried me so much as the fear of what the pain signified, all the destruction that I visualised going on in my joints. I could see the disease—I shied away from the very word arthritis—rampaging on, leaving me with distorted, useless hands. What about my work, my home, looking after Edward, looking after myself?

I prayed with some friends. We spent time together listening to the Lord. I felt his love. 'Put your hands in mine,' he said. His peace enveloped me. But it was very precarious. 'Use this to draw you closer to God,' advised my friends. 'Face up to your fear.' I needed to hang on to what the Lord had said and to those words of advice and so when I got home I wrote it down. And that is how I started keeping a journal. I poured out all my anxiety about my hands and what was happening to them. 'It's osteoarthritis, common in women of your age. Forget about it', advised a specialist. But I couldn't—everytime I used my hands the pain reminded me.

During this time the journal became for me a means of expressing my feelings, and helped me to look at my fear about my hands and face up to it. It often clarified an anxiety, enabled me to see what was really worrying me and recorded the times God gave an answer, showed me a different point of view.

I began to use a tape, *Relaxing Into Prayer* by the Rev Reginald East; it was a stimulus to listening in prayer, learning to be quiet before God, to hear what he had to say. Then I wrote it down. The writing and the listening combined and became a daily pattern.

A year later Ann was at the point of giving up her journal. Her hands had improved considerably. In February we visited Hong Kong to see Jackie Pullinger's work in the Walled City and went on to Thailand. Our time ended with a few days in Huahin, where she had spent holidays while a missionary. There was opportunity to catch up on some reading. Three books one after the other spoke of the value of keeping a journal, 'a daily appointment with God' as Elizabeth Sherrill describes it in her foreword to *A Closer Walk.*

Gordon MacDonald in *Ordering Your Private World* might have been writing about me when he said:
'At first it was difficult. I felt self-conscious. I was worried that I would lose the journal or that someone might peek inside to see what I'd said. But slowly the self-consciousness began to fade, and I found myself sharing in the journal more and more of the thoughts that flooded my inner spirit. Into the journal went words describing my feelings, my fear and sense of weakness, my hopes, and my discoveries about where Christ was leading me. When I felt empty or defeated, I talked about that too in my journal.
'Slowly I began to realise that the journal was helping me come to grips with an enormous part of my inner person that I had never been fully honest about. No longer could fears and struggles remain inside without definition. They were surfaced and confronted. And I became aware, little by little, that God's Holy Spirit was directing many of the thoughts and insights as I wrote. On paper, the Lord and I were carrying on a personal communion.'
MacDonald said if you keep a journal for a year

> you've formed the habit and it's easy to continue. I decided to continue. I needed it.
> I remember that afternoon. The sea was sparkling in the sunshine, the sand hot and gleaming, a warm breeze gently swayed the palm trees. Edward was enjoying a siesta nearby. Almost perfect! I brought to the Lord my anxiety about my mother, shortly to have major surgery for cancer of the throat. She was to move to our home so that she could go into the local hospital. The surgery would mean a permanent tracheostomy and loss of her voice. 'Lord, how can we help my mother? How will we cope? Where will we find the grace and strength?' Quietly came his promise, 'I will be at your fingertips.'

Ann was to have written a chapter in this book but instead I have quoted her as she is caring for her mother who is now, a year after her first operation, terminally ill. There was the choice of going into a hospice but Ann preferred to look after her in our home where one bedroom has become a tiny ward full of loaned hospital equipment. The demands on her have been far more than she ever imagined. Her hands are almost pain free and she is able to do all the things a loving daughter needs to do for a loved mother in such a situation. The journal entry 'I will be at your fingertips' is a reminder needed daily. The latest volume of her journal is on the kitchen table. I would never read it. It is part of her personal relationship with God and I would not intrude.

I dedicate this book to Ann. I would like to say thank you to each of the contributors, some of whom have been friends for a long time, and to the Rev Wallace Boulton who has prepared the typescript for the printer. I regret there are not more contributions from men: the three I invited were committed to other pressing writing assignments.

Before you finish reading the pages of this book I hope you will have started filling the pages of your own journal.

Chapter One

TWO-WAY CONVERSATION WITH GOD

by

JENNIFER REES LARCOMBE

Jennifer Rees Larcombe is a mother of six who was severely disabled by illness yet whose writings have inspired thousands. Since writing this chapter Jennifer has been miraculously healed in answer to prayer. Those hearing the story of her healing will discover here how keeping a journal helped sustain her through the years of disability. Her home is in Tunbridge Wells, Kent.

'I still go on jabbering to God as the day goes on, but a habit was forming of talking to him on paper first thing each morning.'

I sat beside the swimming pool shivering, while my wet hair dripped down my neck. Being baptised in the open air when you are nearly forty is not the romantic occasion one connects with christening robes and pretty country churches.

'I bought you a little present to mark the occasion,' beamed a friend as I clutched my damp towel for protection. 'I've prayed so much that it will be a blessing to you.'

How could a book full of blank pages possibly bless anyone? I thought secretly when I unwrapped the parcel.

'What a . . . a . . . pretty cover,' I said weakly, 'black leather, embossed in gold, but what do I do with it?'

'I bought myself one a few years back,' she replied shyly, 'I call it my Ebenezer book.' I must have looked totally confused by this time, so she sat down beside me and began to talk. 'I've got a terrible memory,' she explained, 'and I never remember the things the Lord does for me. Perhaps I'm full of fear about some future event and then a verse from the Bible just leaps out at me and I know it is the Lord giving me an individual promise to help me through. I'll hear a sermon or read a book that helps me so much I think, "I'll never be the same person again, this has changed all my attitudes and sent my life in a new direction." But it's always the same, I feel marvellous for a while and then the same old temptations or fears come along and I think, "I'm sure I heard something once that really helped me on this, but whatever was it?" Then one day I heard a sermon about how Samuel set up a stone to remind everyone of how the Lord had helped them on a particular occasion. He called it Ebenezer (1 Samuel 7:12). I thought, "that's just what I need, a permanent reminder of lovely things the Lord does for me." So I went out and bought this book.'

'I've got a sieve brain,' I admitted. 'I'm always getting into terrible "states" and crying to the Lord for help. When he sorts me out, I completely forget how ghastly I felt before I prayed. This is just the kind of thing I need.'

I thought that book would take a lifetime to fill, but how wrong I was. From being just a stone of remembrance it developed into a means of survival. My friend Rhoda died soon after that and I cannot wait to tell her one day just how very much her baptismal present has blessed me.

For a while I simply followed Rhoda's example. The early pages are full of regurgitated sermons and extracts from books or verses of scripture that had blessed me for some reason. I never dared to think that God would ever actually speak direct to an ordinary housewife like me.

Then, after a few months, an entry reads like this:

November 9, 1981: 'Someone gave a lovely prophecy at church tonight. "I do not live in tabernacles made with hands, but under a booth created by the praises of my saints."

'Lord, I feel so low and negative at present, help me make praise a habit so I stay under that living umbrella with you all day long.'

That was the very first time I actually wrote down what I said to God, and I found I rather liked the idea. It felt a bit presumptuous, but I am so bad at praying I wondered if it might not even help me.

At about that time (probably for Christmas) someone else gave me Catherine Marshall's book, *My Personal Prayer Diary*. Like Samuel's coat, I had a new copy every year after that until, to my sorrow, they went out of print. It contained a page for each day of the year. At the top was a verse and short meditation and the rest of the page was blank. Down the middle was a vertical line and the idea was to write on the left side of the page your prayer requests for the day. Then, as they were answered, you filled in the details in the right-hand column.

It may sound childish, but that book revolutionised my prayer life. Eight years ago I was a busy housewife with six young children and several extras whom I fostered. (Not to mention an invalid mother and a large garden!) Practical, down-to-earth and perpetually on the move, I needed (and still need) to see physical results when I do something. Prayer is too abstract for my temperament. The words float away into space and I have lost them.

Ever since the children started arriving with such extraordinary regularity I had developed the habit of chatting to God over the kitchen sink or while feeding the hens. But with my bad memory I could never remember what I had actually said to him, so when the answer came I did not thank him, because I had forgotten I prayed for it in the first place!

Prayer suddenly became real to me when I could actually *see* the words in black and white. At about that time I became deeply worried about one of our foster children. She was getting into all kinds of serious trouble in school, disrupting the family and drifting into a very unruly group of friends. My anxiety caused me to become very bad tempered and exceedingly inefficient. My mind was preoccupied as I flitted about the house, unleashing a barrage of prayer for her under my breath.

'This isn't really praying,' I thought one day as I burnt the toast yet again. 'It's just a way of expressing my worry. I don't really *expect* God to do anything about her or I wouldn't keep on nagging him.' So I went upstairs, opened my prayer diary and wrote her name in red felt-tip.

'There she is Lord,' I added underneath. 'I commit her to you for today, and trust *you* to look after her so I get on with living.'

Every time during the day when my stomach began to feel like a cement mixer once again, I whispered, 'Lord, she's yours, she's in the book.' The sheer relief of doing that was quite enormous. Her name is often mentioned in the pages that follow, but the prayers were answered in God's time. Now she is a lovely, hard working girl of eighteen. ('I am persuaded that he is able to keep that which I have committed unto him.' Timothy 1:12)

Each morning I used to sit up in bed with my first delicious cup of tea and pick up the prayer diary, and I soon realised it was helping me with another great difficulty I have with prayer.

No sooner do I shut my eyes, and I am planning the shopping list or wondering what to dig out of the freezer for supper. Having the blank page staring up at me kept bringing me back to the job in hand and my rambling thoughts were contained by the discipline of having to encase them in words. At the back of 'Ebenezer' I stuck photos of the family and close friends. Looking into their faces as I prayed for them also helped me.

Don't imagine that I wrote a long essay before breakfast each day. I just noted the names of the people I was specially concerned about and condensed my requests for them into a few words:

'Duncan, first day at school.
Brenda, let her feel you near in hospital.
Paula (my neighbour), let her come to church when I ask her.'

At the end of each month Catherine Marshall left a whole page blank to write a summary of the last four weeks. The idea was to go back and look for the prayers that had been answered and to take stock of how you and the Lord had been getting along. (The spiritual equivalent of a medical check-up.) I was astounded to find what miracles had taken place. Yes, Duncan *had* been happy on his first day at school, the Lord *had* caused everyone to behave well during the state visit from Auntie Rose, and Paula *had* been to church, three weeks running. My requests were all small, just little steps that went to the limit of my faith, but when I looked at all the answers in the right-hand column, I gained the courage to pray for bigger and more impossible things.

Sadly, not all prayers are answered in the month in which they were prayed. I find two names cropping up repeatedly during that time and I detect a growing impatience:

March 16: 'Lord are you *never* going to save Peter and Katherine?'

I am ashamed to say I gave up praying in the end for these delightful pagans who lived in our village. Last week while reading back over eight years of diaries in order to write this chapter, I was stunned to realise they are now leading members of their church. It seems impossible to remember them as anything but the great warriors for God that they are now. If I had not written down those prayers long ago I could never have experienced the delayed joy of seeing them answered at last.

I also had to learn that 'no' is just as much an answer as 'yes':

April 17: 'Lord, Tony is going for that interview today. Pleeeeeeease let him have that job, the extra money would help so much just now.'

April 18: 'Lord, you said no.'

In the right-hand column I find a note which was obviously written some years later.

'Lord I see now just why you said no. You knew I was going to be ill and away in hospital so many months, and then disabled. Tony would never have managed that job and the travelling it involved as well as coping here at home. Thank you, and sorry for doubting.'

Not all the 'no' answers were so easily explained.

February 13: 'Lord take today in all its littleness. Please let me make it a peaceful day full of happiness for all the children. Let me be good tempered and patient.'

My high aspirations for the day obviously toppled rather rapidly, and in the right-hand column are the tragic words:

'Sorry Lord! Lost my cool countless times, screamed at the kids who were rude and quarrelled all day. Singed Tony's new shirt and burnt a whole batch of cakes. Why didn't you answer me, Lord?'

That is the first time I actually asked God a direct question. I am sure I never expected him to reply. I knew God communicates directly with church leaders and special prophets, giving them gifts of knowledge, prophecies and visions, but it never occurred to me he might also speak to a practical minded 'pew filler' like me, except through ministers or the scriptures themselves. I often had a vague idea float into my mind while walking the dog or a vivid mental picture as I lay in the bath, but the realisation that these could be God himself communicating with me did not dawn on me until I began to write them down in my black book.

September 16: 'Had a vivid dream about Philip. (A foster child who was being extremely difficult.) He stood by my bed and said, "all I want is for you to love me." Lord, I've been asking you for so long what to do about Philip. Is this your reply?'

Daring to put these ephemeral thoughts down on paper lent them substance and gave me time to ponder their worth:

October 3: 'Suddenly felt I should write a chatty letter to Auntie Stevens. I wonder if it was just my idea or the Lord knowing she's specially lonely?'

Right-hand column:

'It was the Lord. She wrote back to say the letter arrived when she was feeling low with flu.'

Then suddenly one day, God spoke to me so distinctly, that it changed our relationship for ever. I was in the kitchen at the time, surrounded by washing up and pails of dirty nappies. I was feeling useless and a complete failure in life.

'You don't have to be a success just because your parents were, I love you because you're ordinary.' It wasn't an actual voice, but I never doubted that the words in my head came from God. I was so surprised I dropped the tomato I was peeling—splat—on the floor, and dashed straight upstairs to write the message in my black book, and added:

'Thank you Lord, every time I feel low please remind me to turn back to this page and read this again.'

As I look back now, I can see that something new was beginning to happen in these prayer diaries, they were almost becoming a two-way conversation with God. Of course I still go on jabbering to him as the day goes on, and some things have to be poured out to him in a torrent of words which a pen would inhibit, but a habit was forming of talking to the Lord on paper first thing each morning. His side of the conversation, however, has never been confined to any convenient man-made routine. He can speak to us all at the most awkward moments, when the chips are frying, a plant is being re-potted, or you are soaking in a hot bath.

So now I always keep scraps of paper in odd places round the house and in my handbag so I can jot down anything that comes from him and write it up in bed that night.

Catherine Marshall left a page blank at the end of her diary for a summary of the whole year. When I arrived at that point at the end of my first twelve months I seem to have been rather embarrassed about my side of this developing conversation:

'This book reads like a shopping list. I seem to wake up in a panic every morning, and sit here squawking for help. I feel all right when I have committed all the worrying events and difficult jobs to you, Lord, and my tummy stops churning. But how horrid that must be for you, being bombarded daily like this. If Tony arrived on the doorstep after a hard day's work and I said "please mend the Hoover, take out the rubbish and fix the toy train", it wouldn't be much fun for him. He likes a nice kiss and a good meal before I have a go at him. Help me to try and give you more pleasure. I just barge rudely into your presence, but help me to start each morning by writing down why I love you specially that day, and give it to you like a good morning kiss.

'Psalm 9:1. "I will praise you, Lord, with all my heart; I will tell of all the wonderful things you have done".'

That entry was quite a milestone. The art of praising the Lord, whether I feel like it or not, was something I badly needed to learn. Because that goal was written there in the book, it was harder to forget it. I always have to have a goal to aim at in life, or I drift about on the current of my emotions. Yet, so often, I have made God promises at holiday conferences, or during a mission at church and then conveniently forgotten all about them a few weeks later. Writing them down feels more like making a solemn contract. I have laughed at myself this last week, all the same, as I have looked at some of my past 'good intentions'.

'Lord help me to give up coffee.' That lasted a week.

'Lord I want to pray in tongues for ten minutes a day like Jackie Pullinger.' I am embarrassed to admit that did not last much longer.

Perhaps one of the greatest benefits of a spiritual journal is to teach humility. As you read back you do actually see yourself as you really are in private with God and not the person you are striving to be, or the one you hope the world will think you are.

I remember one day being most excited to realise that this recorded conversation that was becoming so important to me was not something new or my personal invention:

June 15: 'Am reading Jeremiah, Lord. He must have written down things that the two of you talked about, just like I do. Chapter 15 is marvellous. He says to you, "Lord God . . . why do I keep suffering? why are my wounds incurable? . . . do you intend to disappoint me like a stream that goes dry in summer?" Then on his "right-hand column" you say, "if you return I will take you back and you will be my servant again. If instead of talking nonsense you proclaim a worthwhile message you will be my prophet again . . . I will be with you to protect you and keep you safe".'

Something else began to dawn on me as well as I read Jeremiah. He did not just ask for things or praise God, he actually recorded how he really felt. Some of the other prophets and the writers of the Psalms do that too. They tell God, without apparent inhibition, all their deepest longings, resentments and fears.

I had never quite dared to do that on paper before, but I can see that from that time I began to be far more honest with God. During these eight years of 'journalling' my life has changed drastically. I am now disabled, a wheel-chair filler, dependent on other people for help. I have not coped very well with this drastic change, but I might have been infinitely worse if I had not first learnt the habit of letting off steam on paper:

October 16: 'Lord, I'm too young to be registered disabled! Pensioned off for life, chucked away on the scrap heap. My eyes are too blurred to read your word, my ears buzz so I can't listen to tapes. My hands won't work so I can't do things for the family, I can't even speak to visitors, my words come out all jumbled. Constant pain is driving me nutty. Why didn't I die in hospital when I had the chance? What have you left me to live for.'

Isn't self pity ugly when you see it written down in words. It is also easier to recognise. The Lord's reply to all that was, not surprisingly unsympathetic:

'Childie, you would be willing to claim that you could "do all things through Christ which strengthens (you)" (Philippians 4:13). That would be exciting and stimulating, wouldn't it? But I want you to reach the stage of saying, I can do *no* things through Christ, who *still* strengthens me. It will take more of my power for you to do nothing, than it would take for you to do all things.'

Last week when I re-read that page in Ebenezer it was right in the middle of the school holidays. Everyone was home, plus all their numerous friends, and I just sat and wept. I have not reached that place yet. I am frequently engulfed by frustrated rage, but I am so glad to have those words written there as a permanent reminder.

If I had to pinpoint a particular time when 'journalling' helped me most, I would say without hesitation that it was while I went through the deep depression which following the realisation that I was disabled.

I just could not speak to God directly because I was too angry with him for not healing me. But writing him messages seemed to help enormously. Like the writer of Lamentations chapter 3, I poured out my bitterness on paper (that must have come near to scorching point):

September 23: 'Can't tell anyone how I feel, God certainly wouldn't care. But must express it somehow. I feel buried deep in heavy, wet sand. Awful darkness, mental and physical weakness, perpetual pain. Life is useless, pointless and wearily boring. Can no one tell me WHY WHY WHY?'

Quite naturally the Lord wasn't speaking to me either, while I was like a child in a tantrum, so one day I flipped back through the books, doubting that he ever had. Suddenly I discovered something he said to me when I was fit, active and happy. The mystifying words had meant nothing to me when I had recorded them over a year before, but as I read them again I realised the Lord had been explaining his reasons for allowing my present misery:

'Childie, it is not what you *do* for me that counts. I don't want your service, it's your company I desire. I want you without all your other props and pleasures, completely dependent on me for everything. Will you still love me when you are useless and weak?'

I had been so strong and healthy when those words first came to me in the middle of a prayer meeting that I honestly thought they must be for someone else. But God wanted them hidden there in my journal until just the moment when I needed to hear them. Their discovery was the beginning of a long slow healing, and I can see the different stages of recovery, all there in the diary.

Of course there is a danger of becoming too

introspective when you keep a very personal diary, especially if you are depressed. It was a sure sign that I was getting better when I reached this monthly summary:

'The entries recently have been nothing but the ramblings of a silly, self centred woman. Forgive me, Lord, and help me during March to look out and up and not in.'

As I read that section I can see that one of the ways God healed me was by letting me talk myself through the experience in the diary. It all sounds terribly impertinent now, read in 'cold blood', but it is a comfort to realise how many people in the Bible did just the same thing.

Lamentations 3:1–33, Psalm 13:1–6 and Psalm 31:9–15 are only three of the passages where we see someone working all the anger, bewilderment and bitterness out of their system until they talk themselves back into a state of trust and love once again. Perhaps it was the very action of writing down all their feelings that helped them regain their spiritual balance. God must have had a reason for including their words in the Bible, so perhaps he wants us to follow their example:

March summary: 'Lord this month I want to look out every day for something funny or specially lovely. Then I'll record it at night. Life is just so grey and flat but help me fight this depression positively.'

April 8: 'Lord, thank you for that ridiculous little undertaker at the funeral today. He was so much smaller than the other three when they carried out the coffin. And thank you that I managed only to laugh on the inside!'

April 27: 'Thank you Lord for that sunset this evening.

June 2: 'Lord, the first rose is out!'

I am sure that the daily search for the 'funny' or 'lovely' was another way the Lord helped me to realise that 'the joy of the Lord is my strength' (Nehemiah 8:10) and gave my mind a more positive outlook.

For a long time I kept both books going. The diary helped the discipline of regularity, but the pages were rather small, and Ebenezer came into his own when I wanted to talk things out at more length with the Lord. Yet, when Catherine Marshall's book went out of print and I had to rely on Ebenezer alone, at first I felt almost relieved:

'I don't want this thing to become a daily grind or mechanical rut maker, so I'll just write in the book when I feel like it.'

Not only can a dated diary became rather a bore, there is also a great danger of simply keeping an ordinary diary, and just for the sake of filling the blank pages, recording all the trivial happenings of every day. Of course these can be as much fun as a photo album in later life, but in a spiritual diary it is our reaction to these events and our observation of the Lord's hand in them that is important. However, I have learnt from frustrating experience that a straight, two-way conversation has to be accompanied by a few background details if it is to be any blessing in later years.

July 10: 'Lord, I am so worried about Sheila, please do something.'

Who on earth was Sheila, and what was it that worried me so much? At the time I obviously knew all about it and so did the Lord, but now I long to know more about what was happening that July. You lose the blessing that comes from looking back if the entries all sounds like gibberish. These days I am aiming at a blend of conversation and information.

Adopting the method of 'do it when you feel the urge' has the advantage of spontaneity, but oh how I miss those monthly reviews. Things can go wrong very quickly in my life with the Lord. One minute I am dancing on a mountain top, feeling I have arrived at last and this time I am going to stay here for ever. Then I have slithered down again into an arid wilderness, and seem to have no wish to communicate with God at all. Blank pages in the prayer diary used to act like an early warning system that something was going wrong.

July 14: 'Feel so out of touch with you, Lord. Everyone at church is so irritating, what's the matter with me, you don't seem to have spoken to me for ages. Have I upset you? "Cleanse thou me from secret faults" (Psalm 19:12) and "Restore unto me the joy of my salvation" (Psalm 51:12).'

September 5: 'Thank you for the holiday, Lord, I was tired out, that's why I felt so dry.'

Spiritual deserts are the common experience of all Christians, but often they make us so lethargic we fail to realise we are actually in a desert so we do not try to find the cause. Sometimes the only way to get out of a desert, is to discover the reason why we went in!

While I was still using Catherine Marshall's Diary, I went into a three-month patch when I began to doubt whether God would ever speak to me again. One day I got so worried about his silence and my stilted, mechanical entries that I flipped back through the book looking for the last time when our relationship had been warm and alive.

There it was, all on record. He had said something very distinctly to me but because I was so new to his direct communications I did not stop to ask him if I had heard him correctly, or suspect that it might be the enemy impersonating him. The message told me to do something that was completely contrary to a command he had given me only a few weeks previously. Because I wanted to obey the second command I gleefully thought he had changed his mind and was letting me off an irksome responsibility. I suppose the Holy Spirit would have found some other way to show me what had grieved the Lord, but it certainly made things much easier having them recorded in the diary. I learnt an awful lot through that desert.

Sometimes a desert experience seems to have no cause, but there is always a reason why God allows it. I did not realise that until last week, and it was while preparing this chapter that something very special happened.

There is a section of one of my black books that I have never been able to face reading through again. But I felt I *must* before I wrote this chapter, yet I knew that reliving that part of my life was going to hurt:

September 18: 'Lord, here I am alone in this little room in hospital. All the busy London traffic goes by in the street outside but here I am with you. I'm too far from home for visitors so all my time will be yours. What fun we shall have, just the two of us!'

It may sound odd to be so excited about being shut up in a darkened cubicle, tethered by a drip and a catheter for nearly three months, but when you have as many children as I have and an 'open' home, believe me, isolation is a luxury not often enjoyed.

It was not the pain or the sickness that made the following weeks so dreadful, I have other Ebenezers recording months of illness and hospital life when God was so real that his comfort made every physical indignity totally worth while. But not this time.

September 26: 'Lord, I know it's not right to rely on fizzy feeling and bubblings inside, but a dark cloud has wrapped me round, separating me from you. I have lost the sense of your approval and closeness.

'What is wrong? Please show me, so I can confess it and put it right. I don't mind who I have to write and apologise to, or in what way you want to change me, but just don't leave me alone like this. I know I've failed you all my life, but if you were to punish me as I deserve I'd be in the hospital morgue. You punished Jesus instead of me, and you told us if we confess our sin you are faithful and just to forgive us our sin (1 John 1:9) *so why don't you?* I've confessed until I'm exhausted.'

October 4: 'Terrible night, couldn't sleep, but why couldn't I even pray, Lord? Do I irritate you that much? The Bible feels dull as sawdust and sand.'

October 10: 'I'm coming against you Satan today. You *won't* cut me off from my lovely Lord like this. Get out of this room! Go, in the name of Jesus!'

October 13: 'Psalm 13 says: "How much longer will you forget me, Lord? For ever? How much longer will you hide yourself from me? . . . Look at me, O Lord my God, and answer me. Restore my strength . . ." That man knew how I feel now! Verse five says I *will* sing, because you *will* rescue me, and I *will* sing because you *have* been good to me. Past and future. All right, I make a definite act of the will to praise you now, in the *present, WHATEVER!*

October 25: 'Can't believe this is really happening. Nothing helps. No pain or depression is as bad as this, I feel bereaved.'

Feeling battered and bewildered I came home from hospital to find a card a friend had sent. 'Will you trust me if I *never* tell you why?' (Helen Roseveare) were the words that were written inside. That night I wrote in Ebenezer, 'Yes, Lord, but I wish you would!'

The card still marks that place in the book, but no more pages are used in that particular tome, because I put it away at the back of a drawer, never wishing to be reminded of what to me had been the worst patch of my life.

I was sure I must have failed the Lord, but I also

felt he had failed me by not telling what I had done to offend him.

The memory of that experience needed to be healed and I should have done something about it long before this, but next day I began a new black book, and if it had not been for this project my 'Dracula' might have stayed in his tomb for ever.

When a fly walks across a huge canvas in an art gallery, it sees only tiny unexplainable details. The art critic standing at the far end of the room sees the picture as a whole. He can appreciate the wide sweep of the design and see the relationship between the figures and the landscape. When we are trapped in the confines of 'today', we often feel imprisoned by events or emotions. Reading back through our spiritual journals gives an overview of our whole lives that builds faith.

Last week, as I read all the diaries in chronological order, I could see for the first time what had preceded that 'buried' section and the eighteen months which followed it. I had been experiencing a very special blessing (as soon as I had stopped kicking and punching God like a two-year-old in a temper tantrum), and I had come closer to him than I could possibly have believed in my old 'Martha' days. 'Lord, . . . I am not concerned with great matters or with subjects too difficult for me. Instead, I am content and at peace. As a child lies quietly in its mother's arms, so my heart is quiet within me' (Psalm 131:1–2). That was how I had come to think about the Lord.

When God sends us some new blessing, perhaps he has to test it to see if it is real or just a 'high' (even a substitute for the world's drugs and alcohol). Does he want to know if we love him enough to mind when we have to cope without being close to him? Could that be the explanation for my 'dark night'? But as I went on reading the entries that came afterwards, the Lord pointed something else out very clearly to me.

I was about to begin a completely new life. God wanted me to use up my frustrated energy by writing, speaking and communicating by post with hundreds of other hurting people:

February 13: 'Feel completely taken over by the Lord. He just writes while I type the words. Never knew anything like this, it's effortless joy. I could never do this myself.'

October 23: 'Went to speak at ladies' lunch in . . . Never felt so strongly that the Lord was standing behind me doing all the talking. Saw the effects of his words on their faces. The wheelchair seemed to break down barriers of shyness. "Lord do bless the two who asked you into their lives afterwards and all the others who took booklets".'

In Bible days God often seemed to test his servants before he gave them some new job or responsibility. Was this my Jabbok? (Genesis 32).

Next time I hit a wilderness (horrid thought, but probably inevitable), I hope I will have the sense to see it in the context of my whole life, and either look back through past journals to find the cause, or look hopefully into the future, trusting that the Lord is preparing me for something new and exciting.

'Whatever would I feel like if anyone ever read this diary?' I remember thinking one day. If John

Wesley had known how many thousands of people would still be reading his journals two hundred years after he wrote them, would he have been able to keep a diary all his life? Perhaps he *did* expect them to be read, and that is why they are so maddeningly impersonal. (Why doesn't he say what he really felt about his wife?). When you commit your deepest feelings and highest aspirations to paper, you become extremely vulnerable. A definition of trust is to be able to leave your diary beside your bed and to know that your partner will never read it. But some people are not as lucky as I am. It could damage a relationship for ever if the other half discovered just how hard you have to keep on praying for the grace to love them.

Most of us who communicate with God on paper would be excommunicated if our vicar or elders were let loose among the pages of our diaries! The aspect of privacy is probably the most worrying thing about spiritual 'journalling'. Ten months ago I was desolated when I found I could no longer read what I was writing in my Ebenezer, my hands had become took weak to hold a pen properly. But a computer has now taken the place of my gold embossed book, and the great advantage of modern technology is that *no one* knows the code to my personal file.

What has amazed me most, while reading through these diaries all in one 'gulp', is the sheer patience of God. How can he 'put up' with hearing the same old subjects cropping up over and over again in each succeeding volume? How is it that he does not get bored with my regular confessions of the same old sins, the daily wrestle with a difficult relationship and my endless grizzling over deep rooted doubts and fears? Perhaps the thing I love most about him is his good 'forgettery'. My own 'forgettery' is much too good; that's why I need to record all the times he has forgiven me.

It must be apparent by now that Rhoda's baptism present has been an enormous value to me ever since. But if I had been able to look into that first Ebenezer and see all that the next eight years were going to contain, I would probably have jumped back into the swimming pool and stayed there for good. Yet I can also see in retrospect that God used that book, and its successors, to get me through all these traumas. The diaries do not feel like packets of faded Victorian love letters, tied up in pink ribbon and hidden in the drawer of an antique desk, but a two-way conversation with God, a relationship that to me was more tangible and real just because it was on paper.

God knew I was going to need visible, 'touchable' evidence of his daily involvement in everything that was to happen. I have spent hours just lying in hospital holding my Bible and my Ebenezer as if they had been the very hands of God. I know this real 'love relationship' will go on for eternity, but how lovely to think we won't need the limitations of a black book or a computer in heaven.

Chapter Two

JOURNEY OF A LIFETIME

by

ANNE LONG

The Rev Anne Long has been a teacher for most of her adult life. While on the staff at St John's College, Nottingham, where she taught pastoral counselling and spirituality, she became a deaconess with responsibility for women in training.

In 1985 she left St John's to join Bishop Morris Maddocks, Adviser to the Archbishops of Canterbury and York on the Church's Ministry of Healing, and is pioneering a project called Christian Listeners which offers training in church-based groups on listening to people and to God. Listeners then become available in their local community to doctors, social workers and clergy.

In 1987 Anne became a deacon and is linked with St Andrew's parish church, Stanstead Abbotts, in Hertfordshire.

'A journal makes me more aware of God's infinite care in the moulding and shaping of my life, the kind of care that makes me want to respond to him with my "Yes".'

Keeping a journal is one activity which actually improves with age. The thought suddenly struck me as I squatted by the glass-fronted bookcase, a gift from my parents for my 21st birthday, surveying the shelf of 55 diaries and journals. Not exactly literary masterpieces yet containing fragments of my life over the past 42 years, fragments scattered over many pages yet which help me begin to sense the movement, direction and shape of my life so far.

The earliest is a small, dark blue diary held together by a discreet navy elastic band. July 7 reads 'Got a horrid spot on my chin. One coming in my eye. Dismal day . . .' Bad news for a 13-year-old. I seemed to be preoccupied with food as well as my face that year (perhaps there was a connection): 'Sausage rolls for tea'; 'beans on toast—yum! yum!'; 'We cooked egg and chips'. Gradually there was a committing to paper of teenage secrets: 'John sat next to me'; 'John gave me two sweets'; John kept looking at me'; 'John spoke to me'. Thereafter, John seems to have faded out of the picture.

I graduated from little diaries to large, spiral-backed exercise books bulging not only with my reflections on life but also with collector's items—concert programmes, quotations from books I was reading, Bible texts from tear-off calendars, holiday postcards, a sketch, a poem, a few bars of music, letters I wanted to keep including, more recently, a Postman Pat letter from a six-year-old godson:

'Dear Anne, Thank you for the 50p. I am going to give it to the Poor. Love, N....'

I am not sure why I became a diarist and, later, a journal writer. Perhaps it was because, temperamentally, I was an observer of life rather than a front-line player. I often felt safer sharing with an exercise book than with people. A journal demands no poses and was helping me discover what was going on within—'a letter of introduction from the deeper self to the everyday self,' as George Simons puts it (*Keeping Your Personal Journal,* Paulist Press). Over the years it has certainly become an important log book of the journey.

Gradually it became instinctive for me to write about the big events in my life. There was my confirmation into the Church of England. Brought up in the Salvation Army with its extroverted, noisy worship, which I found hard, I came reluctantly to any other church commitment. For weeks I sat in the back pew of St Stephen's, East Twickenham, aware of a quality of worship and love I had not experienced before in Church.

The vicar, Martin Peppiatt, soon won my confidence and eventually prepared me for Confirmation on June 3, 1973. The evening before, I was aware of troubling panics and depression: 'How much fear there is still in me,' I wrote. 'How aware I am of feeling split—the professional, competent me and the fearful, depressed me . . .' And, though the day dawned sunny and peaceful, never was there a more reluctant bidder for the C of E. I was grateful for the card, clipped into my journal, which read 'My Father, I do not understand thee, but I trust thee'. Fresh commitment had stirred up dark depths within. How grateful I was for the ongoing love and prayers of Martin, Cynthia and John, the curate, who brought Christ's healing into the inner darkness.

Seven years later, Martin was present again when I was made a deaconess in the chapel of St John's College, Nottingham, where I was, by now, a tutor. To my surprise, at a service in Liverpool Cathedral, in 1980, I had had a clear sense that I was to become a deaconess. After selection, I went off with Bible and journal to Oxford for a retreat led by Mother Mary Clare. How sane she was in discussing prayer yet, I wrote, 'Her final blessing, given to me with the laying on of hands, felt a pretty fiery one as she prayed that my life would be a burnt offering to God!' The service itself was very joyful and 'David Sheppard's sermon on the ministry of women made me so glad to be a woman ministering in God's church today'.

Nursing my mother in her terminal illness turned me frequently to my journal. She came out of hospital in August 1982 with inoperable cancer. She had always wanted to die at home but I felt hard-pressed to be alongside her and resorted more and more to writing out in my journal the exhausting confusion of thoughts and feelings surrounding the events of each day. 'Lord, old age and disease and dying are so horrid—a running down process of decay. And, Father, I am sometimes all aggression and hardness, critical and lacking in compassion . . . I believe you have a right time for her departure in death . . . but sometimes I feel so on the edge of what I can endure . . .'

October 4—the date for the new academic year at St John's—came and went and Colin Buchanan, the principal, gave me leave of absence to stay with my mother. I felt resentful, fretful and anxious to be back in the college setting. One day I sensed God wanted to show me a fresh perspective on what was happening. I opened my journal and scribbled down the words that came: 'Go the little way, the way of humility. Do not seek recognition but seek service . . . Why are you fighting about going this way? I am making you a person of compassion and that is what you asked for . . . Trust me, stay with what I have given you. Look to the naked Christ. After the Cross comes a joyful resurrection.'

I saw more clearly again—for a few days, at least—but still was tossed by strong emotions within. There were moments of white hot anger at the indignity of dying and death, but also frightening panics as I tried to imagine life without her.

On October 13, Gillian, my sister, came and sat with mother while I went to the side chapel in the nearby parish church. It was dark and stormy outside. Suddenly 'a ray of bright sunshine slanted down on to the altar and, as I looked at the icon of the crucified Christ, I felt drawn to look through the cross to the resurrection . . . It is all one event in which there is continuity, not separation or division

—through crucifixion to resurrection . . .'

Restless yet energised I walked to the nearby golf course. 'Purple and pink fuschia, late rosebuds—yellow, red and white—acorns underfoot, birds singing and the smell of wet freshness . . . O Lord, she is coming, very soon.' She died at 8.45 pm.

'A long wait for the doctor who didn't come until 11.10 pm. It is dark outside and raining—like great tears dropping down. She looks small, simple, vulnerable . . . The undertakers came and took her out into the night . . . Rain, rain, let your drops and mine mingle. Let me feel this wet, cold, shiny darkness. She's gone . . .'

Next day I continued to write as though I couldn't stop—'It's a tiring kind of comfort to write. I fear lest I forget the details . . .' The days passed into weeks while the work of grieving continued. 'When I'm in touch with the pain within, it's a large hole with red nerve endings hanging like sensitive fronds around its outer edges'—and, as Margaret, a friend, held me, I felt her arms and the arms of God strongly surrounding the painful vacuum. 'Lord, my hole must await your filling. Help me not to fear the emptiness or put junk inside it. Help me to wait in naked trust till you come.'

The work of grieving went on and the shape of the pain gradually changed. I realise that I relate differently to bereaved people now I know what it's like from the inside.

As well as writing about the more intense or prolonged experiences, I found I also wanted to capture momentary ones. Reflection through writing often heightened the significance of the small, I discovered. I longed that I should not be among those who 'had the experience but missed the meaning'. Passing observations were scribbled on scraps of paper and later copied into the journal. Some were little parables:

'... A bird hovering, floating, resting on an air current. The current was invisible yet strong enough to support the bird.'

'Returning from Southend along the seafront, I saw an elderly woman wheeling her old brown mongrel along in a pram. He looked well pleased and she obviously loved him like a child. Thank you, Father, for little scenes of compassion.'

'... A rich Red Emperor butterfly sitting on a laundry basket full of snowy, white washing ...'

'The yellow plastic washing line hangs looped like a noose from the apple tree. You can use it either to pull in and restrict or to let out and expand into a circumscribed space of opportunity. Confining or expanding.'

'... A damp beautiful walk amongst a riot of azaleas and rhododendrons—and the Lord seemed to say, "The hand that made these is the hand that leads you".'

I was finding with my journal, as Thomas Gray once wrote, that 'one note set down on the spot is worth a whole cart load of later reminiscences'.

Between the big and the little things I also used my journal as a tool to help me work on aspects of daily life such as my job, my use of time, relationships, personal development, notes which I could then use as a basis for discussion with a friend or colleagues or in spiritual direction. In this way the journal became an open space in which to clarify things.

Once a year, during the eleven years I was on the staff of St John's, I took time to reflect on and evaluate different areas of my life and work—teaching and tutoring, counselling, special responsibilities, wider ministry, prayer and time for God, church involvement, family, friends, recreation, finance. The basic question I was asking myself—in the spirit of the parable of the talents (Matthew 25)—was 'What am I making out of what I have been given?' I remember the considerable impression made on me by Richard Foster's book, *Celebration of Discipline* (Hodder and Stoughton). I read: 'We do not need to be living on the horns of the dilemma of either human works or idleness. God has given us the disciplines of the spiritual life as a means of receiving this grace'.

I tried to make my periodic review on paper such a discipline of grace. It was through feedback from students, reflection and writing in my journal that I saw how improvements could be made in my teaching—changing a syllabus, introducing more filmed or taped material, role plays, buzz groups, case studies. By asking myself the question, 'What do I need in order to be a better teacher at present?' I could track down areas for ongoing learning in order to teach more effectively.

I aimed at one fresh piece of input each year—generally a training course. Four of us in the locality, all involved in teaching counselling, formed a group for mutual supervision and this also kept us in touch with recent developments in counselling and pastoral care. In time, the college staff formed triads for job review, mutual support and prayer and some of us found ourselves drawn together in fresh ways. But it was my journal that, most often, received the feeling responses to my work, and, as I sought, sometimes tearfully, to listen to God, so I would regain perspective.

On June 17, 1981, I was feeling generally sorry for myself—'I'm a bad fit at St John's. I'm not sociable, don't get to know people well, so often feel lonely and out of it . . . God, I didn't choose to be made like this . . . Why did you put me here? I'm complaining to you. I feel wry . . .'

Seeing the words in front of me made me realise I was brim-full of self pity. I needed to repent of my wryness and change course. Gradually light dawned, not only in the work situation but also on my own reactions. 'God, *you* know my pains—you made me, named me, you lead me . . . I give you myself for re-forming, re-moulding . . . you can remake me so that I work as a teacher in *your* way. . . . All I ask is that you shape me as you choose for the work you have chosen me for.' I began to realise that God was faithfully using every part of my context—teaching, students, colleagues and the disagreeable bits—to mould me into the person he wanted.

I also used the journal to work on areas of relationship which felt stuck or needing development. At a journal workshop in May 1981, we were invited to think of a person with whom we would like to 'dialogue' on paper. I knew I wanted a closer relationship with my father as he grew older. At first it seemed strange to write down what I would like to say to him and what he might say back. In turn I got defensive, heated, angry and tearful as my pen raced over the paper. Then I began to see things from his viewpoint and realised more and more clearly the discrepancies in our perspectives. 'Dad, thank you for helping me see I could have gone about it differently . . . Let's close the gap more now. . . . Thank you for your friendliness and courtesy; thank you for your simplicity; thank you for all you've given me—educational opportunities, presents (how I loved that red corduroy jacket you gave me one Christmas) . . . I'd like the last stage of our earthly relationship to be more open, warm, compassionate. . . . I'm glad you're my Dad, despite some of the things I've said. . . . Thanks for your love. I love you too and would like to express it better. Abba, free me to love Dad more and more before he dies.'

Obviously, such entries could be fanciful and unrealistic if we were unprepared for the hard work of change that is needed after insight has been given. Even as I read that journal entry of seven years ago, I am aware of the healing that God has effected between us, often in very practical ways. Resents and hurts from our childhood can so often accompany us into our adult family relationships only to infect, spoil, distance and frustrate us. One of my greatest joys now is that my 86-year-old father is also my close friend.

Those of us who are inhibited in expressing our feelings have plenty of opportunity in a journal to discover, identify, own and practise them. Morton Kelsey wrote, 'I make a point to write about my angers and fears and hurts, depressions and disappointments and anxieties, my joys and thanksgivings. . . . In short I set down the feelings and events that have mattered to me, high moments and low . . . The journal is like a little island of solid rock on which we can stand and see the waves and storms for what they really are, and realise how hard it is to be objective when one is tossed by them.' (*The Other Side of Silence,* Paulist Press)

I used to see myself as a very meek and mild person who never got angry. The trouble was, I was so frightened of anger—my own and other people's—that I went to considerable lengths to deny and repress it in myself and placate other people who got angry. I was unaware that the depression I was experiencing with increasing frequency was, at least in part, frozen anger.

I remember underlining with feeling part of Henri Nouwen's *The Genesee Diary* (Image Books) where he recorded his discussion about his own anger with the Superior of the Monastery: 'I realise that my anger created restlessness, brooding, inner disputes, and made prayer nearly impossible. But the most disturbing anger was the anger at myself for not responding properly, for not knowing how to express my disagreement. . . . In summary: passive aggressive behaviour.'

Their discussion, which Nouwen noted down, excited me as I began to see new possibilities for owning my own anger and learning what to do with it rather than pretend it didn't exist. I was worried that, once owned, it would erupt irresponsibly. Martin Luther may have found that to rage against his enemies helped him to pray better, but I wasn't prepared for the risks. I did discover, however, that a journal is a safe place for anger and, as I read my notes, I could open them to God. That, at least, was a beginning in owning a part of me that felt alien and frightening.

Marion and Mary, two counsellors, helped me discover why feeling angry caused me to withdraw from relationships—and the frustrating consequences of this, both for others and for myself. I began to discover, in becoming more open to my feelings, that I was not as meek and mild as I had imagined.

Anger is energy. It is sometimes inappropriate and sometimes appropriate; sometimes selfish and sometimes loving; sometimes underlaid by malice which calls for repentance, and sometimes by fear which calls for healing. With God's help, I was discovering, it can be owned and channelled to become a constructive part of my humanity.

Recently I was thinking about a fine book, *The Christian Mind.* I reflected on the infinite trouble God goes to in order to convert us ever more deeply into the likeness of Christ—not simply our minds but every other part of our humanity also. My first full journal, written in 1961 in my late twenties, shows a very cerebral approach to Christian experience. I copied out Bible verses by the dozen, sermon outlines and notes, Bible commentaries and missionary biographies. As I read it now, it sounds sincere but extremely pietistic. 'Absolute, single-minded allegiance to God is called for. How easily the moths of the world—materialism, the flesh, possessions—nibble away at the corners . . .'

Ten years later, I was beginning to write not just from the mind (important as that is) but also from other parts of me. Spirituality is about a process of personal change rather than a body of knowledge.

Prayer is about keeping company with God—a personal relationship—and in such a relationship it is my whole life—body, mind and spirit—that needs to become reorientated and converted. I began to see that the longest journey we have to make truly is from the head to the heart.

My journal for 1976 reminds me of the questions I was asking about my body as well as my mind. Forty-three years old and still unmarried felt ominous. Was I going to stay single for ever?

'Lord, this is a confusing area. I've grown into more of my womanhood and affirmation of this feels so important to my whole being. Dealings with "X" last week seemed to bring me alive. I suspect the answer is something to do with love not *depending* on the body—that where bodily loving is possible, then it is a beautiful vehicle of expression, but where it is not possible, there need not be a denial of loving. Theoretically, I can affirm this but my live body has questions, doubts, desires . . . To feel vibrant as a woman is exciting and the natural cry is for a man and bodily closeness. I don't want to retreat into the ivory tower of my mind but to live in every part without denial.

'Perhaps the key is in Romans 12:1, "Offer your bodies as a living sacrifice to God . . ." A "living sacrifice" speaks of what is vibrant deliberately offered to God . . .'

The struggle went on, and still does, but I knew that God was at work taking the truths I knew at head level down to my heart. This process, which felt to be one of stretching and deepening, continued in 1977 during a sabbatical leave from St

John's College. For five weeks I visited past students, churches and conferences in New York, Connecticut, Chicago, Virginia, New Jersey, Washington, Cape Cod and Massachusetts. As I preached and taught, listened and counselled, I found myself being stretched to the limits of my resources, and beyond.

By the time I returned to England I felt dried up and parched with nothing more to give. I had certainly seen God at work in many people and situations yet most of the time had been painfully aware of inner dryness. Rather than 'out of your inmost being shall flow rivers of living water', I felt the well-springs within were no more than a feeble dribble. Had it been a stupid mistake, then, to arrange that, for the next five weeks, I would stay with a contemplative order of Anglican nuns who prayed together in chapel seven times a day, quite apart from private prayer? I knew little about them, panicked and was tempted to look for a desert island instead! A close friend, Meg, had entered an Anglican convent four years before. Surely God wouldn't call me to do the same thing?

I got myself there on June 27, unpacked, blanched when I saw the daily timetable and felt better after I had turned it face down on the desk. At the end of the day I wrote, 'My first day has been less daunting than I imagined. The Sister-in-charge told me to "feel free". Lord, may I be free to receive and learn all you have for me.' My first night was less promising: 'I dreamt that my Mini crashed and was useless. I tried to tell a woman but she was in a hurry.'

By the fourth day, however, I was beginning to make sense of the routine and reflecting on a sentence that kept coming into my mind: 'The Cross is going to fill your heart and extend it'. It was as though the American experience had stretched me horizontally to meet, receive and give space to many people. Now, in an environment where prayer was central, was God going to stretch me vertically to make me go down deeper into him?

That was what I longed for but the process was hard. 'I long for you, dearest Lord, to occupy my heart, the deepest place of my being, so that it might become your palace and my fulfilment.' But first there needed to be a cleaning out so that there could be fresh space at the centre for Christ. 'In prayer we are hollowed out to become more *capax Dei*,' wrote Maria Boulding. The hollowing out was painful as each area of my life came into God's light for examination. I remember the day I hurled my bunch of keys across the room and shouted out angrily, 'Take them then—my possessions, my independence, take the whole lot, God . . . as long as I can have you!'

The inner stripping continued. I weeded the rosebed furiously, energetically lopped branches off an overgrown bay tree, ruined a batch of home-made shortbread and went for moody walks wearing an injured expression. Around me the long-suffering sisters continued to accept, love and support me. Even the gift of tongues—a prayer gift I valued—seemed to fade away and, gradually, using any words in prayer seemed quite pointless.

Then came a week when a great quietness seemed to descend upon the storm—no joyful feelings but a sense of being almost suspended in space. 'It is only in the light of God we can know self and only in the emptiness of self that we can know God,' I wrote in my journal. They were not my words—I had come to a standstill verbally—but part of a printed talk by Father Gilbert Shaw. 'It is in the impotence and emptiness of self that we come to know the grace and presence of the Lord'. I commented, 'I feel sick, longing to go to bed, desiring to drop into the earth, die, be burnt up. . . . As I lay down the thought came to me . . . rest in your emptiness, rest in your nakedness.'

During my last week there, prayer became a new experience of sitting empty yet expectant in the presence of God. It was a new kind of praying to do with simple and wordless availability, listening, gazing, meeting. It felt like the pearl of great price. At Holy Communion, on my last morning there, as I reached out empty hands to receive bread and wine, I heard in my heart the words, 'My home is in you and your home is in me'.

Christ had, once more, been faithful in his ever-deepening conversion of me. I recalled the question often asked of me in childhood by my fervently evangelising grandmother, 'Have you asked Jesus into your heart?' Not only had I cowered back from the question but had also been mystified and anxious as to how he actually got in. But now things were gradually making sense. The Cross was beginning to extend my heart and my retreat had, in God's hands, been for fresh advance. I returned to St John's but with a new, painful question forming within me—was God leading me towards the monastic community for a life of prayer? Yet, at a recent college inspection, it had been suggested that I should become the 'point of reference' person for the development of women's training in the college. When it became clear that my question would not go away, Colin Buchanan suggested that, as part of the testing, I should go and spend some time working in a parish.

On Sunday, January 27, 1980, I arrived in Netherley, Liverpool, in a pall of thick, grey fog. As I began to walk the streets and get to know the parish of Christ Church—its ugly tower block flats running with damp, its lack of community facilities, graffiti, broken glass, vandalised trees and warm-hearted people—so I made new friends.

'I visited Lily and Clare, drank tea and peach wine, listened till my ears dropped off and prayed, hand in hand, with them.' There was Rita, a young, single parent. My visit to her for ham and potatoes was the first time she had ever had someone in for a meal. She turned a small bedroom cupboard into a prayer space where she could meet God undisturbed. There was Jean, who shivered and shook with fear the first time she prayed aloud, and Clarry, the vicar, 'clear-eyed in his leadership yet also a pastor who weeps for his flock'. The cards and notes stuffed into my journal are a warm reminder of my time there. David, aged 13, wrote when I left, 'I miss you a lot—it semes like one of the family has gone away.'

During my time there, I began to discover in new ways that the kingdom of God is about the outer as well as the inner, battling as well as resting, activity as well as stillness. I thought I had sorted out my beliefs through the academic study of theology and seven years of teaching in a theological college. But in Liverpool I discovered what 'doing' theology is about. What did one do when unchurched people from the flats appeared on the doorstep, white and shaking, asking us to 'come and clear the ghosts out'? That had not been part of my pastoral care syllabus at St John's. How did one set about counselling someone who had been a witch in a local coven? That had not been part of my pastoral counselling syllabus either. And, in it all, there was still the inner question waiting to be answered, 'Lord, where am I meant to be?'

I now think that the 'where' question is far less important than the 'what' question. 'What am I meant to be?' Of course God wants us to be in places and contexts where we can contribute, serve, minister and find fulfilment. But in our service, God's deepest will is that, individually and together, we become Christ-like.

For me, the Liverpool experience made me face up to some hard questions—about wealth and poverty, equality and inequality, justice and injustice. 'Just as we try on the journey inward to increase our knowledge and understanding of Christ's suffering, so on the outward journey we become aware that he is beckoning us to join him in compassion and to stay present with his enduring love where the hurt is keenest.' (David Sheppard and Derek Worlock, *Better Together*, Hodder and Stoughton).

My 1980 journal reminds me of the extent to which I wrestled with the question about my future. I copied out, 'I do not know what he is doing or what I am being turned into by his work; I only know that whatever he is doing is best and most perfect, and I accept each blow of the chisel . . . although to speak the truth every blow makes me feel that I am being ruined, defaced and destroyed. But I leave all this to him and content myself with the present moment . . . I accept this skilful master's treatment of me without knowing or troubling myself about it.' (Jean-Pierre de Caussade, *Self-Abandonment to Divine Providence,* Fontana).

On June 7 I wrote, 'I now believe it is right to return to St John's and become a deaconess. This came to me at the centenary service in Liverpool Cathedral as the choir sang 'Greater love hath no man' from John chapter 15. As I went forward for Holy Communion I said my "yes". I don't *feel* enthusiastic about it yet, but I pray that I may know a growing conviction if this is indeed God's way for me.'

When the Bishop of Southwell commissioned me as deaconess on November 19, he included in the declaration an extra question we had discussed and worked out together—'Within and beyond the office and work of a deaconess, do you believe yourself to be called to a special ministry of prayer, now in this college and in the days ahead, and will you seek to fulfil this vocation in the strength of God?'

It was not easy to find and maintain a new weekly rhythm so that prayer could take its proper place. I often fell asleep while praying and sometimes resented what felt like a hidden and unspectacular ministry. Gradually I had to learn, as Bishop Morris Maddocks, with whom I now work, said, that 'we must prepare a new timetable if we are to meet with God'. Yet I sensed, too, that God was in it all.

Looking at the journals of my adult years, I am aware of how much anxiety, pain and negativity there was and still is. I seem to be someone who instinctively struggles rather than rests, agonises rather than accepts. The depression which dogged me for years still recurs, though less frequently, and I go on seeking healing and change in those areas which can still feel unyielding.

I used to call myself a 'Good Friday person' —I found myself identifying far more with Christ's sufferings than with his resurrection. I firmly believed that Christ rose from the dead yet, even after an experience of personal renewal, could still feel something of a stranger to the resurrection. In February 1983—a month when the darkness often descended painfully—I wrote 'Maybe my depression will be healed and maybe it won't. But it can still be made useable. Resurrection can have the last word in the effects of pain even if not in the removal of it.'

I was greatly helped by a sermon of Rowan Williams. 'There will be for many no resolution into painlessness, into a "health" in which scars and injuries will vanish . . . the wholeness of holiness is not that. But there is another kind—a wholeness of identification with the world's needs, a wholeness of compassion, knowing one's own incompleteness in a way that reaches out to the incompleteness of others . . . poor yet making many rich.

'How can this be? . . . Through Jesus. Because of his dereliction Jesus gives himself in complete poverty of spirit and abandonment to his Father, to be given to the whole creation . . . our poverty and frustration have been met and "held" and turned to compassionate understanding in a human association struggling to live by mutual gift.'

I warm to the word 'compassion' because it speaks of a love that embraces suffering rather than ignores it.

I have had glimpses of resurrection—in corporate worship, or in a joyous moment of meeting with another person, or in the countryside. But, as yet, they are glimpses only.

At a recent Ignatian retreat at St Beuno's, on the day I was meditating on the Resurrection, I went very early in the morning up the hill behind the monastery. 'I found a sheltered nook on the grass and sat on my plastic bag. As the sun rose, its strong rays pierced the dark storm clouds and illuminated the fields, first bright then dark as though a powerful torch was being shone backwards and forwards from above. The light is strong even behind the clouds and the darkness is not overcoming it. A flock of black birds rose up from the trees and flew away. He is coming! And I prostrated myself in the wet grass. My Lord and my God!'

As I note the dates of journal entries, so I note also the gaps between entries—times when life jogs on with no particular high or low points. These seem to be the times for simply getting on with the business of daily living. Much of my ongoing prayer feels very basic and ordinary with not much to write about. It is when I bump into difficulty or pain, or experience particular joys and blessings that I want to reflect on these in greater detail on paper and listen for what God has to say. And it is as I read some of these entries that I find myself more thankful for what has been and, hopefully, a little more trustful for what will be.

★ ★ ★ ★

As we live our daily lives, each of us is making a story unlike anyone else's. Recording it gives us the chance to remember, consider, recapture the various chapters of the story. If Sophocles was right when he said 'The unreflected life is not worth living', then we need varied means of making such reflection possible. When Augustine wrote his Confessions he began a new literary form in combining into one story his outer and his inner experiences. It is the interplay between the outer and the inner and our perceptions of this that comprise our unique story. Through journalling we can begin to see the parts in relation to the whole and thereby gain perspective on our lives.

'Doesn't a journal make you unhealthily introspective?' some may ask. It could do and maybe is an unhelpful activity for some. But it is very probable that for every individual who pays too much attention to the inner life, there are ten who do not do it enough. Some may, however, find that other activities or sharing with another person serves a similar purpose.

'I haven't time for all I have to do, never mind writing about it', may be another objection. I remember hearing Mother Frances Dominica of Helen House, the children's hospice in Oxford, say 'Time is about depth not length, quality not quantity'. A journal does not demand daily entries even if some choose to use it in this way. Rather, it gives the opportunity to pause and move down rather than out, to discover, clarify, see new aspects, explore fresh possibilities. If our life experience is indeed one of our richest resources, then we all need some means of focusing it. I have discovered a fresh sense of personal history through re-reading my journals recently and am very grateful I did not throw them out years ago.

It is important that, individually and corporately, we look back and see the shape of our lives in the context of God's providence and leadings. There are anniversaries (conversion, confirmation, wedding, births, deaths), special occasions (holidays, special services or conferences, retreats, crises), relationships (with family and friends), quotations from books we are reading, poems, hymns, gems shared by another person. It is important to date all our entries, however brief, so that, in looking back, we can identify particular points in time. As we journey on, making our own story, we become increasingly aware of God as our Guide, Jesus our Way and the Spirit our Teacher.

As our own life story develops, so we shall see the great biblical themes being re-enacted in our own lives—my creation, my pilgrimage, my experiences of wilderness, temptation, deliverance, transfiguration, suffering, death, resurrection, pentecost. Recording these events can help me discover and recognise my whereabouts on the journey.

Henri Nouwen wrote in *The Genesee Diary*, 'I think that nothing is accidental but that God moulded me through the events of my life and that I am called to recognise his moulding hand and praise him. . . . I wonder if I have listened carefully enough to the God . . . of my history, and have recognised him when he called me by name, broke the bread, or asked me to cast out my nets after a fruitless day?'

Awareness of God's hand upon me encourages me to remember his faithfulness, especially at those times when the going is hard and we are tempted to think he has left us.

Reflection and writing can be a helpful way of focusing what is going on within, then working it out. As I reflect on an event, relationship, conversation, or emotional reaction, and write about it, so I can come to fresh insight and understanding of myself. And this, in turn, can help me change the ways I live my daily life.

Some find it helpful to open their day to God last thing at night, sometimes using their journal:

1. Ask for God's light on the past day, that the Holy Spirit will show you what he wants you to see.
2. Review the day and see where you need to give God thanks (whether you feel thankful or not).
3. Ask God to show you how he has been present in your life in the past 24 hours. How have you responded to his leadings? Think of your moods and see what stands out—love, joy, patience, pain, anger, anxiety, etc. Is there an area God is speaking into?
4. Ask God to show you where you have sinned and ask, too, for an increased sensitivity to sin.
5. Ask God about your needs for tomorrow.

Henri Nouwen frequently used his Genesee Diary as a means for self reflection before God. It is a good example of how self examination can be creative without turning into self-centred introspection.

'But isn't it better to forget what's past and not keep turning it over?' some may ask. Endless introspection is both selfish and fruitless. Yet some patterns which block, bind and spoil us cannot change until their roots are dealt with.

The alternative to personal growth and change is to pull down the blinds on ourselves and repeat our well-worn patterns, often to the hurt of others as well as ourselves.

As we learn to listen to and get to know ourselves, so we become more, not less, available to others. Shared experience increases our empathy. Some journals I return to often, like old friends. Henri Nouwen's is a favourite. I identify with many of the things he writes about—learning to trust more, vulnerability, flexibility, openness. Thomas Merton's is another. His journal, *The Sign of Jonas* (Sheldon Press) encourages me forward, with entries ranging from the funny and earthy to the serious and sublime. I was also enriched by reading Janet Baker's journal of her last year as an opera singer *Full Circle* (Julia MacRae). Not only is it a portrait of disciplined dedication but also a personal sharing of treasures which increase thankfulness in the reader. 'I . . . have my small number of priceless friends who, in my direst moments, hold out their hands to me in love. I . . . believe that the quality of friendship which it is my privilege to enjoy is perhaps the most beautiful relationship human beings can know.'

Bishop John Robinson kept a journal whilst in hospital, terminally ill. Much of it was spoken into a tape recorder during the night—the thoughts and impressions of a man who, in his dying, was 'simply trying to live life better to the full'. Gerard Hughes' *In Search of a Way* (Darton Longman Todd) describes his ten weeks' walk to Rome, but also the inner journey that went on at the same time. It had me laughing, groaning, thinking, questioning—and wanting more of God.

In sharing from my own journals, I am aware of many omissions—events, people and influences that have played a major part in my life so far—but also of the chief reason for keeping one. A journal is not an end in itself but simply, for me, a means to an end, to make me more aware of God's infinite care in the moulding and shaping of my life, the kind of care that makes me want to respond to him with my 'Yes'.

Chapter Three

A SPRINGBOARD TO THANKSGIVING

by

SISTER MARGARET MAGDALEN
CSMV

Sister Margaret Magdalen a former Baptist missionary in Zaire and a lecturer in a College of Education near London responded in middle life to the call to become an Anglican nun.

She served for a time on the staff of St Aldate's Church, Oxford, where Michael Green, as Rector, found her 'a woman of deep spiritual insight and profound experience in prayer'.

Her most recent book is *A Spiritual Check-up*.

'I record some of the unexpected ways and places in which I have found God—and also the situations in which I have not yet been able to find him.'

It was while I was a student at missionary training college that I first began to keep a spiritual journal. I was destined for Zaire, and as the date of departure approached, a friend challenged me on my habit. 'What is it for?' he asked. 'What is the point of it all?' I pondered for a moment before answering. 'I suppose I am stocking the larder before entering the desert,' I said. His reply was very chastening. 'It won't do, you know. It is no good relying upon reservoirs. Only the living water will do.'

How true. I have never forgotten the challenge of his words. Yet, as I look back, I realise that the *instinct* to keep a journal was right. I was unwittingly into something very worthwhile that was going to prove important over the years in my spiritual pilgrimage. For, despite his admonition, during my time as missionary and since, I have continued to keep notes of books I have read, significant quotations, particularly helpful thoughts from a sermon or conversation, stories and wise sayings and insights that have come in prayer and reflection. I have written not so much *about* my experiences as what they were teaching me, and in my darkest moments, I have sometimes written out my pain. I have also jotted down what I have learned, if anything, from the non-experiences—things that were meant to happen and didn't, the things that happened very differently from what had been anticipated, leaving perhaps a great sense of disappointment.

Some time later on, I began to record dreams: not every dream but the more coherent and vivid ones. People tease me about the frequence of these. But, without any doubt, dreams are far more than a mere scrambling of past events and future fears. We need to listen to them, for they are one of God's languages; vehicles of truth far too significant to be washed away in the flood of daily busy-ness. Yet once we are caught up in the day-to-day round, we tend to forget our dreams but not always to shake off the mood of them. We may carry a heaviness or anxiety into the day that we cannot explain. Sometimes we leap up in a rush and they are forgotten even before we have finished dressing. But, we ignore our dreams to our peril. They are an important source of spiritual and psychic energy.

As I look back through my dream log, I am reminded that it was through a dream that I first came to see, in a very vivid way, the truth that heaven is community and hell is isolation; that as a result of sharing with them a dream my parents consented to my being baptised at an earlier age than they had judged wise. It was in a dream (at the time when nothing could have been further from my mind) that I first saw myself wearing the habit of my Community and God began to prepare me for the radical change he was planning for my life.

In my log I recorded a dream in which I saw a place in Zaire—quite a while before I actually left England. The place is described in detail, and in colour. It turned out to be a 'preview' of the mission station where I spent my last two years in that country. Twice I have come to know of the death of a friend through a dream before the letter or 'phone call reached me giving me the news.

So the list could go on, but it includes dreams in which God has revealed to me things I couldn't face in my waking moments—fears, resentments, jealousies, desires . . . but particularly fears. Since the dreams are recorded, I can continue to ponder them, and they to yield truth at ever deeper levels. Even if it is the only kind of journal you keep, I do recommend a 'dream log'. It will mean keeping a notebook by the bed to jot down dreams as soon as you wake up. It is a discipline which need take only a few minutes of writing but will yield a harvest in terms of insight.

Then came a further development in my journal. As I went deeper into prayer, I discovered that for most of my life I had been quite unwittingly sitting on a vast underground store of anger—chiefly directed towards my mother. At the point when I came to realise that this store existed, its inner walls were already crumbling like the Chernobyl reactor, and anger was seeping out all over the place. I could no longer contain or control it and innocent people were getting hurt.

We have probably all been reassured that it is not necessarily sinful to be angry; indeed, anger is necessary to our defence mechanisms. But, how we express that anger may involve sin, especially if we storm around, splurging out uncontrollably on all sides leaving a trail of hurt feelings behind us.

Anger, we are told, is all right if it has an appropriate cause, is in proportion, and appropriately expressed. In the heat of the moment, when our 'reactor' has gone off, we are not in a fit state to look calmly and rationally at the appropriate ways of *expressing* our anger. We simply explode.

My journal became important for me at this stage. I began to write letters to my mother (who had been dead for many years), 'dialoguing' with her on paper about the root causes of my anger which went back to pre-birth existence, and to the fact that it had been necessary to leave me at nine months old, and for all the earlier years of my life, in a home for missionaries' children while she and my father joined C T Studd in the Belgian Congo for pioneer missionary work.

Dialoguing with someone who is dead may sound foolish, but I can vouch that it was, in fact, very healing for me. It got a load of anger out of my system without hurting anyone; it enabled me actually to articulate what for so long had been deeply repressed, and it released valuable energy for the business of living. It was also true *dialogue.* I began to get insights into my mother's problems and pain, to see things from her angle and to hear her side of the story. I could also own how unreasonable it was to project all the anger on to her when that early separation had been a joint decision with my father.

Up to this time, my journal had been rather like a patchwork quilt. I kept separate notebooks for quotations, but another file—rather like a commonplace book—contained a mixture of thoughts, reflections, experiences. It included news clippings and picture postcards of holiday spots which, because of a deep awareness of God's presence there, had become 'holy places'. There were photos of people for whom I had promised to pray; the special children in my life at various stages in their growth; a first autumn leaf (pressed), a drawing, a test. It was a spiritual anthology as well as a journal, a gathering up of the fragments of life that nothing be lost.

It was, however, when I attended a journal workshop that I began to see that, in a rather uncoordinated way, I had been groping after something which could be a tremendous source of spiritual energy. That is why I claim that, despite the reservations my friend had in those early days, the instinct to keep the journal was right. I had obeyed an inner prompting but had been without specific direction. My journal needed shape in order to become an effective tool. The workshop provided a helpful structure which gave the whole thing new impetus and opened a door into wonder and joy.

'Which of us has the time to do all this writing?' you may be wondering. 'Surely we should be living fully in the present, not dwelling upon the past trying to capture it on paper.' That is absolutely right, of course. We should be mindful of what Pierre de Caussade called the 'sacrament of the present moment'. But even so, we don't actually leave the past behind. We take it forward with us into the present and very often the present is shaped and coloured by the past. We all have a 'brought forward' column in our lives. What we 'bring forward' is not, however, always a forgiven past, not always helpful or healed or fully explored, so that a potential source of energy may be blocked or untapped.

The essence of keeping a spiritual journal is the retrieval of, and reflection upon, events of everyday life. It is a chance to maximise on all our experiences, for, as Dag Hammarskjold has said, 'we cannot afford to forget any experience, even the most painful'. Even though it is not always congenial or painless, it is *necessary* to own our unhealed memories. 'For there is no healing of the memory until the memory itself is exposed, and exposed as a wound, a loss. Yet, this must equally happen without this reappearing as a threat . . . the word of forgiveness is not audible to the one who has not "turned" to his or her past; and the degree to which an unreal or neutralised memory has come to dominate, is the degree to which forgiveness is difficult.' (Rowan Williams, *Resurrection,* DLT)

For spiritual health, we need at times quite consciously before God to 'take the lid off' our 'depths' and with the Psalmist to say, 'Out of the depths have I cried to you, O Lord'—out of the depths of all the murk that my family and friends do not see but which is, nevertheless, lurking not too far below the surface; out of the depths of my fear, my hidden anger, my imaginings and ego-building dreams; out of my self-deception, my rejection of others, my injury to them, my diminishing of self and others . . . out of all this I cry for a transformation of my past that my memory may be returned to me healed.

It is strange how, when we are physically

wounded, we will take every possible step to find healing. We are prepared to spend time sitting in the doctor's surgery or taking our turn in the long queue at the casualty department of the local hospital. However inconvenient, we will go immediately to the chemist for a prescription . . . possibly with another long wait. We know that unless we get treatment, we shall not be able to function properly in our temporary state of handicap. And in our brokenness we will submit to X-rays, plasters, pinning, etc. Yet, how many of us are willing to take time out to give God a chance to deal with those other wounds that are debilitating to our spiritual health . . . and to our physical, emotional and mental health too for, psychosomatic beings that we are, our unhealed memories affect the whole self.

A spiritual journal is not the only way to recover memories, but it is *one* way and a very effective one too. It gives God the opportunity to release us from bondage to past pain and unforgiven sin. It is all too easy to reflect back on past wounds only to 'lick' them, keep them open and hurting, ultimately to fester. Through a journal we may recollect our personal history, but, as Rowan Williams goes on to say, we come to see 'more and more clearly how it is rooted and surrounded by a more comprehensive mystery—the eternal Truth to whom all things are present. There is a self to remember, to be aware of, because there is an eternal awareness of all events; and to remember a sinful past before God is to apprehend that everlasting awareness as patient, gracious, accepting and transforming.'

To bring our deliberately banished memories back from exile and out into the open is to discover how different are God's perspectives and values from our own. It is to recover a sense of proportion and a basis for hope. It is to see the unfolding of a story, that is *my* story, which in God's hands is at once a process of transfiguration. To quote Rowan Williams again, 'If the whole self is the concern and theatre of God's saving work, then the past of the self must be included in the scope of this work . . . The self *is*—one might say—what the past is doing now, it is the process in which a particular set of "given" events and processes and options crystallises now in a new set of particular options, responses and determinations, providing a resource of given pastness out of which the next decision and action can flow. It is continuity; and so it is necessarily memory —continuity seen as the shape of a unique story, *my* story, which I now own and acknowledge as mine.'

It may be that the best way to co-operate with God in this is by keeping a daily log—at the end of each day to spend a short while mulling over its events and our reactions to them: the people we have met; the choices we have made; the decisions we have left unmade; the things we have said . . . were they true, were they kind, were they necessary? Have we encouraged others or inflicted our moods and moans on them? Have we been encouraged? Have we actually allowed God into our day to govern it?

For some, a daily log would be unrealistic. It would simply be an additional burden rather than a gateway to freedom. For them, a weekly log may be more sensible—reflecting back over all the events and encounters of the past week. Or, it may even be that a monthly log would be more appropriate, asking the Holy Spirit to bring to remembrance those things which he wants us to recall. Inevitably we shall have to be more selective when reflecting back over a month at a time, but God can over-rule our selection.

None of this is for an unhealthy stirring of the murky pot. It is a far cry from morbid fancies or imaginary back-slidings. It is all in the interests of growth and freedom in God, for the intention is not to focus on ourselves but on what *God* is doing in us, through others, through his creation, through history and all the circumstances of our lives. Not I but God in me.

Nor are the reflections going to be simply upon the wounds and failures. One of God's greatest gifts to us *is* the memory, which, we are assured, stores *everything*—all the experiences we have from conception onwards. When we say that we do not remember something, what we mean is that we lack the power of recall. But, we can train ourselves to recall the past as we carve out time to look back, reflect and re-live an event. We reach the point where we can select memories at will. Some memories of course pop back into the mind unbidden, some are gently evoked by a piece of music, a film, a scene or a conversation. Some may come more like a flood, bringing with them joy or pain, fear or shame according to the original experience. It is important to be open to this kind of memory, to attend to it and see what the Holy Spirit may be saying through it. When memories return frequently to gnaw and niggle, it is a sure clue that they are crying out for healing.

With a spiritual journal, however, we can *choose*

the memory we are going to recall. We go to our memory bank and make a deliberate selection just as we might go to a wardrobe and choose a particular garment. Each memory also holds a promise. In it an experience is re-activated and can be deepened. Through this choice of memory, we can recover the joy or peace of any past moment and be re-energised by it in the present. None of us is able to exhaust the potential within an experience at the time of its happening. We need to go back over it to see what we missed the first time round, and enjoy it more fully—hence the current popularity of making videos of holidays, weddings, graduations, consecrations and other high moments of life. At leisure, and at will, such experiences can be re-claimed.

Most of us live life at too superficial a level because we live it too quickly. This superficiality is the blight of our age. We dash through life as though on an express train, unable to enjoy the views and images that flash by because of the sheer speed at which we are travelling. But, if we could go back over the journey and replay it in slow motion, we would be able to savour the beauties we had missed, see the challenges we ignored, hear the sounds which never had the chance to impinge upon our consciousness, recognise the places where we switched tracks or took a wrong turn, enjoy to the full the riches we barely noticed.

We need this opportunity to pause, reflect, recall and savour to the full, and to tap the further energy hidden within an experience, not only to live life abundantly now, but to provide vital fuel for the journey that still lies ahead. The knowledge that God has been at work so actively throughout our lives gives us a confidence without which we might be paralysed in the face of the unknown future.

Journalling has to do with recording, and enjoying to the full, life's *journey*. It is *not* an introspective exercise for those who have the time and taste for writing. We often hear the expression 'life is too short' . . . for this or that. But we make it too short by travelling through it like tourists on a whistle-stop tour, satisfied with mere glimpses, instead of pilgrims lingering reverently before the holy places of life.

It is not only for our own benefit and well being, however, that we need to recover memories. They certainly constitute a richer way of life that leads to a deepening in reality for *us* as individuals. But they are also a gift to others, for they are an essential part of us and we, too, are a gift. We live in the exchange of our stories, our memories. As Rowan Williams expresses it in *Resurrection:* 'My particular past is there, in the Church, as a resource for my relations with my brothers and sisters—not to be poured out repeatedly and promiscuously, but as a hinterland of vision and truth and acceptance, out of which I can begin to love in honesty. My charism, the gift given me to give to the community, is my *self,* ultimately; my story given back, to give me a place in the net of exchange, the web of gifts which is Christ's Church. "The learning of one's own self as gift comes by" allowing it to be returned—whatever the initial pain or shame—by the risen Christ.'

We so desperately need to learn from our memories as individuals and as nations. History repeats itself because often we have failed to learn from our national memories. If we are honest, we would all acknowledge that one of the reasons why, perhaps unconsciously, we blot out some of them is because we are reluctant to face the lessons they are pointing up. Yet, every athlete, these days, watches himself or herself on film—maybe studying a particular race or training session over and over again to see where style can be polished, movement become more streamlined, tactical errors can be avoided and performance improved. There is a necessary self-criticism in the exercise, a necessary acknowledgement of what was good. If the athlete is heading for the Olympics he cannot afford to be falsely modest or falsely confident. He must want to know the truth, be teachable and keen to learn from experience.

Sometimes when things have not gone well, we say 'All right, we'll chalk it up to experience.' But we don't chalk it up, or write it out or jot it down, and it lies dormant in the memory bank waiting to be utilised. As spiritual athletes we need to be as single-minded and dedicated as Olympic athletes, and 'so run that we may obtain the prize . . .', gladly seizing the opportunity to reflect on and learn from all experience.

I came away from the spiritual journal workshop bursting with joy and abounding in hope. This was not simply a memory trip. It was, indeed, a springboard to thanksgiving. I saw as never before what a rich kaleidoscope of experience life has been and is. I have had my share of pain and setbacks in life. Damaged as a child (which of us isn't?), it has taken years of my adult life to work through the consequent legacy of insecurity in order to come to the measure of wholeness I have at present. The work is not finished and the healing goes on . . . but he who has begun a good thing in me will, one day, bring it to completion, if not in this life then in the next. Through my journal I could see not only that the riches far outweighed the pain, but also how, so often, God has used the setbacks for growth, how many times it was my weakness that he had chosen as the ground on which to pitch the tent of his glory. It was as though God had taken my story and re-written parts of it before handing it back—not by obliterating the past but by transfiguring it.

In addition to the daily, weekly and monthly logs and a dream log, we were invited to make a list of the 'wisdom figures' in our lives—all the people who have influenced us, those who have been mothers and fathers in God, those who have been his 'angels' to minister or speak his word, those who have been channels of love and peace and joy. As I began to make my list, starting with earliest childhood memories, I became overwhelmed with gratitude—my joy really 'took off'. Not all the names were of those whom I had known in the flesh. Some were of early saints whose biographies have been an inspiration; some were theologians who have influenced my thinking; some were devotional writers whose books have opened windows on to God; some were anonymous writers of spiritual classics; some were secular novelists. It also included names *not* well known; like the school gardener, an eccentric neighbour and my hairdresser.

When one reflects back over all the people who have contributed to one's growth in God, the column stretches on and on, over several pages. At least, mine did. We were then asked to choose one of those names and dialogue with that person in our journals—a very difficult choice, but I finally selected the principal of my missionary training college. I owe her an incalculable debt for what she taught me about prayer at a very formative stage of my life. She died some fifteen years ago now, and I felt I had never been able to tell her just how much she had meant to me and how her New Testament studies had led us into the heavenlies. I felt entirely uninhibited as I articulated my thanks on paper. Even though I still regret that I didn't write the same things to her during her lifetime, it somehow focused and spearheaded my thanksgiving as I praised God for all he had given through her to me and to all of us who were privileged to be students under her.

Since the workshop, I have dialogued with other names on that list. It will take years to work through it fully, and by then there will be more names for God keeps causing his 'angels' to cross the path, and life brings more and more rich friendships.

As I look back at more recent entries in my journal, I see, for example, the name of Temple Gairdner of Cairo. He has been a life-long inspiration. I have lost count of the number of times I have read Constance Padwick's biography of him and I have never failed to come away refreshed and challenged. In fact, I almost feel I knew him personally and over the years have retraced his steps in Oxford and Cairo. It was a great help to be able to gather up all the strands of gratitude and weave them together as I wrote out my thanksgiving. Indeed, each time I chose to 'remember' and dialogue, the thanksgiving seemd to swell until it overflowed.

Recalling these wisdom figures, giving thanks for them and writing down very specifically what they have done for us, is one way in which we experience the communion of saints—now. We are in no way communicating with the dead or trying to receive messages from them. But, by 'remembering', and throwing ourselves into the river of thanksgiving, we are one with them and realise how thin is the veil between the seen and unseen, this world and the next. It is to discover in a new way the reality of being part of the Body of Christ. And for those of the wisdom figures still living, we have the chance to express our gratitude by letter or encounter.

Throughout life, we are forced to make choices. By choosing one path, we necessarily have to renounce another which may be equally good with just as many opportunities for serving God. We all have the potential to follow a number of different avenues. Life does not allow us to explore them all. Yet another calling might have brought out qualities which are there in us but not being used at present. They are perhaps rich qualities and we need to acknowledge that they are part of us. Moreover, in naming them we may be able to see how they can be integrated into the calling we *have* chosen to follow.

For example, those of us who are nuns renounced marriage and motherhood in order to follow our calling to live in a religious community. We renounced them freely and finally. Yet we can reflect on the tenderness, caring, sacrifice and maternal instincts that would have been drawn out of us as mothers. We can recognise how some of those qualities *are* taken up, in different forms, within our community life.

However our journals are divided, the principle is the same throughout—the discovery of how God is at work in our lives; how even our mistakes can be learning opportunities; how tragedies can deepen us. Rifts when healed may lead into richer relationships, memories can lose their sting through forgiveness, wounds become stars, joys can be re-enjoyed at an even deeper level. For the whole of our life including the mundane, ordinary events, is grist to the mill for a God who specialises in transfiguration.

When St Ignatius of Loyola introduced his 'spiritual exercises', often undertaken in a thirty-day retreat, one of the main purposes was to encourage and enable people to find God in all things. 'We cannot take God anywhere, but we can discover him everywhere,' wrote a friend recently, 'for he is in all things already.' We sometimes speak of a situation or place as being 'God-less'. But it cannot be so totally, for God permeates his own world and won't be ousted even when it organises itself against him. He is in every man and woman—even the out-and-out Satanist, who is violating his own nature and the image in which he was made. He is in all our experiences and circumstances—including those that are so dark that we feel he cannot possibly be present. Sometimes, however, he is there, being crucified afresh in the horror of them. St Catherine of Siena, going through a time of terrible spiritual anguish, cried out and said, 'Lord, where were you in all that?' and the Lord replied, 'I was there all the time suffering with you.'

Think of the many who have been able to testify that it has been in sickness, bereavement, loss, mental illness or a rock-bottom experience that they have found God in new ways.

Think too of how Richard Wurmbrand found God in the solitary confinement of a prison cell; Mother Theresa finds him in the dying humanity she scoops up off the streets of Calcutta and elsewhere; Teilhard de Chardin found him in the very matter of the earth; Pope John Paul II finds him in little children. I remember finding him in William, who called at our house in Oxford every day for a jam sandwich and a mug of tea. Once a graduate holding down a good job, his mind had fractured under some stress and he wandered the streets endlessly, sleeping out rough in all weathers. We never once had a coherent conversation in three and a half years, but, God was 'in his eyes and in his looking'.

Journalling helps to create in us an attitude that seeks to find God wherever we are and in whomever we meet. And it increases our capacity to recognise him in most unexpected places and ways.

> 'Christ plays in ten thousand places
> lovely in limbs
> and lovely in eyes not his.'
> (Fintan Creaven SJ, *A Winter and Warm)*

To find that wherever God leads us he has gone before, whatever frontier he summons us to he is already there, that whatever responsibility he places upon us he is already carrying it with us, is all part of spiritual growth. It is maturity to find him in the cloud as well as the rainbow. Indeed, in the Bible, God seems more given to approaching man in cloud than in sunshine. Spiritual growth is to find God in the sanctuary of his holiness, as Isaiah did; but also to find him in desolation as Elijah did. It is to find him alongside in the fiery furnace as the three young men did, and to find him revealing divine truth in the fiery heat of the salt mines on Patmos as John did. It is to find him in the beauty of nature as the Psalmist did (Psalm 8) and to find him in the garbage as Sister Emanuelle of the Ragpickers does in Egypt. It is to find him in Holy Communion but also to find him in the unholy mess we make of things when we can only throw ourselves on his mercy. It is to find him in the garden in the cool of the evening in the deep communion of primal innocence, it is to find him in the garden as we weep at the tomb of our dashed hopes and lost Lord.

Lord, my heart is not large enough,
My memory is not good enough,
My will is not strong enough:
Take my heart and enlarge it,
Take my memory and give it quicker recall,
Take my will and make it strong
And make me conscious of thee
Ever present,
Ever accompanying.
(Bishop George Appleton, cited in *The Oxford Book of Prayer)*

By far the largest section of my journal is the one headed simply 'Prayer'. In it I jot down any special insights that God gives in prayer or meditation upon the Bible. It is here that I record some of the unexpected ways and places in which I have found God—and also the situations in which I have not yet been able to find him. Some situations seem so baffling and hopeless one cannot actually see God at work; one can only hang on in faith to the belief that he *is* in it, somehow working his purposes. It is exciting later on to look back over the journal and remind ourselves of our former bewilderment and then to see how, over a period of time, if we have truly abandoned ourselves to him, God has wrought his purposes out of most unpromising circumstances.

The founder of the journal movement was Dr Ira Progoff. Although it did not originate solely as a Christian means of personal exploration, it has been adapted to give it a specifically Christian thrust and has undoubtedly been used by the Holy Spirit to bring about growth in many of us in our individual pilgrimages. It does not offer a path to perfection, but a way forward to deeper insight and in finding God in the whole of life.

We need perhaps to consider the biblical authority for keeping a spiritual journal. True, the Bible does not speak in terms of 'dream logs' or 'twilight logs', but it strongly advocates *remembering*.

Think what experiences the children of Israel had to look back upon as they reviewed their years in the wilderness: disobedience, grumbling, idolatry, faithlessness, rebellion. It was not exactly a success story, not from the human point of view. Yet, as they were about to enter the promised land, they were bidden, 'You shall remember all the way which the Lord your God has led you' (Deuteronomy 8:2). In fact, four times in the same chapter they are commanded to *remember*. 'Take heed lest you forget the Lord your God' (v11). They are warned to beware of the time when 'your heart be lifted up and you forget the Lord your God' (v14). Again, 'you shall remember the Lord your God' (v18) and 'if you forget the Lord your God' (v19).

What were they not to forget? Their failures? No. That in itself would be cruelly discouraging. 'Remember *the Lord, your God . . .*' they were told. They were to look back and see God's faithfulness in the face of their disobedience and spiritual adultery. It was to see all the way that God had led them, all the ways he had *used* their failures to bring them into a deeper understanding of the covenant, into stronger faith and surer hope.

It was to look back and recognise all the ways in which God had been protector and provider. It was to see that, though they had not had great variety of food or sumptuous fare, they had not gone hungry. He had fed them with manna, led them to the rocks that would yield water, provided them with quails. Their clothing was not worn out, nor had their feet swollen (Deuteronomy 8:4). Above all, they had not disintegrated as a group but had grown into a cohesive unit . . . the people of God. The memory in this context became the basis of a calling forward in confidence, a renewed commission to be the people of God.

As they were about to enter into a new stage of their relationshp with him, arriving at the point to which the exodus had been leading, they were to remember God's amazing goodness to them, his patience, his steadfast, covenant love . . . and see how, as always, he brings good out of evil and weaves failures into his divine tapestry.

Peter was to discover this truth as, before a second charcoal fire, evoking so poignantly all the painful memories of the first with its denial and then desertion, he was invited to make a threefold and public affirmation of his love for Jesus. His story was given back not to remind him of failure and plunge him into deeper despair, but to heal the memory and to return it in the particular context of the presence of the risen Jesus. With forgiveness came the commissioning to 'tend the flock' and 'feed the sheep'. The healing of the memory reaches completion not only with forgiveness but with restoration —a restored trust and a re-commission.

There are those whose memories include murder, persecution, violence and all manner of cruelty. Can God really transfigure such memories? And can he transfigure the seeds of corruption in all of us, sown secretly or, as yet, unsown but with the potential to give birth to the deed? St Paul is a clear example of one whose recovery of memory could have been a threatening, despair-inducing record of guilt. Yet there is abundant evidence that the recollection of what was, after all, an unalterable past, became the ground of hope, gratitude and aspiration. The verses in 1 Timothy 1:12–16a could well be autobiographical. 'I thank him who has given me the strength for this, Christ Jesus our Lord, because he judged me faithful by appointing me to his service, though I formerly blasphemed and persecuted and insulted him; but I received mercy . . . and the grace of our Lord overflowed for me with the faith and love that are in Christ Jesus. The saying is sure and worthy of full acceptance, that Christ Jesus came into the world to save sinners. And I am foremost of sinners; but I received mercy for this reason that in me, as the foremost, Jesus Christ might display his perfect patience.' (RSV)

It is true that Paul also spoke of 'forgetting what lies behind and straining forward to what lies ahead . . .' (Philippians 3:13). This might, at first, seem a direct contradiction of the injunction to 'remember'. Surely, however, Paul is speaking of the necessary letting go of the *pain* in memories, the sting, the guilt and the bitterness—those things which could well go sour and hinder growth. They are part of the excess 'weight' that the writer to the Hebrews said we should lay aside in the race of life. (Hebrews 12:1)

Some criminals are, apparently, genuinely unable to recollect the more hideous of their crimes. It is as though the mind just cannot cope with the memory and therefore detaches itself from it in a form of amnesia. The neutralising of a memory might make it possible to cope with life on the surface, but it is to be condemned *for life* to bearing an intolerable, though hidden, weight. As long as the memory is not owned, the burden cannot be lifted. Neutralising the memory of crimes not only makes forgiveness difficult, but terrifyingly impossible, if the perpetrators deny that there is anything *there* to be forgiven.

If we are to strain forward eagerly, like an athlete straining to reach the finishing tape, we cannot be weighted down with unnecessary burdens of shame, guilt, fear or anything else. They need to be 'left behind' in the sense of being integrated into the present as a forgiven past.

In the middle of the last century, there was a schoolmaster in the English Midlands named James Craik. He was much loved of his pupils for the way in which he showed mercy. When they submitted their exercise books for marking often spoiled by ugly blots, he did not increase their shame by putting large exclamation marks and remarks in the margin in red ink—he did not draw attention to and magnify their mistakes. He would take up his pen and doodle round the blots and turn them into angels. The books would be returned with the faults 'transfigured' to the huge delight of their owners . . . the *shame* of the original blots 'left behind' in the joy of what they had become.

God does not give us an ink eradicator for *our* blots, but he turns them into angels to his greater glory. We need to be able to look back and remind ourselves of his redeeming work not only to keep alive our thanksgiving, but in order that the redemption may be appropriated afresh in the present.

'Remembering' to the Jew meant bringing the power of something which historically may have happened in the past, into the present, to appropriate it anew. Thus, over the generations, at every Passover Meal, the Jews have 'remembered' God's saving acts in bringing their fathers out of slavery in Egypt. Through symbolism, ritual and their collective, national memory, they bring the power of that salvation into the present, to appropriate it for themselves now, in solidarity with the whole Hebrew race.

As Christians, we do the same at every celebration of Holy Communion. 'Do this in remembrance of me,' said Jesus, as he broke bread and poured out wine. Every time we come to the Lord's table we appropriate more of that resurrection power which exploded into human history at an actual moment in time but which is renewed in us each time we receive bread and wine. By repetition of words and actions originally instituted by Jesus, we enter anew into our salvation story which is our story, as the People of God, and *my* story as an individual.

'Remember' then, 'all the way the Lord, your God, has led you' . . . and do so consciously and deliberately at regular intervals. In our fragmentedness we need to be re-membered—put together again.

A friend and I once climbed one of the Brecon Beacons. For me, with torn cartilages and arthritis in both knees it was a very painful experience. In the act of climbing I had eyes for nothing but the next step ahead, the next rock to surmount or bog through which to slosh and squelch. Every so often, however, we paused for breath and turned to look back at the way we had come. From the top, it looked a very long way. We could see others struggling up after us. But, the view made it all worthwhile. We could see the bits that we had found particularly difficult. We felt fed up when we saw how, in making a detour, we had made our journey unnecessarily difficult. Twice I had fallen flat on my face in mud. All these memories returned as we viewed the way we had come. Below us, we saw a chain of little blue tarns twinkling like a sapphire necklace. Hill rolled upon hill as far as the eye could see, and the air was pure and bracing. The enjoyment of the view and the relief of having arrived where we were put our efforts into proportion.

When we keep a spiritual journal, it is a form of looking back over the way we have come in our spiritual pilgrimage. It is like the stopping places on a climb, such as ours up the Beacons. While actually climbing we are totally absorbed in the next step. Every so often, though, we need to pause and review the path we have taken, note and learn from our mistakes, find encouragement for the way ahead and give thanks for the prize of the upward call of God in Christ Jesus, for the calling is always 'Forward' and 'Up'.

As we look back and read past entries in our journal, we may well be surprised to discover how far we have come, the distance we have travelled and the hurdles we have taken which no longer seem hurdles. Perhaps we smile ruefully at the props we clung to earlier in our journey. It is enormously encouraging to be able to chart growth in this way.

We may be persuaded *in theory* that the keeping of a journal encourages growth. It is another to be convinced of it experientially, by the regular practice of retrieval of memories, reflection upon them and thanksgiving for the way God has led. As we heed our dreams, dialogue with those people or situations where there is unfinished business, rejoice in the fellow travellers God has given for companionship and inspiration along the way, and wonder at the blots that have been turned into angels, we are able to step forward with a new heart, more courage, and a deeper faith grounded in God's unfailing goodness to us in the past. We come to the point where we can say, as Dag Hammarskjöld did:

'For all that has been—Thanks!
For all that shall be—Yes!'

Chapter Four

KEEPING TRACK OF YOUR LIFE

by

LUCI SHAW

Luci Shaw, the mother of five children, is probably the finest Christian poet of our day. Her husband, Harold, a distinguished publisher, died in January 1986. *Postcard from the Shore* (Highland Books) is a collection of her poetry, described by the critics as profound, haunting and beautiful.

'Journalling is a record of your spiritual travelling, your personal edging towards God.'

Just a few years ago, unexpected events catapulted me into consistent journalling for the first time in my life. In September 1984, after several episodes of 'walking pneumonia', my husband Harold was admitted to our local hospital with a collapsed lung. Two weeks, many tests, X-rays, and three biopsies later, his left lung was removed. After the surgery, the doctor told me, 'Your husband has adeno-carcinoma of the lung. He probably has less than eighteen months to live.'

For days Harold lay semi-conscious in the intensive care unit, caught in a world where I could only reach him as I held his hand and whispered in his ear. I felt alone, cut off from the one closest to me, with whom I had shared the secrets of my heart, my questions, my fears, my moments of despair and joy.

It was then that I began to realise how much I needed an outlet for expression, a daily record of what was happening to this man who was so central to my life. Not just a listing of the events—dramatic, radical, critical as they were—but a way of verbalising *what* I felt, and remembering *how* I felt about what was happening: what my questions were, how my emotional weather fluctuated between the storms of anxiety, the relief of a hint of good news, and the tranquillity of numbness, when I couldn't let myself feel much any more, and still stay sane.

I call it the crucible effect. When the heat is on, things either melt or harden, depending on whether they are trivial or crucial. Issues seem to be clarified by extreme stress, showing themselves more cleanly and strongly when we look them in the face, reflect on them, and *write them down.* That's why I became a journaller.

As I wrote in my journal, I found that I could discover patterns in my life cycles and seasons. I needed that 'tracking' in order to derive value from what God was allowing to happen to me and to those I love, whether it was piercing pain or special pleasure. I wanted to learn the lessons he teaches, to hear his voice through my own thought processes.

Keeping a journal made that possible. It meant that my significant ideas and conclusions, my questions and answers, were not simply lost in the memory blur—when life happens in bursts as rapid as machine-gun fire, and just as shattering.

Through Harold's chemotherapy, remissions, final illness and death, and my slow and often sporadic adjustment to being a single woman again, I have learned a great deal about myself and about journal-writing. Because the results have been so rewarding to me, I eagerly advocate this practice and offer these ideas.

Human as we are, with a need to hold on to memories, we keep journals in many ways, some of them unconscious. What they all have in common is the catching and holding of joyful, crucial, exciting or significant moments in life.

If you keep a scrapbook, or a file of personal correspondence, or a family photo album, you are already practising a form of journalling. In that sense, even poetry (my speciality), the writing of individual poems that rise out of personal experience, is also a non-systematic kind of journalling.

To catch hold of any fleeting, half-formed thought requires uninterrupted *quiet* and *time,* a process I wrote about in a poem, 'First Draft':

They speak (when
they speak) when
you are quiet enough
to hear them. The syllables'
click, whistle, and thrum
resonate above the white
noise of tyres along
the highway, or join
hands with the cool rhythm
of a walk alone,
at first light.
At night it is
different. When you hear them
coming through
the blank air,
you must slap them down
like mosquitoes, or they'll
vanish behind the
furniture

But to catch them cleanly
(foresighted, pad and felt
tip at bedside,
having learned in the dark
by the feel of the paper edges
under your hand's heel

to keep the lines straight and untangled)
you must be swift and fleet,
moving seamlessly from first
recognition into written words
so they are not
jolted, do not vanish like
fugitive dreams.

And if you are bold,
so that they have confidence
in you, the lines
will be there
when you wake, telling
your vision back to you.

Journalling answers the need in our lives for writing from the heart—what I call 'reflective writing'.

Most of us live as if action—doing—is our highest priority, or as if information—fact—is all that is worth recording. Sometimes we get carried along so quickly by the momentum of our activities and the gathering of data that our time for thinking about the value or significance of what we are doing (or not doing) is crowded out. Journalling, the act of writing down what we observe or think or feel, slows us down and nudges us to evaluate the meaning of our lives.

The roots of words offer us a rich source of understanding. Think of the word *contemplate. 'Templari'*, its Latin root, means space, from which we get our word 'temple'—a space carved out for God. With the prefix *con,* the word can be paraphrased as 'intensive space', or inner space. That's what you cultivate when you contemplate.

The words 'diary' and 'journal' spring from the

Latin root *die* and the French root *jour,* both of which mean 'day'. Some people use the words interchangeably.

In my own mind, a diary is a brief record of facts. A journal includes facts but moves beyond them into reflections on how the facts affect our personal growth and understanding. Animals may think, but they cannot think about thinking as humans do in their God-given awareness of themselves as intelligent beings. In the same way, a diary may record but does not reflect on the meaning of what is recorded. In that sense, writing a journal is a uniquely human activity.

I like to connect journalling with journeying—the distance you can travel in one day. Journalling is a record of your spiritual travelling, your personal edging towards God.

Reflective writing involves *re-reflecting,* bending back, or looking back into ourselves in self-examination. For the Christian, this essentially means listening for God's voice (what the Bible calls 'the conscience' or 'the still small voice'). When we learn to grow sensitive to it, really to catch it with our inner ears, self-examination goes on to hear what God is saying. He speaks to us in so many ways, but how many of us have ignored one of his most effective channels—our own thinking process. As Christians, who have 'the mind of Christ', our thoughts find their source in his mind.

Last year while researching the life of Mary, I was deeply moved by this verse in Luke 2:19: 'Mary treasured all these things and pondered them in her heart'. Mary was a contemplative. Even though she was probably illiterate, like most Jewish teenage girls of her time, untaught in reading or writing, she had the reflective heart of a journaller: she observed, treasured and pondered what she saw and heard.

I want to be like Mary. Perhaps you do, too. Our circumstances are very different from hers, but we can open up our hearts and minds and listen to God in our lives as she did. And if we have to learn more about ourselves as God sees us, and remember what we have learned, it will help us to write it down.

Throughout the Old Testament, the prophets were repeatedly told to keep records of the messages they received from God. Those messages form a large part of our Bible today. And the Apostle John, while on the island of Patmos, was instructed, 'Write on a scroll what you see' (Revelation 1:10). Later, after seeing his brilliant vision of the Son of Man, again he was told: 'Do not be afraid . . . Write, therefore, what you have seen' (Revelation 1: 17,19).

In our own experience we are a part of many events or relationships that we sense are life-changing. We should write them down, as the Bible prophets and chroniclers did. Even if our lives seem to be made up of small, seemingly trivial happenings, in writing down our daily responses to them we will find significant patterns, repeating cycles, growth, change.

In a journal, we can capture and keep what would otherwise soon be forgotten—small insights that might evaporate in the heat of activity and struggle.

Sometimes I am so bursting with ideas that the fear of losing them creates its own kind of anxiety.

For that reason, I nearly always carry my journal with me and jot things down as they happen, or thoughts as they occur to me. On the way to work I will begin 'having a poem' (it's like having a baby—once you start into labour, you have to go through with it). Or in the night I will think of the lead-in for an article, or a way to solve a relationship problem. Or listening to the Sunday sermon I will notice something—some connection or image that has not occurred to me before. And there, beside me on the seat of the car, or in my handbag or briefcase, or on my bedside table, or the pew beside me, is my journal, my friend—ready, always, to receive what I have to tell it.

Your journal can become one of the best companions you have—always open to new ideas, available, willing to listen to all your wild conjectures, never bored or impatient with you, never shocked at your confidences. A journal is the best of listeners. It does not interrupt or talk back. But it *remembers.* And it will remind you, as you re-read it, of moments which slip through the mesh of your humanly selective remembering.

Unless I keep notes about the changing shape of my life, I may never notice cause-and-effect relationships like these:

I struggled—and I grew new spiritual, intellectual, or emotional muscles. I prayed—and answers began to come, often in unexpected ways. I read Scripture and other devotional books meditatively—and my views of life and God were subtly yet strongly altered.

You will discover as you write, that thinking follows or accompanies writing, rather than preceding it.

Though we see pictures in our heads, and respond imaginatively and emotionally, we *think* with words. We are verbal thinkers. Language is so integral to our thinking process that often it is only as we form words that we move through new ideas. As I write or speak I often have the extraordinary feeling that I am expressing thoughts that I never knew I knew!

Writer Susan Griffiths observes: 'Each time I write, each time the authentic words break through, I am changed . . . I do not know exactly what words will appear on the page. I follow language. I follow the sound of the words, and I am surprised and transformed by what I write.'

In other words, as you write, even if you are uncertain of the end result, you will learn from your own intelligent spirit as you continue. Don't ever hestitate to 'journal' just because you are not sure what to say.

As a journal-writer, I understand better now that biblical phrase 'the burden of vision'. I think I even understand more about how the writers of Scripture, in breathing ideas from God, followed the sequence of those ideas and wrote, as the Holy Spirit pushed them and poured into them phrases and images. The process of inspiration is no longer so mysterious to me, now that I am a journaller.

Most of us are catapulted into journalling by changes in our lives, as I was by my husband's cancer.

A journal-writing assignment given to us by someone else in a course of study, for instance, is usually the least effective motivation. But a life-change that is important to us—engagement, marriage, the conception or birth of a child, and the feelings that come with the responsibilities of parenthood, a new year, a special trip, a move to a new area or job, a conversion in our way of believing or thinking, the beginning of a new church season such as Advent or Lent—may energise us and captivate us so that we long to track its progress. A journal is a wonderful answer to such need.

Journalling can be a creative activity that encourages us to observe and describe precisely.

As I take my one-mile walk each morning, along the gravel shoulders of the country roads that surround my house, I practise describing to myself the mood of the day, its texture, and its effects on me. I can feel immediately what kind of day it will be. This perception comes not only through detailed observation of the weather—red sunrise, fog and its mysteries, a buttermilk sky, or a sky so clean-washed, so innocently blue it seems to bear the stamp, 'newly-minted by divine order'. Not only do I watch for clouds heavy with rain, notice the angle and force of the wind, the temperature, the bird-songs, the touch of the air—frosty, silky or humid —I also sense the day's significance by a kind of intuition that reaches beyond the rational. This can be learned, but it takes, once again, time and solitude.

When the world is silent, without breath of wind, or bark of dog, or call of bird, God feeds into me his deep thoughts. That is when he gives me the big picture—puts all the lovely details of petal and coloured leaf and horizon into perspective. I know that he arranged this all for me, that my entering into each element of it with delight—the dew-beaded web, the waning moon like a baroque pearl hung low in the sky, the flicker of the red-headed woodpecker through the oaks, the green thawing of frosted grass in the sun—all give God's delight in creation its finishing touch. For didn't he create this world so that he and I could enjoy it together, so that I could hear his voice through the creation? And I do, Lord, I do.

As I journal, I frequently discover pictures—metaphors from my own experience—that I can translate into insights about life.

Over a year ago, I chartered a boat with another single woman. As we sailed we learned much about navigating in bad weather, rain and high wind on the Great Lakes. With depth sounder, compass and charts, we puzzled out our way, though we were often out of sight of land. And we learned much from that week about navigating through the storm and mystery of life, using God's chart and compass.

At another time, a shell on the sea-shore became a personal metaphor which I wrote down in my journal:

Tuesday, February 12, 1985: 'How effortlessly I slip into my beachcomber role. As I pad along the shore, eyes scanning the millions of shells in their textured banks, or scattered, embedded in the film of the pulled-back waves, my mind keeps saying to me, "This is pure happiness. This is the state of purest happiness." Bright bits of colour catch me in the eye—rosy, rubbery seaweed, a pearly jingle shell, a ribbed calico cockle patterned in bright tangerine, a live sea-star, a glistening angle-wing—undeserved gifts of Grace winking up at me with the sheen of sun and sea on them, waiting to be fondled with the eye or carried away with me a thousand miles to where they can remind me of these perfect moments. As I bend and lift each one and love it with my touch and glance, I think of how God bent and lifted me, how he chose me and treasures me, how he wants me with him, how singular and precious I must be if he came so far to find me.'

Later, I saw myself in architecture:

Saturday, February 21, 1987, New York City: 'Visited the Cathedral of St John the Divine, and had a one-and-three-quarter-hour tour. The newer part of the cathedral is Gothic, the older Romanesque, with its rounded arches and dark brown, weighty pillars that seem to say, "here we are, and we're all there is", while the Gothic reaches up and seems both to adore and beseech in its movement towards heaven.'

Later. 'After visiting the cloisters, I learned more about the contrasts between Romanesque and Gothic forms and suddenly the link was formed in my mind: a close-minded, unbending Christianity is Romanesque—the enclosed barrel vaults, the chocolate brown solidity of huge pillars and round-arched ceilings excluding light, the lack of any but rudimentary decoration. It seems like a monolithic refusal to look beyond itself, particularly above, for light. The Gothic mind, though, admits light and invites more, includes the iridescence of stained glass into its design, the delicate tracery and representation of real and fantastic ornamentation (actual animals and flowers and leaves and winged beings as well as purely invented ones). The supports are more oblique than the massively vertical Romanesque. Flying buttresses allow the support of the building's weight to be transferred outside so that the interior space is uninterrupted. The Gothic arches are pointed, like arrows, not rounded off or closed in. I see another self-metaphor: I am a High Gothic Christian in an often Romanesque subculture.'

There is a pulse, a cycle, a surge to writing a journal.

Writing is often hard, like ploughing rocky ground. Many days are barren, mundane, like that morning when I discovered I didn't have anything as heroic as cancer or a bleeding ulcer, but a very prosaic disease, diverticulosis. Chronic, annoying, but not life-threatening. And, of course, I dutifully wrote it down, because it was an answer to prayer. And as I wrote I realised that I felt like a balloon let off a string, absolutely buoyant with relief. The writing released that understanding of what the doctor's diagnosis really meant to me.

On other days the ideas flow, sprouting into words like beans and lettuce in the moisture of a spring garden. This urge within me has doubled, tripled, since I started journalling. It's an addictive but productive habit.

What if you think to yourself: 'But I don't know what to write—I am not sure about anything?' What if you have unanswerable questions, insoluble problems? *Write them down.* And write what you feel about them. It will help you to clarify your thinking and analyse your areas of need. When answers come, you will recognise them, because you will have already tilled the soil of your heart through journalling.

Here is my journal entry for a spring day not very long ago:

'I started this new morning with a fast, two-mile walk. The air is silky with breath from the south. The air is perfectly still so that the calls and songs of robins and phoebes and mourning doves form a web of clear sound all around me as I walk, sound not muffled or blown away by the strong winds that gusted earlier this week. The grass, tinged on the sunny slopes with green, glitters in the thawing frost. The morning is intoxicatingly fresh. What exhilaration! The idea of "being dead to sin yet alive to God" grows consciously in my mind. The edges of the turf, the sun-warmed banks and sheltered spots, are brightening with green and colour—spears of grass and scillas pushing through the pale straw.

'I am green too. My winter of bereavement and depression is melting. There are traces of fresh growth, of beauty instead of the ashes of mourning. The wounded rawness of earth is being healed, grown over by the tender new skin of sod.

'I read from the Song of Solomon this morning, and for the first time I really knew what it meant—that empty space of my life is being filled by God, who has said he will be my husband:

> My lover spoke and said to me:
> 'Arise, my dear one, my beautiful one,
> and come with me.
> See, the winter is past; the rains are over
> and gone.
> Flowers appear on the earth.
> The season of singing has come.

The sound of birdsong is heard in our land'.'

Ideas to get you started:

1. Write a letter to God each day about your spiritual progress, or lack of it, or the struggles you experience with personal discipline. Or write a journal in the form of a letter to a friend.

2. Write a dialogue between you and God: your questions, and how you think he would answer them, or your observations and God's replies.

3. Use the Psalms as sources of metaphors that you can translate into your own life circumstances. Because the Psalms are Hebrew poetry, they are rich with imagery like these words of David: 'I am like a green olive tree in the House of the Lord.' Ponder what that means to you. Expand on it as you meditate. What is the meaning of the oil of the olive, the sap that makes it green, its presence in God's temple enclosure? Think of the structure of the tree, the branches like arms raised in praise, the roots that dig down for water. What does it feel like to be that tree? How does the tree appear, what does it mean, to God? How can a person be like a tree? Or a deer panting for streams of water? Or the mountains and hills skipping like lambs?

4. You may want to create your own guidelines, as I did. You will learn best from trial and error. Remember, keeping a journal does not require great skill at writing. No editor will see, or criticise, your prose. You are not writing for publication. You are recording your thoughts and observations only for your own edification and growth.

Practical tips for budding journallers:

1. For me, an ordinary 9½″ × 6″ spiral-bound, lined notebook works best. The lovely clothbound journals you find in gift shops look great, but you can't tear pages out of them, and they don't lie flat enough to stay open and work in easily.

2. Write your name, address and telephone number on the outside of your journal so it can be returned to you if you lose it. It will become important to you. If our house caught fire in the night I would save my journals and my colour slides and photo albums first.

3. Write beginning and ending dates on the cover of each journal, and number each volume in sequence. Number each page for referring back to things you want to remember. Date each journal entry. (Not just 'Monday morning', but 'Monday, am, March 16')

4. Write down whatever catches your interest, no matter how mundane. Here are some of the things I include in my journal besides reflective writing: quotes from other people's letters, magazine articles, books. Responses to the books I am reading. My personal film reviews. Jokes I would like to remember. Bumper sticker slogans. Thought-starters—concepts I would like to explore when I have more time. Seed ideas for poems. Rough drafts for poems. Poems people send me (when they are worth recording). Prayers—cries of anguish or praise. Sermon notes. Interesting place names as I travel. Add your own 'favourite things'.

5. A cardinal principle for journal-writing is to

be absolutely honest with yourself. For that reason your journal is very private property. Around my house people know that my journal is off-limits for casual reading. 'If I should die before I wake, please throw my journal in the lake.'

Chapter Five

ENJOYING THE PRESENCE OF GOD

by

ELAINE BROWN

For much of her life Elaine Brown has had no fixed address. She was born in Burma, and grew up in India, England, Malta and Kenya. Following nursing training in London and marriage to a Missionary Aviation Fellowship pilot, a varied route took her back to East Africa and on to Ethiopia. Eleven years later she returned to England complete with three children—all born in Africa—and settled happily with her family in Aberdeenshire. Her children have recently left home, leaving her time for writing books and articles, visiting within her parish, and speaking at various gatherings.

'A journal gives permanence to events and insights which would otherwise soon be forgotten and lost. It emphasises aspects of God's ongoing activity in our lives.'

Spiritual journalling is an investment, valuable for the present and—increasingly—for the future. This fact was vividly emphasised three weeks ago as we faced the anguish of seeing a determined 20-year-old son set off to make his own way in the world, without prospect of work or accommodation.

On his last evening at home I crept upstairs, aware that I must write down, and thus release, the sad, anxious thoughts which had built up in my mind all day long:

'M. leaves on the 7.20 am train tomorrow. He wants to go south, regardless. See his friends, be free of home shackles. We understand, though it hurts to part with him, to see him set off into such uncertainty. Have watched him pack and sort out the last of his things. "Send them on when I need them. I'll let you know." All day we've begun conversation about this and that, fragments of no consequence, merely a way of filling the silent gaps. I've watched him as he's sat across the room; his smile, his jokes, his careful outward nonchalance. Oh, but it's hard to see him go . . .

'Lord, go with him. Your closeness will make up for the fact that now I cannot shield him any longer. I must give him up—to you.'

That night I knew, intuitively, that I must not lose the detailed memory of those last hours with our son. Despite sadness and anxiety there was much of deep, permanent value to be preserved in words so that, months later, I could return and relive the event from a new perspective. By then it would also be possible to review subsequent records and trace how God had answered my prayer, and had been closely with our lad, despite all. On that last night I was merely painting the first sombre outline of a word-picture which would later be filled out with detail and significance, providing a further illustration of God's continued faithfulness to our family.

As an investment, the longer a journal becomes the more extensive is its demonstration of God's activity in our lives. When faced with bewildering circumstances it is important to glance back and reconsider the varied ways in which God has over-ruled and provided for us in the past. Has he ever failed us? No, that is remarkably clear from those records. Am I therefore prepared to trust him now? The review emphasises that I have every possible reason to do so. This convincing consideration of the past changes my attitude to the present. I can get up and go back into the days which follow aware that all is ultimately in the hands of God. We *will* come through.

★ ★ ★

I must have caught a love of journalling from my father, who practised and delighted in it. But, as well as being a 'love' it is also a compulsion. I *have* to do it. Not every day, as proper diarists do, but on certain occasions. Most are quite ordinary but some are of special significance.

The habit began when, as a lonely 13-year-old at boarding school in England, thousands of miles from our Kenya home, I decided to write my life story. Hours were spent filling the pages of a school rough book with memories of travels abroad, and with long, detailed introspection. It might have been a way of trying to comfort and reassure myself, but the result must surely have been an utter bore to anyone else. Oblivious to this I offered the completed story to a close friend, certain she would read it with immediate interest. But after struggling with the first few pages she flicked through the rest and slipped the book quickly back beneath the lid of my desk. "Thanks," she said. That was all.

Not long afterwards I joined a confirmation class at school and during the six-week preparation period was firmly instructed about the importance of spiritual self-examination prior to taking my first, and every subsequent, communion. This exercise became the lead-in to the spiritual journalling which has developed since, although intially the recordings were no more than a brief note of known faults and failings.

It was done in compliance with instructions but a few years later, after leaving school, I recognised such soul-searching as a prerequisite to that oneness with Jesus Christ which Holy Communion so graphically portrays. The notes have long since been lost except one small grubby page headed 'Preparation for Communion at Solai Church' (in up-country Kenya), and the culpable attitudes listed and so earnestly bewailed are still all too present with me now, thirty years later.

After school I trained as a nurse at a London hospital, an experience which proved to be a discipline in all kinds of ways. It was during those exacting years that a colleague and close friend, Ann, introduced me to another facet of journalling which has become increasingly valuable. 'I've begun a quotes collection,' she explained, and showed me a small notebook with a brightly coloured cover. 'So now, whenever I come across something worth keeping, I can copy it down.' Following her example I bought a hard-backed notebook in the hospital shop and started my own quotes collection on New Year's Day, 1960. The book has travelled with me ever since, much referred to for quiet reflection and much used in correspondence and writing. It is a close companion, and I would not want to be without it. Of course, in the strict sense, the notebook is not a journal since journalling implies a *personal* record, yet the contents help to mark out the pathway along which God has taken me, and the varied quotations have offered instruction, warning, guidance, encouragement and much else *en route*. Among those often recalled and pondered are these:

'Faith is weakness hanging on to strength.' (Festo Kivengere)

'How humble the tool when praised for what the hand has done.' (Dag Hammarskjöld)

In the last year of training I was given a five-year diary and started to keep it with dogged determination. As a result much of its contents were mundane, written from duty rather than desire. Yet it, and the two such diaries which followed, recorded several intriguing or significant events within their 15-year span. There is this:

Friday, April 13, 1962: 'Admitted a girl to the ward who was infested, but I didn't even notice all those crawling bugs. Sister was kind to me about it.'

And, a week later, on a deeply personal level (following the trauma of a broken engagement) there are the following lines:

Good Friday: 'A day of dark despair for Jesus, but it led to Easter Sunday, and all the joy of victory and love. My whole world seems to be crashing in, but can I not look to him?'

A record of a visit, several months later, to All Nations Bible College (an all-male establishment at that time) states:

'Had a lovely tea at the College. Quite an ordeal to be the only girl in the dining room. Was introduced to a Missionary Aviation Fellowship pilot . . .'

And so it was that, on a warm June day, all unawares, I met my future husband. Joy *did* follow despair. The diary entries over subsequent years record our marriage, sailing for East Africa, and the many, varied experiences which followed as we joined a busy flying programme. There were several more 'high' days too, not least the thrill of our daughter's birth in Nairobi, and the incredulous delight with which we welcomed her twin brothers (the second a complete surprise) during a later assignment to up-country Ethiopia.

By the time we returned permanently to Britain after eleven years abroad our growing family kept me too busy for regular diary writing but I bought a thick spiral-bound notebook in which to record occasional events. Most would seem very ordinary to anyone else, but were written down because I sensed they possessed a significance I did not want to lose. One such is a brief entry made when the twins were eleven:

'This morning I prayed for closer communication with Murray, so necessary in years just ahead. This afternoon, after school, he was mooching and meddling while I was trying to bake.

'Go and find something useful to do,' I told him.

'Can I bake too?'

'No! Because . . . well . . . I suppose you can help me' (so grudgingly suggested).

'Communication? God showed me that it begins and grows over cake-mixing and pastry-rolling and so much more. Communication must be encouraged to flow along a multitude of channels.'

More recent entries in the notebook have become less factual, more reflective, as I have wanted to try to record the varied spiritual disciplines and learning experiences through which the Holy Spirit has schooled me. Again there was been a compulsion to write these down in order further to underline their meaning and thus increase their value. As an experience or new insight is considered in detail and fitted into written words it becomes more easy to assess, understand and assimilate. Then too, such an entry identifies significant landmarks along the route of one's spiritual journey which can be reviewed with additional benefit over months and years ahead.

I like to consider that much biblical material originated from the writer's inner compulsion to record Spirit-given insights about such matters as the greatness of God, the immensity of creation, man's inherent inner need, the enigma of suffering. It was spiritual journalling of a unique kind and each reader, down all the centuries since, has been invited to enter into its rich benefits.

A considerable proportion of what was included in the biblical record originated in significant personal experiences. David, a teenage fugitive, yet delighted in the strong security offered by the Lord; righteous Job, overwhelmed by personal tragedy, was ultimately brought to a momentous turning-point in his experience of God; John, elderly and in exile, was yet lifted up in the Spirit to glimpse the immense glory of heaven. And there are so many more.

By contrast one's own attempts at spiritual journalling seem insignificant in the extreme. Nonetheless, they illustrate that same inner yearning to capture and preserve those events and insights which, intuitively, we know to be of meaning and importance. It is hard, however, to enter into such experiences unless we make time to cultivate a 'gentle receptiveness to divine breathings' as Thomas R Kelly puts it.

For myself it has been important not only to spend a small part of each day alone with God, but also to plan a specific 'quiet morning' from time to time.

On such occasions I walk to the local park, or drive to the coast or a not-too-isolated scenic spot. There, with uninterrupted quiet and amid the loveliness of creation, I can begin to be still and to respond to those 'divine breathings' which are so often unheard or ignored in the loud, busy routine of an ordinary day. I usually take along a light lunch, and also a devotional book, a New Testament, and the spiral-bound notebook. With these for company it does not take too long to lean back, relax, and start to enjoy the presence of God. He is there, so much more eager to meet with me than I with him. Soon worship begins to become a natural, spontaneous response.

After one such morning in early spring, I tried to express my reaction in the following way:

'Quiet riverside walk this am. The air was moist and misty, full of new birdsong.

'I have been relieved to rest my own needs with him, and then to share with him in deeper compassion and concern for others—Shirley, Susan, Mark, Ellen and particularly L. and our children.

'I have loved just to give myself to him again. May I grow to recognise and resist any indifference or withdrawal, and instead to respond more fully to all that he waits to be to me . . .'

It is on such unhurried occasions that I can really stop to study the detailed beauty of creation. So often I am too busy, too preoccupied with mundane concerns, even to glance up and notice that which, with painstaking care, God has spread out for my refreshment and joy. Yet, when I *can* look up, even for a few moments, the enrichment is immediate and simple worship again becomes a ready response, as a brief entry after a cycle ride that same spring illustrates:

'Glorious sensation! The fresh wind in my face, its cool soothing an accompaniment to each deep intake of air. The smell of soft, damp fields and new cushions of moss. The cries of just-returned oyster catchers and the hoarse call of crows . . . clumps of gentle snowdrops, a new lamb, a row of cows eyeing me over a fence . . . turnips strewn as fodder across a field, the burble of a roadside burn, bumps of new leaf-buds on cold brown twigs, the overspill of a flooded river . . . the sheer delight of freedom, sunlight, sparkling newness.'

As I draw closer to God in worship, whether through contemplation of his creation, or of his own magnificent attributes, I inevitably become more aware of my utter unworthiness and then, most painful of all, of personal grubbiness before him, of undeniable sin. Not only the sinfulness of what I have done, but of what I am. This acutely uncomfortable realisation is intended to be the valuable lead-in to confession, forgiveness and restoration. One December, as Christmas approached, I tried to record something of the solemn sequence:

'Spent a while sitting in the bedroom where I could look out and see gulls flock behind a busy plough in the field beyond the river. So good to be still for a short time. His Spirit has shown me the need to let him probe deeply so I may know my sinfulness more truly, for only then can I go on to experience more of Jesus' grace in forgiveness and re-creation. John Owen puts the matter starkly—"a man must abhor himself before he can serve God aright. . . . Lord, forgive my habitually shallow view of personal sin. Deepen my awareness and shame. Enable me to hate sin *itself,* not merely to resent the hurt pride which is its consequence."

'I have gone on to consider the astonishing, tender, intention of God as he strips away the old, grubby clothing and completely re-clothes me—". . . clothed, so to speak, with the life of Christ himself" (Gal. 3:27, NEB).

'This truth fills me with awe. Can I really be clothed with *Christ?* (It is present tense.) It is utterly amazing, utterly humbling . . .'

Yes, a spiritual journal will almost certainly refer to these foundation stones—forgiveness and re-creation—upon which the rest of faith's structure is raised. I find myself reflecting on them again and again because I need to grow in appreciation of the basic truths God has laid down.

Then, as well, various outward challenges inevitably test the ongoing structure of life, and I have felt a need to write many of these down in order to recognise and understand their underlying purpose. During the past eight years God has allowed our family to experience sudden unexpected adversity, and we have struggled with the gamut of the common reactions—numbness, bewilderment, questioning, depression, impatience, frustration, interludes of hope, laughter and joy.

In the midst of these exacting circumstances—my husband's prolonged unemployment and my own brush with liver cancer—I found I had to write frequently and at length, for it offered an essential release. The spiral-bound notebook was far too small so I bought a loose-leaf file and filled it with thoughts, reactions, questions and, as well, one or two quite unexpected realisations:

'Have thought much more about how joy, peace and hope often come to us out of the crucible of suffering. When they do so they are of the greatest value of all, like diamonds mined from the depths of a dark shaft. Joy is not an immediate counter-action to sorrow. It has to be searched out, at cost. Yet how true the words:

' "Thou hast . . . made . . . Light for me in the darkness—so that it reached me like a solemn joy." (Robert Browning)'

Not that it was easy to have eyes to see any such light in the darkness. Much more often we felt engulfed by dark, grim, seemingly insoluble circumstances, particularly during my husband's unemployment. In the early months of that wretched experience, when I ached to be able to ease my husband's inner pain, yet couldn't, I wrote:

'Years ago a friend asked, "Could you endure having to stand helpless while someone you love suffers?" It seemed an irrelevant question then as we sat drinking coffee together in her beautiful Nairobi garden. Now I'm beginning to understand. We can't always rush in and relieve. Sometimes we have no choice but to trust a person we love entirely to God's care. It's hard . . .

'Today L. put on an old coat and boots and went

out to dig the vegetable garden, ready for spring planting. Deep sorrow swept over me as I watched him turn the hard brown earth, in an attempt to work out his pent-up frustration. Only a few months ago he was in command of a passenger airliner. Now he has to dig furrow after furrow of that stubborn plot in order to try and fill the long empty hours. The misery is more painfully real than ever before . . . what must it be doing to him, deep inside?

'Tonight I tried to tell God how desperate I feel on L.'s behalf (though God knows already)—"Please show us a way out of all this soon, or if not keep us both holding on to you. Keep trust real . . ." (Adapted from *Grounded—A Personal Diary.)*

I little knew, as I watched my husband that bitter early spring day, that ahead lay two more years of unemployment with its increasing frustration, nor that, within a month of obtaining work (what a delight to record that red-letter day in full) my own condition would be diagnosed.

This encounter with illness proved to be an exacting personal test on all fronts—physical, mental and spiritual. If ever I was to discover the close interconnection between the three parts of our make-up, it was then. It was to be a salutary encounter too; intensely distressing, yet of inexplicable value. And now, distanced from the immediate trauma, I am more able to look back and recognise the basic learning points God offered through that experience. He did not intend that it should be a wasted, pointless time. Far from it. Instead he had important insights to show and used baffling circumstances as the context within which, for me, they would be of most relevance.

Two of these insights remain uppermost in my mind. The first came as a result of the way in which personal adversity heightened my awareness of the suffering of others. As I considered their greater anguish my own difficulties assumed more appropriate proportions. This was important, yet inevitably such a heightened awareness increased my indignation at the very fact of adversity, and, when an air disaster, with appalling loss of life, was reported on the radio, all the pent-up bewilderment burst out in immediate protestation: 'Why Lord? *Why?*' Later I jotted down the inner question/answer sequence which followed, in this way.

'Why, Lord? *Why?*

'Do you accept my total integrity and righteousness?'

'Yes, for you are still God.'

'Then you must leave your "why?" with me until the day when it will have its answer. Meanwhile seek and find me in your *own* context of suffering. Only then will you be in a position to begin to understand these wider issues.'

How would I find him more in my own context of suffering? Looking back I now recognise that my utter helplessness drove me to seek and discover him in ways I had never known or imagined before. His immediate response to such seeking was full of intimate understanding, and I could only love him the more in return.

It was then, as I was driven to a greater dependence upon him, that the Lord used the words of a visiting friend as the second insight. Patrick had himself been through considerable personal trauma and I felt able to confess my own acute fear of secondary cancer to him. Patrick sat in silence for a few moments, considering his response, then said quietly 'Always remember that everything which happens in our lives, everything, has come by God's allowing. For this reason he can keep us completely safe through it. What's more, everything he allows, whether it brings happiness or sadness, is part of his wise pattern for us—so that's a final answer for our fear, isn't it?'

That same day I wrote Patrick's words down and have referred to them many times since. I needed to accept and affirm that absolutely everything in my life was in God's control and that I was therefore safe, whatever might happen. I still return to the shelter of those words whenever fear pays a sudden, threatening visit.

★ ★ ★

There is so much to spiritual journalling. I think I will always feel compelled to engage in and benefit from it. Such a record gives permanence to events and insights which would otherwise soon be forgotten and lost. It can become a gallery of word-pictures, capturing the beauty of God's world, or the atmosphere of a joyous or poignant occasion. Most of all a spiritual journal emphasises to us many valuable aspects of God's wise ongoing activity in our lives, and thus triggers praise.

Such journalling requires time, though, reflection, evaluation, and considerable discipline. But the result is immensely worthwhile because it gives promise of so much more. If you are not already a 'journalist' do take, tend and nurture this small seed of an idea.

But, more than all else, cultivate a 'gentle receptiveness to divine breathings'.

Chapter Six

THROUGH SPIRITUAL CRISES

by

BISHOP JACK DAIN

Edith, whom Jack Dain married in 1938, and on whose diaries this chapter is based, was born in a Scottish manse, attended school and university in Edinburgh and sailed for India as a missionary in 1935.

She met her husband at Language School. Having married a missionary she subsequently found herself the wife of a naval officer, a missionary secretary and finally an Anglican bishop. Three of her children were born in India and the youngest following the return to England. Her diaries and journals cover fifty years and several were written in the crises of severe and painful illness.

Bishop Dain is now married to a former missionary with thirty-five years of service in Asia.

'Edith sought to express her understanding of what happened . . . It was obviously part of the way back to a fresh and deeper understanding of God and the mysteries of his working.'

On November 3, 1985, my wife died after a heroic and painful battle against cancer. It was only one day after our 47th wedding anniversary. The seven hundred or more letters that reached me from all over the world bore testimony to what her friendship and caring had meant to so many over the years.

I had always, of course, been aware of her habit of writing, frequently in the silent hours of the night, and I know something of the strength and comfort that it gave to her both to write and, later on, to pore over her diaries and to claim again and again the promises that had been given to her over the years in various areas of her interests.

Looking back, in addition to the practical value of those diaries, I realise that there was an even more important value and that was prayer, for during the years that I was involved in the work of the BMMF, Edith prayed for every missionary every day by name. Her diary played an important part in that.

Her notebooks were many and of different kinds and they included her own biblical studies. Other notebooks are filled with her own anthology of spiritual prose and spiritual poetry covering a very wide range of authors.

Moving to the more personal side of Edith's writing, we find her actual spiritual diaries and journals which recorded experiences in her own Christian pilgrimage.

The first journal begins in July 1932 when Edith was studying at the university, and the last journal covers the months shortly before her death in 1985 when she knew that she was dying.

Two features become obvious when the journals are studied, first that there are long gaps when apparently there was little or nothing written apart from diary entries and, secondly, the earlier diaries were both kept and treasured and became the source of spiritual encouragement in subsequent years.

In the fly leaf of the first diary there is a small note, '1932—started', and then underneath '1967—still going'. An early entry touches on a subject with which Edith wrestled for many years—the delayed answer to prayer for specific people or situations. Heavily underlined is a verse from Amy Carmichael 'Thou hast not that, my child, but thou hast me and am not I alone enough for thee, I know it all: know how thy heart was set upon this joy which is not given yet'. Against that entry is a further date, June 1967, over thirty years later. The truth discovered as a young Christian at university and committed to paper had stood the test over the years in India, England and now in Australia.

Thoughout the journals there are constant personal outpourings in prayer requests, and again and again the recognition that her primary concern should be the Giver and not his gifts.

Almost immediately following her conversion, Edith had a strong sense of call to missionary service, which led her to abandon a career in art, take a university degree, a year of Bible training and a period of nursing at the Chalmers Hospital in Edinburgh.

She had strong links with the China Inland Mission and Dohnavur and it was her fondest hope that God would lead her into one or the other, but instead the leading was clearly to a missionary society of her own church—the Free Church of Scotland. This involved village work in what was then called Central Provinces of India.

The decision was not lightly reached and it caused deep disappointment which finds ample expression in her journal of 1935.

These entries, all relating to Edith's missionary call cover ten closely written pages, but down the margin of the first page is the entry, written twenty years later: 'God having prepared some better thing —Proved over and over again.'

A large beautifully leather-bound diary begins on November 22, 1935, which was the day that she sailed as a young missionary for Bombay. It records day by day her own experiences, her spiritual pilgrimage, her attempts at witnessing and her cry to God for his work of grace in her own heart and life. It records the experience going out on board ship, her arrival in India and her early weeks on a mission station in central India in which she writes with absolute frankness because it was essentially a personal and private diary. At the end of many of the days' reports, there are prayers which she actually writes in full as she cries out to God for blessing upon her family and those among whom she was working and for a deeper work of grace in her own life. Each daily entry concludes with prayers such as:

'Lord give me courage to witness for thee.'
'Lord use me for your glory.'
'Lord control my thoughts, bringing each one into subjection to Christ.'
'Lord keep me from grieving thee.'

December 13: 'Arrived at Nasrapur 1.13 pm and met by all missionaries. Motored 43 miles through the jungle. Colossal welcome with flags, banners and garlands at Lakhnadon—all Christians had gathered and sang the 23rd psalm—felt I could burst into tears.'

Later: 'O Lord Jesus I do thank thee for bringing me safely to this place—may thy perfect will be fulfilled in me whatever the cost for ever and ever.'

Edith had a remarkable understanding of the 'cost', although only a newly arrived recruit:

December 22: ' "No man, having put his hand to the plough and looking back is fit for the Kingdom of God." This is the verse given to me today for it has been a bad day. After worship and Sunday School, a great tidal wave of homesickness broke over me and I went under. Went to my room and cried as though my heart would break. I longed to see my mother and father—five years seems a long time to wait. Even as I write, the tears are falling on to the pages—yet, Lord, it is thy perfect will and I would not have it otherwise. Lord give me grace and strength not to show this weakness before other people.'

Edith never did see her parents again—her mother died in 1936 and her father in 1937 and it was not until 1946, after eleven years in India, that Edith returned. Both her parents had died before I met her.

Knowing how remarkably she constantly covered both her physical and emotional stress in her contact with others, I have no doubt that her prayers for grace and strength were abundantly answered.

At a later time of tremendous pressure from physical illness and weakness she wrote, quoting Amy Carmichael, 'God always answers us in the deeps and never in the shallows of our soul. In hours of confusion, to remember this can help.'

★ ★ ★

The final area of writing, and probably the most unusual, covers those periods in her life when she went through acute spiritual crises, largely as a result of severe illness and finally, of course, the cancer from which she died. Such times were of course balanced by periods of great joy and a keen appreciation of the goods things of life. The diaries at such times become journals of great intimacy and at times they constitute a dialogue with God as she grappled in detail with profound issues.

Edith was utterly frank and shared in the experiences of Jeremiah and of the prophet Habbakuk who cried out 'Why? Wherefore? How long?' She felt deeply the problem of unanswered prayer in relation to matters which lay heavily upon her heart in her own life, in the lives of those whom she loved and of friends and others around the world.

In 1952 following an extended visit to India and Pakistan during which period Edith was in charge of the BMMF guest house 7,000 feet up in the Himalayas she had a serious accident.

Having picked up a heavy cold on board ship, Edith decided the day following our arrival in Ealing, to take suitable medication and have an early night with a hot water bottle at her side. On placing it against her body in bed, it burst and she had intensive scalds all over the lower part of her body, front and back. The doctor attempted to treat her at home and the dressings were extremely painful. After several days, there was the added complication of delayed shock and an almost total lack of sleep. She was then taken to hospital. She was ill for several months.

Only an hour or two before the accident, Edith had prayed with a close friend, a previous missionary in India, and both had made a fresh commitment to serve God to the utmost whatever the cost. As a result of this accident she lost all sense of God's love and presence but her faith never wavered. An inward desolation filled her spirit for five long months and her journal is revealing in its account of her spiritual pilgrimage through 'the dark night of the soul'.

Characteristically she sought to express her understanding of what happened and, although I was unaware of this writing, it was obviously part of the way back to a fresh and deeper understanding of God and mysteries of his working:

'I couldn't understand how the one I loved so dearly with all my heart, could permit something that seemed to hide his face from his child. "Like as a Father pitieth his son, so the Lord pitieth those who love him." But I didn't feel that. That mysterious verse in Isaiah 53 was more what I could understand. "It pleased the Lord to bruise him. He hath put him to grief." And I understood a little of what the Lord felt when he cried on the cross "Why has thou forsaken me?"

'In fact, all the way through, at every single step, though I felt God the Father, whom I loved with every breath in my body, was hiding his face, for purposes of his own, yet as I studied the Lord's life while here on earth, I found he had gone before.

'Perhaps that is the very biggest thing I have experienced, just to begin to understand, a glimpse here—a glimpse there of what the Lord Jesus suffered for us. Ever since I was converted at the age of 18 and became a debtor to God's grace, I have longed to know him. I see now, more than ever, that that comes by the way of fellowship with his sufferings.'

Her understanding of all that the Lord suffered finds expression as she allowed her own experiences of physical suffering to throw light on our Lord's words and experiences particularly in the Garden and on the Cross.

★ ★ ★

In 1959 the family moved to Australia in connection with a new missionary appointment and in 1965

Edith found herself at the heart of the life of a large Anglican diocese with tremendous opportunities for ministry and pastoral care, particularly to clergy wives and returning missionaries.

She had a profound influence on the lives of many individuals and shared the benefits of her wide reading with them. There was always a deep desire to know God better; she prayed for long periods and regularly fasted. Missionaries, clergy and their wives, friends and shop assistant sought her out but what they did not know was that after they had left her gracious and serene presence, she wept with many tears.

In 1981, following surgery on a parotid tumour, it was discovered that Edith had a malignant lymphoma. A year of chemotherapy followed with wholly positive results and then four years of remission with travel, several lengthy periods in London and a close friendship with David and Anne Watson.

Early in 1985, the malignancy returned, though it was not diagnosed as such for several months of increasing pain and weakness.

March 3: 'Woke at 3 am. There must be balm in Gilead. "The Son of Man shall arise with healing in his wings." '

March 5: ' "B" (a friend) thinks I have a ministry —I feel withered on the branch, what fruit? But I am trying to practise the art of believing that God loves me as I am, as much as I long to feel (but don't). So—press on.'

Edith had 'words' that comforted many but few, if any, knew the cost.

March 8: 'God has given me this verse, "Always being delivered unto death for Jesus' sake that the life also of Jesus might be manifest in my mortal body." I am repeating it over and over again—day and night.'

March 28: '3.00 am. A familiar hour when I can talk with you in this diary. Lord I am in your hands.'

Later: 'Just back from Nuclear Medicine—a whole hour. Feel down after seeing the Sister and nurses' faces. "Wait on the Lord be of good courage and he shall strengthen your heart".'

March 29: 'I have wakened this morning to realise that my concept of God (Scottish heritage) is that he always asks me to do the hard thing. Please teach me, in your own way, what you are like and correct my conception of you.'

On the reverse page, normally left blank and arrowed from the words above is the following note added later:

June 9: 'Lord Jesus, I realise you have answered this prayer. You have revealed yourself to me personally these last weeks . . . and I do thank you.'

April 5: 'It is lymphoma again—chlorambucyl and back to square one. We heard yesterday that our prayer group had a prayer vigil 9 pm to 9 am all night by roster. We wept. In one way there is a sense of relief. The uncertainty is over. "Now for a season—heaviness." Lord help me to handle this to thy glory.'

July 10: 'Midnight. This pain again. The days have improved with medication but I have very bad nights. Lord help me to accept this gift (2 Corinthians 12), a thorn in the flesh after your gracious goodness to me in calling me by my name.

Edith had several experiences of the Lord calling her by name and encouraging her.

August 1: (In hospital) 'The leg has been so bad and it is now felt to be "osteoporosis", a pinched sciatic nerve.' (An incorrect diagnosis but the earlier tests had only revealed the malignancy in the neck and had missed the major malignancy in the stomach which was causing all the pain.) 'Guide the doctors, surgeons, etc, and Dr R. I am all choked up and numb on the surface. Press on, never give in, never, never, never.'

The weeks in hospital were hard for Edith—the diagnosis was grim and she wanted more than anything else to go to heaven and to be with Christ.

She grasped the timeless promises which filled her diaries and she soon felt the presence of Christ to be very near and at time felt him standing bside her bed.

On November 3, after a long heroic battle against pain, Edith passed into the presence of her Lord. Her last conscious words were 'Nothing in my hands I bring'; she was too weak to finish the stanza.

Looking back on her life, and particularly on those periods of physical pain and suffering, her unusual spiritual pilgrimage was greatly enriched by the extent and the breadth of her reading and by her ability to convey her deepest thoughts to paper.

While the diaries were private, she would return

to them herself and rediscover the promises of God and the faithfulness of God. She was nourished by God's word, by reading the saints and also by her own writing.

She did, shortly before her death, share with me, her children and perhaps two very close friends, the journal covering the final months of her life. This final sharing was her attempt to invite us to enter into her own spiritual pilgrimage and its testimony of God's faithfulness in the final battle.

Chapter Seven

A YEAR IN MY JOURNAL'S LIFE

by

HONOR GILBERT

During the 1960s Honor Gilbert was assistant editor of the *Church of England Newspaper*, fulfilling a long-held ambition to enter the world of journalism. Previously she had worked with the Church Pastoral Aid Society. After leaving the CEN in order to give more time to her aged mother she did part-time work with the South American Missionary Society. Shortly before her retirement she was seconded to help set up the framework of the Society's sister-organisation in the USA.

Since 1981 she has been part of the editorial team on *Renewal* magazine.

'Looking through that rather difficult "year in the life of my journal" I can see its particular value throughout that time. I had used it to express to God my physical and emotional needs; to record how he had responded . . .'

Because I am a compulsive maker of notes, notebooks of all kinds are irresistible to me, blank pages seem to hold an inexplicable fascination, and I find it difficult to pass a stationery counter without adding to my existing stocks. So it isn't surprising that when I became a Christian in my late teens I began taking notes of sermons (this helped my shorthand as well as my spiritual growth); I copied out snippets of verse or ideas which might later 'come in useful' to illustrate talks or addresses; and occasionally I jotted down the lessons I was learning from my regular Bible reading.

But it was not until I became open to the Holy Spirit in a new and deeper way that I began to keep what is now popularly known as a spiritual journal. I wanted to put down what I heard as I listened to God. Over the years my note-making had become a somewhat academic exercise, but this now gave way to the simplicity of opening myself to the Lord, hearing his response to my echo of Samuel's prayer, 'Speak, Lord, your servant hears.'

Most of my early journals have been thrown away, but I still have those for the past ten years, identical in size and shape. They are desk diaries, spiral-backed notebooks measuring 5¼″ × 8¼″ and made by a leading diary manufacturer. As they are probably intended for office use they are not always stocked by general stationers. They have thin card covers and weigh only five ounces, so they can easily be packed into an overnight bag or large handbag for taking away on holiday.

At each opening the left-hand page is blank, but the right-hand one is divided into dated spaces just one inch deep, with a slightly smaller box at the top for additional notes. Those one-inch spaces I find perfectly adequate for daily entries, though some people might consider such a small area restrictive. The limited space compels me to be concise and to write neatly, and if I haven't much to write, then a few words don't seem quite so lost in a sea of whiteness. If, on the other hand, there is a lot to record, I can use the left-hand page.

Once committed to keeping a spiritual journal, you realise it is not like an ordinary diary, which starts enthusiastically on New Year's Day, reaches the 'forget-what-did' stage by mid-January and peters out completely by February. Looking back over these annual records I find that most of the time there are entries of some kind, not necessarily very lengthy; but where a blank space appears it seems to reproach one with the demand, 'What happened to you—or didn't happen—on that particular day?' I wonder—did I oversleep and rush through my Bible reading? Did a phone call interrupt me? Or did God have nothing to say to me that day? (More probably I was not listening carefully.) The blanks certainly pull me up; they tell me to continue the discipline of a regular time with God; they remind me that whatever my feelings, the state of my health, the pressures on my time, he still wants to speak to me.

When he speaks it is—to me—invariably through the written Word. Early in my Christian life I learned to pray the prayer suggested at that time by the Scripture Union: 'Open thou mine eyes that I may behold wondrous things out of thy law'; and although I may have updated the wording, this is still the prayer, 'uttered or unexpressed,' which precedes my Bible reading. So when I believe God is speaking to me I write down what I hear. It may be a challenge to some kind of action, a call to specific prayer, an expression of praise – or a comforting strengthening promise of God's help and presence. Sometimes I draw a diagram or pin-man sketch illustrating the point ('freedom' or 'joy' or a simple Bible scene are not difficult subjects), or I may summarise the passage with a few key words or a 'headline'.

On the left-hand page I normally write more general comments about my daily activities. Trivial, perhaps, but it is useful to have noted that 'R came to lunch—chicken casserole, blackcurrant trifle'—that way I shall remember to serve up something different on the next occasion! Or I may jot down that 'L, a missionary friend, came to supper—gave me some prayer topics re leadership of the work, her own future, some health problems'; or 'Lovely day; C and M took me to garden centre, bought mauve alyssum and a geranium'; or 'Washing machine has gone wrong.' There are occasional references to current events and television or radio programmes, and—inevitably (I'm British)—the weather: 'Heavy snow,' or 'Very hot' or, most notably, 'Violent gales throughout south-east; power failures; huge trees uprooted.' Entries of this kind build up a fairly complete picture of my everyday life.

Last year was not—I hope—a typical one for me, but as I turn the pages to discover 'a year in the life of my journal' I find it began with 'A word for this year—simplify.' This came about through a friend mentioning that she had in recent years asked the Lord for a key word to take through the days ahead. I felt it might be helpful to do the same. I was reading Colossians at the time and from chapter two I noted: 'Verse 5: my life is to be as uncomplicated as my receiving of Christ was. Verse 7: I am to be rooted, built up, established in simple teaching, to abound in thanksgiving, simply praising and being grateful.' Verses 20–23 brought the same message: 'Do away with the unnecessary appendages', and after reading Colossians 3 I wrote, 'Comprehensive yet straightforward. Deal with what is wrong, aim for what is right. Put on love. This results in harmony – the harmony between people and in one's own constitution so that we become "whole" entities.'

There was no need to ask God why he was telling me to 'simplify': piles of half-read magazines, clothes awaiting despatch to a jumble sale, letters and personal filing too often in arrears . . . my life seemed to have become too complicated. 'May I become much more "ordered",' I wrote. 'Show me the realms in which this must be improved.' A week later the Bible reading notes stressed the same matter and from them I copied down the prayer: 'Lord, in my pressures I seek your peace, in my complicated life, your simplicity. In your presence I find true purpose.'

In my spare moments I set to work on the job of sorting and simplifying. Later in the year I understood why this was so urgently needed.

It was in fact the start of a year of new and not always welcome experiences. When the phone rang at an abnormally early hour one day ('Sorry, wrong number,' said the caller) it sparked off an innate fear of which I had been only dimly aware until then, the fear of 'loss', accentuated a couple of nights later by a vivid dream of which I wrote: '"Death" in a dream last night. Feel God is preparing me for the losses which inevitably come with advancing years. Perhaps a second word in addition to "simplify" is "hold loosely" to friends, work, possessions. Lord, take away fear of the unknown future. Help me to live one day at a time.'

Following that rather unexpected eruption of fear it seemed that the Lord wanted to strengthen me with some beautiful and positive pictures. From Hosea 14 I noted: '*We*—blossom like flowers; are rooted like trees, beautiful like olive trees and fragrant like cedars; we should flourish like a garden, be fruitful like a vineyard. *God*—is like rain in a dry land and protective like an evergreen tree.' I found what I described as 'a wonderful way to live' in Psalm 56 (GNB): 'When I am afraid . . . I put my trust in you . . . I trust . . . and am not afraid . . . I praise him . . . I know this: God is on my side . . . in him I trust . . . I will not be afraid . . . so I walk in the presence of God, in the light.'

Halfway through February I urged myself: 'HO, MO and GO!—Hand Over, get Marching Orders and Get On!' But 'getting on' was proving difficult. Various ailments were troubling me and beginning to rob me of energy and zest for living, as the frequent lament indicates: 'Rather weary, had to put a lot into this day,' or, 'lacked energy to get going.' After reading and meditating on the fact that God is light (thinking of 'the speed at which light travels —God responds instantaneously to my call; he permeates everything in every place to which he is admitted'), I added the prayer, 'O light, flood the dark corners of my being. Come in healing power, both physical and spiritual.'

I believe we must be honest in our journalling, while at the same time guarding against unhealthy introspection. God's Word not only comforts, it also challenges us. At a time when I felt that a preacher's own personality had been over-evident in the previous day's services my reading happened to be in Ephesians 4, about humility and meekness —'most appropriate' was my somewhat self-righteous reaction; but I had to admit that there was a good deal in the passage for me, too: 'be patient, show forbearance, be eager to maintain unity and peace.' Coincidentally this was just before the General Election and on the left-hand side of my journal I wrote about having seen on television the leaders of the two main parties at their eve-of-election rallies: 'Horrified by the adulation shown in these show-biz type rallies.'

Some of my earlier journals contain frequent references to the anxieties and worries which seemed to beset my friends (and myself): 'Problems at work . . . P very unwell today . . . L came, has difficulties in her job . . .'; but latterly I have kept these 'problems' out of my journal, writing them down instead in a small notebook which I use solely as a prayer-reminder of friends' needs. This can continue from year to year and the contents don't become submerged in a sea of thoughts on my readings and expressions of more personal prayer and thanksgiving.

One of the ways in which keeping a spiritual journal proves strengthening is that it brings joy and encouragement as one looks back and realises how wonderfully the Lord has led. There are of course some dangers in this. I often remind myself of a story which I first read in a book by that great evangelist, Lindsay Glegg. There was once a man who had what he referred to as 'a blessed experience.' He wrote down a vivid description of this experience, fearing lest he should ever forget it, and he put the manuscript away carefully in a drawer. He looked at it frequently and revelled in it all over again. But one day he rushed downstairs to his wife in great distress. 'The mice have eaten my blessed experience!' he wailed. Journal-keepers have to beware of looking back and attempting to live on past experiences, such as receiving the baptism of the Holy Spirit or being given a spiritual gift, or simply going through a period of feeling 'spiritually high'.

Nevertheless we *may* look back and remind ourselves, not of something subjective but of the caring nature of our God, our Father. My journal for last year illustrates this: he knew the way ahead of me long before I embarked on it. He had begun to prepare me for 'loss', so the death of an elderly friend at the end of February was somewhat softened. Because, like many of us single people, she had disliked Saturdays, feeling that they somehow belong to couples and families, I had often phoned or visited her on a Saturday and we had both benefited from this. Now there was a gap, and I noted down my prayer 're making fresh contacts and having ideas' to fill the gap. This was answered in part when shortly afterwards a friend gave me a beautifully bound book, consisting entirely of blank pages which, naturally, seemed to invite me to write on them. It would not take the place of my spiritual journal but it inspired some poems about everyday things and offered the opportunity to become absorbed in simple pen-and-ink drawings. I told my journal a week later, 'Verse seems to be flowing now.'

Two months had passed since I started to implement the 'simplifying' which I believed God wanted of me, and as I read Romans 2 on the day following my birthday I felt that the emphasis on being ready for the judgment of God came 'with fresh challenge and convicting power.' A little spiritual stocktaking seemed appropriate at this juncture; I wrote: 'Show me what reorganisation is needed in my life. Collect together my constantly-wandering thoughts.' (To read this fills me with dismay, for I am sure I first prayed this prayer at the start of my Christian life and have done so since with great regularity; I am grateful that God is so patient.)

When the month of May arrived I was busy dressmaking in preparation for my holiday in

Austria, but 'Sewing machine jammed—overwork?' I noted. The dressmaking came to an abrupt end. It didn't matter, because I was feeling a bit like the machine, unable to cope with the pressure. Unlike the machine, however, I could only blame myself; I had taken on too many things without trying to discover the limits which God was setting. Other people have sabbaticals—that's what I need, I thought.

The very sudden death of a near neighbour came as another shock. I felt I had done so little to help her to know the Lord, but next day I found in Jeremiah 'a great promise of restoration and ability to speak for the Lord: "You shall be as my mouth",' and the following day a prayer for my own physical needs, 'Heal me and I shall be healed' (Jeremiah 17:14). Parts of the book of Jeremiah have always been particularly precious to me. Jeremiah 31 is one of these, and in late May I found strength in v12:

'"Like a watered garden"—bringing delight to the owner and refreshment and pleasure to those who see and walk in it. The garden itself, regularly watered, has no drooping plants in it. Verse 17 refers to "Hope for your future"; I need this for the immediate future, with a lot to catch up on now. "Every languishing soul I will replenish (v25)"—he promises renewal.'

In June the blank spaces in my journal were much in evidence. I was abroad on holiday, out of my usual routine and also feeling increasingly tired and less able to concentrate. Although I was seeing God's hand in the magnificent mountain scenery, peaceful turquoise lakes and delicate wild flowers, I failed to record these impressions; nor did I mention something which later in the year would surface again and again—a strange deep-seated fear which had engulfed me as I stood in a vast ice cavern in the heart of a mountain. The sheets of ice and deep fissures filled me with an unreasonable dread of slipping and being lost for ever in the mountain's depths. (It was strange that on the final day of my holiday I did actually take a rather nasty tumble, but it was merely on a wet path and I did not even sprain a wrist.)

The next series of blank spaces is explained by the note, 'What a week—a gastric bug (probably brought back from Austria), deep weariness and depression.' Next day I wrote: 'Psalm 37:8 (GNB) says, "Don't give way to worry or anger" (yesterday I did), "It only leads to trouble".' I went on to read Psalm 34:4 and admitted, 'I want to experience this —"He answered me; he freed me from all my fears".' But on the following day I had to confess, 'Still very depressed and anti-everything.' It was one of those occasions when I forsook the 'set' readings and turned to some more of my favourite verses, this time in Isaiah 43 and 44: 'Watch for the new thing . . . I *am* the Lord . . . you *are* my servant.' 'Hold on. This state must pass,' I reminded myself.

It was just two days later that a hospital appointment brought the unexpected news that I needed surgery, which might be of a major character. Only that morning I had read the familiar words of 2 Corinthians 12:9: 'My grace is all you need', and on the following day I wrote, 'Psalm 73 echoes how I felt last week. "But God is my strength—he is all I ever need," v26. Also, "My mind and my body may grow weak"—what an appropriate reading.'

After a couple of days of feeling somewhat stunned by the diagnosis and its implications, I noted, 'I now have his peace and with it a determination to enjoy the next two weeks. Plus heightened sense of humour, funnily enough.' The journal became packed with entries. Everything I read seemed to bring me just the right message. 'Psalm 84. "David strengthened himself in God." "Strength in him," v5. Strength *plus* strength, v7.'

I wrote down my thanks for the speed with which everything was happening, the way the church prayer chain had gone into action, the help given by so many people. 'Loving ministry during healing session after communion at church.' 'Helpful time' with a close friend as I shared some of the new fears which had arisen (suppose I don't come through the op, suppose it is cancer, suppose it's already spread . . .), fears which are often born of the sense of uncertainty. 'The waiting time is the worst', someone wrote on a get-well card. Admission into hospital presents numerous problems, such as who is to handle enquiries and supply information, who will be informed in an emergency, what is to be arranged about convalescence. I found it invaluable to sit down quietly with my friend one hot July day: 'Talk on many matters re op and related things,' I wrote. Every contingency was covered and I felt relieved.

The reason for the New Year word 'simplify' had become quite obvious. There was still plenty to be done. 'Sorted papers' (I wanted to put everything in order before going into hospital). 'Did bit of gardening and felt very positive about putting it right next spring.' (I had no idea how long I would be out of action: it depended on the nature of the surgery.) I was 'having mood swings, sometimes very confident and sometimes hardly caring about anything.' However, on the Sunday before admission to hospital I was thrilled by some readings from Revelation 21 and 22 and wrote: 'New—holy—joyous—glorious—full of healing and life. On Thursday I shall be "prepped" . . . today, a quiet day for spiritual preparation, cleansing, waiting for the great Physician.'

The day for surgery arrived and I woke early and meditated on the Lord's many blessings. When people are in special need we often ask that they may feel God's presence, and certainly this prayer was answered in my case. After some moments of hideous confusion when I roused from the pre-med before being wheeled to theatre, the sense of the nearness of Jesus became very real. Afterwards I wrote: 'In the anaesthetic room, at the very last minute I recalled my morning reading (Luke 4, GNB), "Jesus went and stood at her bedside".' I could almost see this loving Friend standing there on the right-hand side of the stretcher as I waited to be anaesthetised, and I praised him briefly in the 'heavenly language.' It was an unforgettable experience.

It was by no means my first time in either a surgical or medical ward, but it had a profound effect on me, saddening and depressing me, despite the help of God's Word and the use of worship tapes. The surgery had been less drastic than I had been warned to expect, yet my return home was the start of several months of physical debility and spiritual lethargy. Again the blank spaces in my journal reveal this, with the occasional entries reminding me of the strange fears and sense of confusion which often surfaced.

A week in the peaceful caring atmosphere of Burrswood, the Christian home of healing, brought a measure of inner peace. I wrote: 'Saw doctor, told her of my fears, which had recurred a few nights ago.' Following a long and helpful talk with this understanding lady I was able to think through the trauma of hospital and write it out of my system in a couple of prose-poems. One of these referred to

> . . . the scar in my spirit,
> Confounded by noise and confusion;
> Deprived of its natural dignity,
> Its privacy and peace;
> Shaken by alien attitudes;
> Helpless through bodily weakness;
> Grazed as it clung with resolve
> To the chain of promises
> That he is with me, always.
>
> And this scar heals,
> Receiving the balm of the Spirit,
> God of order, not of confusion,
> Author of peace.

The other expressed something of the sadness I had felt in the hospital ward:

> I have wept for the sadness of the world—
> For those who die without hope of life to come—
> For angry, bitter and bewildered souls
> Who do not know the Fatherhood of God,
> For those who spoil the beauty of his world
> With blasphemy and filth and brutish lives.

But Jesus, Lord, you understand,
For you have also wept . . .'

It seemed that during those weeks of convalescence God spoke to me more often through his people than through his Word. Or was it that I had become spiritually hard of hearing? I don't know. It is probably true for most people that prayer and Bible reading are not easy when they are recovering from surgery or feeling weak because of physical or emotional pain. People sought to encourage me by telling me how long it had taken them or their relatives to regain normality after a general anaesthetic. But I found 'talk, visitors, television, very tiring' and had frequent bouts of extreme weariness, feeling frustrated and guilty at not regaining strength more rapidly.

'Tapes a blessing but prayer still not very spontaneous. But God is the same,' I wrote, adding some lines from the Book of Common Prayer which had sprung to mind—'Thou art the same Lord, whose property is always to have mercy.' In spite of this confident assertion, only four days later there is the entry, 'Woke early with a desperate crying out for God, for himself alone—then slept again, dreaming of longing to find where the Communion Service at Burrswood was being held' (though it was several weeks since I had been at Burrswood). It seemed as if God was prompting me to pick up the threads of church life again and also, I noted, 'need to take up the "discipline" of note-making.' My journal began to feature once more in my life.

Although it was good to be back in the church services, my emotions seemed dangerously near the surface, and not until several more weeks had gone by was I able to write, 'Got through service without tears.' One Sunday when I had not gone to church, both radio and television services included words from Joshua 1:8 ('Be strong and of good courage'). 'Am I to *set my mind* towards strength, renewed health and ability, trusting God to do the physical and spiritual restoration?' I wondered, feeling that the words conveyed the idea of 'positive thought and definite trust.' They certainly made an impact on me for good. I was, a few days later, still 'feeling despondent at what I *can't* do' and felt the Lord was telling me '"Do what you *can* do".' I walked into town and had lunch with a friend. 'This is a start,' I wrote triumphantly, 'and I felt better after making this plan.' As I began to feel more able to cope with domestic chores, I wrote, 'Felt I had so much to do, but as I hung out the washing under blue skies and in a fresh autumn breeze I felt thankful beyond words that I *could* do so—praise the Lord! (Last evening, Psalm 103.14: "He knows our frame" therefore our limitations.)'

Sea air, Christian fellowship, meals prepared for me, were all part of the 'cure' when friends unexpectedly invited me to stay with them for a few days in their home on the south coast. The tone of my notes begins to change. 'Fun with Scrabble . . . Sunny day, sat on promenade . . . More merriment at meal-table.' It was a long time since I had laughed so much; I was coming back to life. But the most important thing about this short holiday was the counselling and ministry, with laying on of hands, which I received from this dedicated couple when I shared with them the fears which had beset me.

Afterwards I wrote, 'God rejoicing over *me* with singing, Zephaniah 3:17. Later, a sense of the balm of the Spirit poured over all the shocks, problems and fears of this year. Thank you, Father.'

Just three days after this ministry, when I had returned home, a 'picture' came into my mind—a picture of a child, blue with cold, listlessly sitting alone on a sheet of ice in a huge palace of ice. I recognised it as an illustration in a Hans Anderson fairy-story book which had been given to me when I was only six years old. I also recognised the significance of this picture: 'The Spirit related this to my fears in the Austrian ice-cavern.' Had I kept the book over all those years? I went to the bookcase; it was there. 'The book is about witches, hobgoblins, etc.' I noted. It seemed to me that there was a strong link between this and the many fears which had come to light since the beginning of the year. I confessed and rejected their hold on me, 'Tore up book and put in bin,' and felt the fetters of fear drop off. I was aware of release and freedom, but awed to realise that such a slight brush with the occult had subtly affected me for so long.

Next day I wrote: 'Psalm 143:5 very special to me now—"I meditate on all that thou hast done; I muse on what thy hands have wrought." I echo verse 6 too: "I stretch out my hands to thee; my soul thirsts for thee like a parched land." I've been parched—now the rains are starting. Verse 8—"Teach me the way I should go"—I want to be taught by him again. Verse 10—"Teach me to do thy will." His will is "good, acceptable, perfect".' Now was the time to pray that I might do only those things that God had already prepared for me to walk in—a verse from Ephesians 2 which I had frequently offered to others and which I now needed to act on myself. At Burrswood, God had told me, 'Live each moment to the full,' and I began to attempt to do this, thankful for the many signs of his love to me.

Looking through that rather difficult 'year in the life of my journal', I can see its particular value throughout that time. I had used it to express to God my physical and emotional needs; to record how he had responded—often through the care and practical help of friends; and to put into words my desire for him. Turning the pages I may, if I wish, skip the heartcries, the weariness, the valley experiences; but I recognise these as valuable times of learning which help me to understand and sympathise with others treading similar paths.

But best of all, there was the experience of God's 'amazing grace' and the encouragement he gave me from his Word, so that as I recall all that happened I echo what I wrote at the very end of the year: 'Much for which to praise God.' The last entry for the year was from Psalm 150, which spoke to me then and speaks to me now:

'Praise him—with everything (vv2–5)
Praise him—for everything (v2)
Praise him—everywhere (v1)
Praise him—everybody! (v6)'

Chapter Eight

SIMPLE AND VERSATILE

by

RUTH FOWKE

Dr Ruth Fowke was a consultant psychiatrist in Surrey until her recent retirement. She is the author of several books, her first and best known being *Coping with Crises*. Sought after as a counsellor and conference speaker, she is on the Council of the Far Eastern Broadcasting Association, and is a member of its personnel committee.

'Journalling has proved its use when I have a tough decision to make, when anything is proving to be a particular problem.'

'Write it up' has I suppose always been a feature of hospital medical practice for me. 'Write it down' at the end of the day was a discipline and a joy acquired much later, and one which I have found most beneficial. For me it is both creative and curative, capturing insights, ideas, impressions and feelings that otherwise I would probably lose in the rush and general busyness of life.

It is also economical. One of the reasons why I started keeping a journal was because I was told it would save time, storing ideas that could be used later for writing or talks. 'Just write it down, Ruth, and you'll find it's all there when you need it,' said Brian Hawker on one of his journal workshops. I tried it, and found that he is right.

I now use my journal primarily to reflect upon and to record the main theme of my time of prayer each day. As this is normally first thing in the morning I also like to send myself a sort of telex for the day, recording a few key words that give me the essential message. I can then return to it often during that day and I have found that familiarity with these key concepts means that they spring to mind later on, in times of need or stress when they are particularly relevant and most helpful. Recalling this very personal telex and reflecting on it at irritating intervals, such as when stuck in a traffic jam, helps me to digest it further and to develop the theme. It is a wonderfully constructive way of utilising the time instead of getting steamed up at the delay.

There are many other 'spare moments' during the day when I find it refreshing to return to my telex, such as when walking down the long hospital corridors or driving between appointments. Then of course there are all those other times of tension, disappointment, discouragement or difficulty that so easily creep up on me unawares. I have found that focusing on a previous telex that is particularly applicable to the current situation helps me to get things more into God's perspective.

Enabling those seed thoughts to be captured is for me one of the great advantages of keeping a spiritual journal, and entering them into the journal begins the process of committing them to memory.

Keeping a more or less daily spiritual journal generally takes only a few minutes, and I have found those minutes invaluable as a means of clarifying what has occurred between God and myself. It is a way of fixing important issues in my awareness, and of making them accessible. When there is an opportunity to explore them further I have a focus and a starting point all ready to be picked up and taken forward. Without this I would find it much harder to get going, to settle down and find the thread that is waiting and wanting to be followed.

Somehow an entry in the journal so often seems

to take on almost a life of its own. When I read it at the start of another prayer time it just seems to beckon me to pursue it further.

There was one notable time (one of many, I have to confess) when my times of prayer seemed to have gone stale and sterile. I then returned to an earlier mental image of a particular place of provision for meeting with the Lord, and just waited expectantly. I found myself contemplating him as Creator, Redeemer, Restorer—and time ran out. I resumed this theme next day and at some point a string of words beginning with R just sprang to mind. I am sure I did not get all of them down but those that I did occupied me for several days.

On one of them I contemplated the One who receives me; graciously, lovingly, unconditionally and with great desire. This picked up several themes from an earlier time spent considering the Song of Solomon, phrases of which had become meaningful and personal to me. Another was spent seeing Jesus as the Receiver, of honoured guests, yes, but also of the bankrupt. In that sense the receiver takes the little that is left and makes the most of it, ensuring that there is no further unauthorised expenditure from the estate.

This led on to some reflection of my need to repent of the over-activity that had resulted in such spiritual, emotional and physical bankruptcy. I realised I was in need of deep renovation which he alone could undertake, and learned a little more of what it means to come to him to be remoulded and to have my life reshaped so that my batteries could be recharged.

Some of the themes that emerge do so more in

images than in words. They impress themselves on me because they are visual and felt, and so they are experienced at a deep level and in a way that is very difficult to convey in words alone. One of these memorable occasions occurred when I was dwelling in the early verses of Paul's letter to the Ephesians. I had a vivid experience of what I called, in the reflection recorded afterwards in my journal, the circle of God's love—the Father above blessing me; showering down his blessings, freely, joyfully, almost playfully and certainly purposefully. The purpose? That I may praise and glorify him, giving him pleasure, and at the same time that I also may have pleasure in our relationship together.

Every spiritual blessing . . . showers of them, it was like a heavenly firework display of golden rain, glorious colours and stars bursting out and streaming down, so generously poured out. Then it was as if Jesus Christ was underneath, completing the circle, holding hands with the Father above. The Holy Spirit was there too, hovering around, making the third dimension: a wind blowing gently and a fire flickering through the circle. I had a strong sense of dancing freely in this ever-moving circle of pure love.

The next day I returned to the phrase 'riches of grace lavished on us' and again I had the sense of being under a constant stream, a fountain or shower of pure love and goodness. In this fountain of love I was both a child dancing, laughing in enjoyment, and an adult standing in amazement, awe and bewilderment. I asked 'Will it ever stop, Lord?' and received the instant reply 'If it ever does, then find out why.'

Of course not all of my reflections have been of such almost embarrassing and enjoyable riches. Many times I have had to ask for grace to continue, to stay with, the more difficult and distressing ones until some resolution of the conflict is achieved. Sometimes this is a long, slow and painful process.

A couple of years ago when considering Isaiah 30, particularly verse 18, 'the Lord longs to be gracious to you', I had a sense of his yearning for and reaching out to me. This was accompanied by considerable resistance on my part which I could not understand. After about five days of this I was reflecting on 'his property is always to have mercy', and the accent fell on the word 'always'. From this it came as quite a revelation to me to realise that HE NEVER HAS A BAD DAY.

I wrote it just like that, capital letters, in my journal. Doing so made me stop and identify some misconceptions about God that previously I had not realised I was harbouring. They included injunctions like 'Don't bother Daddy now; he's busy/tired/worried/just going off to golf'. Clearly I had transferred to God this attitude of 'don't bother Daddy' and had allowed it to inhibit my times of communion with him, something I needed to ask him to forgive and rectify.

That entry in my journal brought home to me very vividly just how much the notion of God as 'the man with a big stick' was still around for me. My head held other ideas, I liked to think that they were more sophisticated, abstract and 'spiritual' concepts but it was now crystal clear that all the rest of my being believed in *and responded from* another framework.

The next day I returned to the truth of God always having mercy, which recalled to mind that he is a God of justice and mercy. Again I was hit below the belt as I realised that I did not want justice, but favouritism and preferential treatment: one more old pattern persisting from childhood.

Another difficult time was when I realised that I was actually seeking comfort from God, rather than his presence, whatever that might bring or reveal. It was an encouragement to realise that although these were painful insights to me they were not new ones to him. He knows all this, and more, about me and still accepts me as I am at this moment of my walk with him.

When such old, outdated and restrictive attitudes surface in the confidential pages of my journal they become the gateway to healing. Once I can acknowledge them fully, being as specific as possible, the Lord has a chance to come in and change them, change me. I have recorded several instances of surprising inner rage in reaction to quite minor current environmental frustrations. Seeing that pattern in the present, and talking it over with a trusted friend, took me back to when I was three years old and our family moved house. I have isolated but vivid memories of that time and the ensuing two years.

Whenever, as a child, I had felt helpless and unable to alter the situation I would tend to withdraw into myself for protection. When that failed and I was pushed too far I lashed out, probably because as a child this had seemed to be the only response left, the last resort, the ultimate defence.

The trouble was that I continued that pattern

long afterwards, reacting at least inwardly in a similar fashion whenever something, or someone, in the present evoked a resonance of how things were all those years ago. Continuing to react almost automatically prevented me from finding alternative and more appropriate solutions as I grew older. Once this pattern was identified and examined I was able to take it to the Lord and let him begin the process of rectification and healing, a process that is still going on.

Another aspect of the journey towards healing and wholeness which I have found to be facilitated by keeping a spiritual journal is the difficult task of integrating dissimilar aspects of my personality. I have both a strong streak of activism and a considerable leaning towards contemplation, which I have found hard to reconcile. Allowing mental images to emerge during a time of prayer has been very helpful. I still ponder on two figures who arose during one weekend away. One of them was a solitary, self-contained countryman and the other an active, gregarious villager. The two men were strangers to each other and had little in common but in the pages of my journal they managed to meet and greet each other. The ensuing conversation holds much food for thought and continued guidance for daily living.

During a retreat a couple of years later two more figures became the focus of integrative work: a mischievous dancing girl and a stern critic. Both of these are parts of my personality and I need to know when to summon them and use their expertise, and when to dismiss them from the scene.

Jesus also used two-figure scenarios and one that

has been particularly enlightening to me is that of the Pharisee and the tax collector. Over a period of several days I came to own that there is a great deal of both of them in me. In imagination I became the tax collector and was aware of hiding behind a huge solid stone pillar. I wanted to go on standing there and was very reluctant to move out of the safety of the shadows. As I looked at my life and at the fear that kept me from leaving my familiar landmarks it was as though the Lord said 'Your only landmark is me', and that statement became a valued telex for several days. It is one I have often needed to recall at times of uncertainty and ambiguity.

Another day, when I imagined that I was the Pharisee, I had an uncomfortable time owning the qualities I disliked in certain specific people. Having listed those people and the facets I disliked in them I had to admit 'I am the Pharisee. I do look down on those others,' and I went on to deplore this deeply. As I prayed 'Lord, make me clean' it was just as though I heard the reassuring answer 'I will; be clean'.

Using imagination to 'become' both characters in turn meant that the parable became for me a lived experience. Instead of being just an illustrated story, however pointed and pertinent, it certainly came home to me in a new and telling way. Because I have recorded that experience I can more easily recall it through the pages of my journal.

Sometimes a dream is so powerful, or seems so significant, that it merits inclusion (or at least a cross-reference) in my spiritual journal. One such was when I dreamed that I had accidentally put the car into forward gear instead of reverse to get out of a full car park. Rather than getting away quickly I was delayed because, having crumpled the bonnet of the maroon car in front, I had to wait to find the owner to tell him of the damage. It was only later in the day following that dream that I realised the significance of the colour maroon. It emphasised the message of the dream which clearly seemed to be 'If you go on like this your life will be crumpled and you will be marooned.' As a result of reflection on that dream I did go through my diary and make some necessary adjustments.

Another night I had a hectic dream of searching for my car and not being quite sure where I had parked it but knowing that I needed to get out and away quickly for something that was important. When I did find the car there were two large buses broadside on, most effectively and frustratingly preventing any movement at all. During my prayer time the next morning it seemed prudent and necessary to reflect on what might be restricting in my life at the time; on what might be hemming me in and preventing any change of position. The symbolism seemed clear but the reason for it was not. So I just asked the Lord to reveal to me any changes he wanted me to make to get out of, or to prevent myself from entering into, a locked-in situation.

My spiritual journal is also the place where I try to summarise the impact that special events such as conferences have on me. I extract the points that are important to me and make a note of any changes in direction or practice that would seem to be indicated. This gives me a record which I can check back on at intervals. Then there is the twice-yearly occasion when I am privileged to meet with seven friends in what is known as a Gestalt peer group. That always produces new insights and usually new experiences that need to be evaluated and incorporated into my life, and so my spiritual journal is the place for entering this also.

In addition there are those important conversations that I want to reflect on and to record so that I can return to them from time to time. This especially applies to sessions of spiritual direction. They have taught me and profited me so much and through them I have grown in understanding and awareness since my first tentative step into what was such a new adventure for me just five years ago.

From time to time I go through my journal highlighting or marking in some other way those key thoughts and experiences that are outstanding enough to warrant some form of quick reference and easy identification. I also like to pick out particular themes and to note any interesting ones that have been touched on in passing but which I have neglected to take any further.

I also tend to review my journal entries at times of dryness because I find encouragement there. If God has so met with me, taught, confronted and comforted me in the recent past then there is no reason to believe that he will not do so again.

Journalling has also proved its use when I have a tough decision to make, when anything is proving to be a particular problem and when I am finding any aspect of a relationship at all unusual. All of these things have at different times caused me to put time aside in order to look more closely at the issues involved.

Sometimes I do this by listing the pros and cons of the different courses of action that I might take. Initially there may not seem to be many, or even any at all, but as I go on looking it generally happens that more possibilities emerge and I find that I need to write them down so that I can give each one due consideration. At other times it seems more helpful to jot down the steps that have led up to the circumstances under scrutiny because a current dilemma can sometimes be clarified by taking careful note of the various decisions or events that led up to it. When I understand how I got into a situation it is sometimes easier to see what I need to do about it, and to decide when best to carry out any remedial action that seems indicated.

Another helpful approach that I sometimes use is actually to write out an imaginary dialogue. This can be done not only with a person, or between people (as I did with my images of the countryman and the villager) but also with an inanimate object or intangible idea. I used this method when I realised I was putting off starting on a piece of writing: I wanted to get going but just could not get started. It helped me to see why I was blocking myself, and to devise a way of overcoming the block.

When I know why I am doing, or not doing, something that has become a problem to me I often have to ask myself if there is anyone I need to forgive, or anyone from whom I need to ask forgiveness, and is there anything for which I need to ask forgiveness from God. When I do see certain steps that I need to take, the next and crucial question is whether I am willing to take all or any of them. Generally I find this is not a matter that I can answer lightly or quickly; it may take a number of days. When I do find things that need to be done then part of my decision to do them often involves determining what I must forego in order to fit them in, since neither time nor energy is infinite. Recording such decisions, however briefly, in my journal reminds me to implement them.

There have been occasions when my journal has contained more questions than answers. At times I have seen only the direction I need to take, or become dimly aware of the direction in which it seems the Lord wants to take me, over quite a period of time. My journal is all the more useful then, enabling me to take stock and keep track of what is going on.

My first experience of journalling came in 1981 at a conference run by the Rev Brian Hawker. It was based on the work and system of Ira Progoff, whose book *At a Journal Workshop* I had never managed to digest, so I was particularly glad that Brian was able to do this for me. Starting on something new and strange with a group of people all in the same boat and all trying it out together gave me a lot of support and encouraged me to have a go at aspects of the course that I would not otherwise have attempted. In the next three years I attended a variety of his workshops.

Whenever we were set any particular task we were always told whether the result would be for our eyes alone, or whether there would be some opportunity to share in small groups, or an invitation to share with the whole group if we felt so inclined.

Sometimes we were even told that everyone would be expected to share something following a particular project, but no pressure was put on anyone unwilling or unable to share. A shake of the head and the turn quickly passed to the next in line without comment or censure.

At these conferences we learned by doing, starting by committing to writing an objective and non-judgemental statement about our present position on life's journey. Being as objective as possible; recording what is, rather than what I would like it to be, and without passing any judgement on the observations or comments; knowing that the entries are for my eyes and for my benefit alone . . . these are the essential background to all that followed.

Before the first session was over we were instructed to 'Take a new sheet of paper, date it, and record what has been happening for you today'. And so we began to keep our personal journals.

There was immense value in doing this together. The atmosphere in the room encouraged me to have a go at sections of the work that previously I would have considered definitely not my line.

On one occasion, after reviewing the main movements and concerns of one particular section or phase of our lives, we were invited to write a modern psalm. This was to be done after the style of Psalm 136 but using the memories and reflections that emerged during that review of the portion of life history we had each chosen. I was sure that I could not do this, but there was nothing else on hand and I was encouraged to find that I could produce something. The result was not great poetry, but it was very meaningful to me. The refrain 'bringing me out of the chrysalis cage' refers of course to the events, people and perceptions I had just been recalling as I wrote:

> I want to thank you, Lord, for your enduring love
> bringing me out of the chrysalis cage.
> You watched over my early years
> bringing me out of the chrysalis cage.
> You steered my steps in later years
> as I learned to walk out of the chrysalis cage.
> You opened doors others would shut
> bringing me out of the chrysalis cage.
> You gave me friends each new place I lodged
> bringing me out of the chrysalis cage.
> You wakened me up when I drifted and dozed
> bringing me out of the chrysalis cage.
> You gave me a home, a place of my own
> bringing me out of the chrysalis cage.
> You give me horizons, so broad and so far
> bringing me out of the chrysalis cage
> Into the freedom of your greater life
> bringing me out of the chrysalis cage.

I have not repeated that particular exercise (yet) but one that I have on several occasions is to get myself quiet and then go in imagination up a mountain to find a gift that is waiting there for me. It felt a very risky thing to attempt. What if I could not imagine or envision anything and my mind remained a blank? What if there was no gift after all?

On that first 'mountain trip' it was hard to get going, I was too full of doubts. However, because everyone else in the room was trying it out, I did too, recording my thoughts as I struggled with this new experience. The struggles make tedious reading but then about half way up the mountain I found myself writing:

Look around in wonder; savour; enjoy.
Linger and look.
Breathe in and capture the sweet night air.
The moonbeams dance, inviting me to join them.
I do not have to hurry on,
I do not have to reach the top,
I do not have to reach the light for it is here.
My gift is now, the moment I am in
  the people I am with,
  the everyday and all around
  the here and now.
Now begins before the world began, and now extends
  to the end of time.
But I am not built to comprehend that span.
My gifted now is just where I am
  and just as I am.
I cannot buy this gift, I can only accept and cherish it,
  enjoy it to the full, stay with it,
  savour it, marvel that it is so.
The moonbeams dance, enticing me to stay
And in staying I have found my gift.

As I have a strong tendency to live in the future, to anticipate things yet to come rather than actually to experience the present, this gift was salutary. It was, and is, most important to receive, to use, to cherish and to nurture.

Sometimes in my journal I have found that I tend to preach to myself, and then the realisation dawns that I need to turn this self-instruction into present, lived experience. Actually to let the love of God fill me, now, this moment, is sometimes more difficult and always more important than hours of thinking about it in the abstract.

A much later 'mountain trip' produced a strange gift, with a wonderful sense of timing and humour. I had specifically asked the Lord for a gift that would show me my strengths and was puzzled by eventually receiving a toy hot air balloon-cum-parachute (in glorious rainbow stripes) carrying a jeep in place of the usual balloon basket. As I pondered on its meaning the message seemed to be 'Rise above things'.

That symbol was able to speak into my situation very much more powerfully than mere words would have done. It helped me through a difficult day, at the end of which I returned home to find that the washing machine had flooded. Truly I needed to rise above things, not only on that particular day but on a number of occasions since then. That humorous symbol continues to speak to me in times of stress.

At home most of my imagery is entered into in silence but at various gatherings I have also participated in listening quietly, meditatively, to music. Generally we are instructed to wait and follow whatever images arise spontaneously, going with them however they develop. After one such time I recorded first a few key words that seemed to capture the thoughts, the feelings and the movement which the music conveyed and then after a slow start the words really flowed. I wrote down what I experienced, and later took action on the inviting command. My experience on that occasion was:

A haunting outdoor call, calling

Calling to me to come, to come
Calling to me to leave, to leave
To leave behind the weight, the cares
To leave the road, the metalled high road
  the well tramelled, much travelled road
And follow the call
The haunting, outdoor, beckoning call
Through the valley
Between the hills
Echoing, bouncing
Bounding ahead.
The call comes back
Come follow, come follow
Come on, come on;
Keep coming on.
There's more to see, and more to know
More to life than you yet know.
Bounding and bouncing,
Beckoning on.
Calling, so gently calling
Leave the rush
  and the crush
Come away from it all
come follow my call.

Those last four lines encouraged me to embark on another venture new to me, something which took me beyond my previously rather restricted spiritual pastures. I tried a short directed retreat. Forty-eight hours alone, in silence, with only the Bible to read was an alarming prospect to the activist in me but an alluring one to the emerging contemplative.

Obeying the command to 'leave the rush and the crush, come away from it all, come follow my call' I gave it a try. My director seemed to understand how alien this all was and guided me gently. I found that I not only survived but flourished in such an environment, and arranged to return some months later for a six-day retreat. The following year it was for eight memorable days.

Over the years the format of my journal has become much more simple and more versatile. Just blank sheets of A4 for all purposes, though on some I have coloured the outer edge blue or green for ease of identification. The blue ones are my dream journal and the green ones my occasional journal. That gets sparse and sporadic entries but it enables me to include anything that does not seem to go easily in the main section.

Generally I just have the current page of these three sections to hand, and a number of blanks in a clipboard. This board comes with me whenever I am away from home and on my return it is a simple matter to file used sheets in the appropriate ring binder. I have one for conferences attended, another for talks given and a third for my journal of four sections. Three of these are mentioned above and the fourth contains the listings, questionings and dialogues mentioned earlier. A brief note in the margin enables me to refer to one of the other resources whenever it seems necessary to do so.

Chapter Nine

GROWING IN TRUST

by

JEMMA HUGHES

Jemma Hughes lives in Surrey with her husband Chris, the Rector of Ashstead, their teenage children, Nik and Helen, Corrie the dog, and Claus the cat.

Until 1983, Chris and Jemma worked in rural parishes in Devon. A second curacy in Buckinghamshire and nine years in a parish outside Plymouth gave them a useful insight into commuter lifestyles.

Before getting married, Jemma was a journalist in Watford. She has co-produced and presented a Sunday religious magazine programme for Plymouth Sound Radio. Her book *Will my Rabbit go to Heaven?* (Lion Publishing) was updated and relaunched in February 1988.

'It was a wonderful reminder to say "thank you" to God as well as a way of releasing my feelings and learning how to trust him more as I could see, in black and white, that he does keep those promises.'

Keeping a spiritual journal is something I have always meant to do but never get around to in an organised fashion. Like the dear elderly lady in our church, who delving into the back of a cupboard in an attempt to find her husband's hat re-discovered the Lord's promises: into her lap fell a whole list of them she had written down years ago on an odd scrap of paper. Such is my spiritual journal, presumptuous of me even to call it that. It is kept in a number of spiral notebooks stored in numerous odd drawers from the attic downwards of our 15-roomed rectory. Funny how similar they all look, wedged in between cookery books, discarded in well-worn handbags, curling up on dusty shelves. Add to these, notes scribbled in the margins of books, inside Bible covers and even on the back of the telephone directory, a bad habit I picked up during my journalism days.

If only all these thoughts, feelings, ideas, convictions, spiritual insights, sermon pearls, agonies and ecstasies were recorded in one beautifully bound volume. But they are not. Every New Year's Eve, Ash Wednesday or summer holidays I have the same old conversation with myself. 'Now is the time to start a new journal with entries every day, preferably first thing in the morning.'

Hang on a minute. Do I really have to be that orderly about it? If I am not that sort of person is it reasonable or realistic to expect myself to produce such a journal? Am I falling into 'law' or making excuses for lack of discipline? Is it the notebook that counts; the fast flowing pen or coloured pencils; a quiet place to write beside a bubbling stream?

It would be helpful to find out how other people 'journal'. Thoroughly frustrated with my own attempts I set out to discover some answers to my questions by putting a request in the Sunday notices inviting people to let me into their secret formula. While waiting for these revelations I reflected upon my own early days of keeping a journal.

I have written in notebooks from an early age ever since I felt compelled to write about the 'Tartan Teddybears' in my Scottish grandfather's woods. Some of those early attempts at 'journalling' ended in failure. There were the school nature diaries with those lovely clean white sheets beside lined pages on which to write. Somehow I never wanted to draw and made such a mess on those tomb-stone-like papers that it inhibited my writing attempts and I gave up the struggle. Deep down in a desk drawer are two exercise books filled with ramblings describing my 'horsy' years, many of them spent during the holidays with my Yorkshire grandmother in a large vicarage on the East Coast.

Next came the inevitable five-year diary. This covered the four volatile years spent in a fairly repressive and very respectable girls boarding school during the not so repressive or respectable late 1950s and early 60s. It also included the almost volcanic activity during the school holidays during those 'swinging times' . . . 'but for the Grace of God . . .' looking back I often thank him for that.

Far too much was written down during those turbulent adolescent years – spare the thought of anybody ever reading it and so on my seventeenth birthday, when I thought I had finally reached maturity, into the flames it went. How I regret the back-garden bonfire on that balmy summer night, for up in smoke also went details of some early spiritual experiences and the beginning of my spiritual journey. How I would love to re-read the diary entries that expressed those spontaneous joyful moments though in reality the diary contained probably more accounts of crying out to God in despair and resentment. I am still struggling to allow God to keep me swinging along the road in a more balanced fashion.

It was at school that I made the amazing discovery that the Bible is not just a dull, boring history book. This actually happened during an assembly and I have often wished I could have told the clergyman who spoke to us that day just how significant he has been in my life. Although I now have no written details I can vividly remember drawing up crossed legs and sitting bolt upright on the hard school gym floor as the reality of Matthew 7:7 hit me. I remember my unspoken words to God: 'If this is true, if Jesus does keep his promise and he really does exist, then please can I have a distinction in my worst subject, Latin, and my best subject English?' I was not surprised when my request was granted. I gave up Latin the following year. Of course I had to learn that God is not a magician . . . that I used that promise selfishly . . . that answers to prayer are sometimes, 'No' or 'Wait' as well as 'Yes'. But it was God's timing that was so significant in this incident. I had in fact done the exams; they could already have been marked but God used this opportunity to tell me about his promises and to show me that he personally cared about me and the whole of my life. He was not a remote, angry God, stuck somewhere 'out there'. Years later when facing times of doubt, fear and depression his promise '*Ask and it will be given to you; seek and you will find; knock and the door will be opened to you*' has come to me from every direction, exactly when I have needed his reassurance.

Back to that diary. One of the few places at boarding school when I found, or made, the time to be on my own was in the bath. As a bath was compulsory every day it was a marvellous place in which to hold conversations, very one-sided, with God. Into that diary went some of his answers.

It was not until I was eighteen years old that I was actually told (perhaps I had been told before but had not heard) that to be a Christian I needed to hand over my life to Christ and so I did, in the bath. Then came an enormous gap in my writing . . . I cannot really call it a spiritual journal as yet . . . and it coincided with a six-year period of 'stalling in a lay-by' on my spiritual journey.

I was rescued from that 'lay-by' by an introduction in hospital, after the birth of our daughter Helen, to the books by Catherine Marshall. She was to be, though I never met her, one of the most influential people both in my spiritual life and journal.

Once on the road again, making an effort to have regular Bible study and prayer times, I also found myself back at the stationers buying spiral notebooks. These were my companions off and on through the ups and downs of exciting years in our first parish on the edge of Dartmoor when we were independently, and later together, introduced to the renewal movement. This was a period with the Holy Spirit that I could only describe as like falling in love for the first time. Looking back, it was heady and euphoric. We yet had much to learn about the spiritual battles that lay ahead and the need for healing and courage to work through inevitable conflict. It was also an era, sometimes delightful, sometimes despairing, that covered the upbringing of our children – an era that passed through phases but one that felt as if it would last for ever. Again, from Catherine Marshall I had learnt the benefits of writing these things down and in the journals are many references to family relationships.

A lovely verse from Luke 2 was very precious to me during these years '*. . . and Jesus grew in wisdom and stature and in favour with God and men*'. I concentrated on these four aspects of Jesus' growth in relation to my own children when I prayed for them, and still do. Yet even after all the years, and with the knowledge that writing a journal does help me to be both more disciplined and free in my spiritual life, it still was not a priority. Then I came across the 'Prayer Diary' compiled by Catherine Marshall and her husband Leonard Le Sourd. This was a tremendous breakthrough for me and into the 1980s I went armed with three volumes.

The prayer diary is a paperback with a short text, 'God's word for me' for each day of the year followed by a prayer/meditation and half a blank page divided into two columns: one for prayer requests and one for God's answers. This was the guide for which I had been searching. There were various themes, some lasting for several days, another just for one day. For example: 'assurance,' 'the sovereignty of God', 'protection', or 'the day after an election'. There was a monthly summary page to fill in as well. Some may claim this is more of a diary but I used it as a journal and it was a wonderful reminder to say 'thank you' to God as well as a way of releasing my feelings and learning how to trust him more as I could see, in black and white, that he does keep those promises. I was also able to record dreams in it.

Looking through the diaries it is interesting to note intense entries for months at a time and also significant gaps, particularly in the run up to Christmas and, with the exception of one year, most of August. There were also gaps for not so understandable reasons, usually self-pity, or a 'crossness with God for not working out life my way'. Unlike some, I tend not to write when feeling low but these times are then followed by thankful entries as time and again I learn that although I may let go of God, he does not let go of me.

The place of writing is important. In winter, warmth is desirable though not always possible in our huge rectory. In summer the sun plays an important role, though if it gets too hot I drop off to sleep in mid-flow. We are fortunate that our house faces south, overlooking a large garden in which a thoughtful incumbent once planted four rose beds that make the sign of the cross. Grandmother's large dining table enables me to spread out with pens, pencils, red and green markers for highlighting, a dictionary – as I have a spelling disability – and a Bible. Sometimes I write grammatically; at other times it's wild and in note form, occasionally in shorthand particularly if I am feeling discontented with my lot or out of sorts. Two experiences appear to have been recorded carefully; one in full and both obviously of importance to me. One concerns God's guidance, the other God's power to heal.

★ ★ ★

In 1982 we were coming to the end of our eighth year in another beautiful parish, this time overlooking the Devon-Cornish border. It had been a very happy and challenging time for us. Our children had spent most of their childhood there. God began to warn us in various ways that it was time to pull up the roots. This was to take a further 18 months of knocking on many doors, returning again and again to prayer for guidance with a sense of expectancy interspersed with feelings of despondency as we could not see the way forward. But still we shared this belief that God was telling us to go. But where? The worst part of it all was being unable to tell our very dear parishioners. Of course, in retrospect, some of them sensed what was happening and I noted in the journal that the Lord appeared to be preparing them for our departure.

Although Chris, my husband, pushed many

doors and some opened, we still did not believe God was actually calling us to walk through. There was one, however, that kept opening and closing at regular intervals and through which we could see an enchanting view, or thought we could. Positive that God would hold open this door for us we slammed others shut. I also believed that God had given us a 'deadline' date. It was practical and fitted in with the children's needs but we also felt there was a limit as to how long we could go on searching for a new pasture and if we passed that deadline then perhaps God was telling us to stay where we were and we had misheard him.

At times it became confusing and the journal is full of questions addressed to God intermingled with pleas for guidance. A Christian teacher staying with us one weekend drew me to our sitting room window. Together we looked out across the valley towards the rolling hills of Cornwall. In the distance, Kitt Hill and Caradon Hill stood majestically on either side of the vista. Just below us, four fields and a herd of healthy bullocks away in the near distance we knew the church stood.

As is common in that part of the countryside, a mist comes down off the moor and can completely cover the countryside obscuring the whole view, church and all. But it can lift as quickly as it comes and all is revealed once more. Michael turned to me and said: 'There is a picture for you. At the moment you cannot see the church, but you know it is there. The fog will lift and then you will see clearly . . . so it is with God's guidance.' He was right. But it was to be a little while longer before that fog lifted. The journal recalls:

July 4: Today, the door closed for ever on . . . We had been so sure God would keep this for us but he'd said No. The disappointment was great. Now what?' The journal lapses into shorthand. 'Please give Chris grace and faith to accept this disappointment, Lord. Please forgive us if we have gone for what we want too much . . .'

July 5: This entry begins to express signs of resentment and anger towards God at his apparent silence on the matter. The theme is obedience and the meditation reads. 'When I read how you guided Moses and the Israelites across the desert by a cloud I can see Lord that obedience is your key to a happy life, Numbers 9:15-23'. I write: 'Well I'm blowed if I can see a guiding cloud. All I get is a fog.' I did continue a little more graciously.

July 8: The theme incredibly turns to God's guidance: 'God's word to me: "Commit thy way unto the Lord; Trust also in him; and he shall bring it to pass. . . . In all thy ways acknowledge him, and he shall direct thy paths." Psalms 37:5; Proverbs 3:6.'

July 9: 'God's word to me: "The meek will he guide in judgement: and the meek will he teach his way." Psalm 25:9.'

On both these days I questioned the Lord about his guidance for us personally. I begged him to make us meek so he might guide us and I asked for forgiveness. Reading it through again I note that I put in an answer in the other column thanking God for an unwitting remark by a dear friend during a dinner party that night. She had spoken about the need for Christians to 'wait and see what God is teaching them and guiding them'. So this was part of God's answer to my question that very day.

July 11: 'The fog is beginning to lift. Chris visits two men in London who are to have a significant influence in our next move. This is truly a remarkable jig-saw.'

July 12: Still the theme is guidance. I write: 'Help us to leave the results of yesterday's interviews with you . . . that you will guide all those involved in our future.' I draw a line which is supposed to indicate that I really have left it in the Lord's hands.

In the 'God's answer' column exactly a month later I am to write: 'Thank you, the fog has cleared and you have answered every prayer.'

Although I drew that line, I did in fact keep snatching the matter back for the next month. There were more journal entries pleading with God that we should not make the wrong decision. He took us right up to the deadline date. Then the door swung wide open and the final piece of jig-saw fell into place.

God's timing is often mysterious to me. It is always spot on though – something I noted in my journal when writing about another experience that taught me much about his being able to use our inadequacy and the need for us to trust him to enable and empower us when necessary.

★ ★ ★

One winter's day, Elizabeth had come to the Vicarage to talk to my husband. She was very depressed and couldn't explain why. He had prayed with her. A few weeks later she called again on the off-chance of seeing him but he was out. I answered her ring at the front door and invited her in not knowing anything about her distress. I had known her on the surface for about seven years. She was in her mid-forties and was involved within the local community. Suddenly she began to tell me about a family matter that had caused her tremendous grief. No wonder she felt depressed.

My journal does not actually recall the details although I can remember them clearly. I think this was because of the confidentiality of the problem and the smallness of this close-knit community. But I did date the entry and expressed a need to pray for Elizabeth. We prayed about the matter together; used up loads of tissues and had a cup of tea. She left. Two days later she was back to tell me that God had given her a wonderful reassurance and peace that all was well. I thanked God in the 'God's answer' column.

For the next six months her name appeared again at regular intervals for prayer although I had not seen her. Just for once this particular year I had managed to keep up the journal during August. In no small way was this due to the fact that I was reading a book by Francis McNutt during our camping holiday in France. As I read one morning outside our tent in the luxurious sunshine before everyone was up and before the sun grew too strong, I came to a chapter about healing of past hurts. Elizabeth came immediately into my mind. Again I wrote just her name in my journal. I remember having to put down my book, so strong was the conviction that this was the ministry she needed.

'But God', I said, 'there's a problem here. I've never prayed this way with anyone before. She's going to need an expert. But we live too far away from experts. OK then, I need someone to pray with me for her. But she could never tell anyone else because of the involvement of others and I certainly cannot either. If it's really *you* telling me this and not my imagination, then she must come to me. I will not go to her with this suggestion. I cannot meddle that much in someone else's life.' Matter closed for time being. Back to book.

It was another six months later that she called again. The depression was back and she felt unable to communicate with God. The grief was still causing her pain and fear. We prayed. Nothing appeared to happen. She contacted me a few days later. God had spoken to her through an amazing dream. It had brought her a wonderful peace and assurance that all was well with those she loved. She said she was able to sing praises to God again, and I wrote simply in my journal that we were both 'bubbling over with joy'.

I find Elizabeth's experience of God's love and comfort so reassuring. To me that was a miracle.

I do not use spiral notebooks any more but have moved into larger file pads where I can spill over into two pages at once. I am not sure that I can claim, as yet, as some do, that my journal is a way to wholeness. At times I catch a glimpse of how one day this could be so if only I keep working at it. I do understand how keeping a journal can short-circuit the need for hours of deep counselling; how it clarifies thought, sets out goals and reveals new ideas. Certainly it has been a vehicle through which I can communicate more closely with God.

Through response to my Sunday notice request I have had the privilege of a few insights into other journals written by members of our church. I did not ask to see these journals and no one suggested I should. Some spoke very tentatively about them to me, fearful of what I was going to demand of them. One movingly read out chunks of his journal and as he did so I felt deeply touched. This was a precious encounter, almost an invitation to enter into the relationship he has with his Lord, and as he read I felt a oneness with both of them.

Some of the journals were more 'earthbound' like mine, others intensely spiritual. One definition of 'journalling' given to me was, 'the journey of life in written form'. Nearly everyone used the noun 'journey'. There were similar routes running through these journeys but of course each one was written with a different emphasis and individual style. It suggested to me that there were many different ways of journalling.

Only one man responded, or wanted to talk about 'journals', though two women discovered their husbands kept journals unbeknown to them. One who had entered four precious accounts forbade her ever to look at it.

★ ★ ★

Steve is a geography teacher in a large Surrey comprehensive school. He is a member of our music group and helped to run the local Boys' Brigade. Both he and his wife Margaret and their two children Ian and Louise are very much a part of our church family. He is a down-to-earth northerner and definitely not someone given to wild imaginings. Coming from a non-church background he was not baptised as an infant and was uncluttered by heavy 'religious teaching' in his childhood. His conversion, though not 'instant', could be described as dramatic, and in the spring of 1983 he felt compelled to write down the details of a number of spiritual experiences. 'I didn't want them to be lost in the archives of time and was also anxious to record what actually happened. It's all too easy to embellish the facts afterwards and I wanted to remember how I felt at the time it all happened.'

Steve showed me the journal. It's a grey exercise book with the word SOIL written on the front. 'It was all I had at the time,' he said. But what precious facts he has recorded in this earthy-looking book. It begins before his conversion:

'I began hearing things. There was a sound which woke me – it was a sound out of my experience. I'd never heard it before, but I knew who it was.' These experiences always happened at night. Next came what Steve can only describe as a 'rushing wind'. 'It felt as if it was blowing right over the top of my head. It was behind me and it came from nowhere. It was as if my thoughts were being completely rearranged and reordered. It was later I was to find Romans 12:2.

'Before you ask me,' Steve went on: 'I was in my right mind and not dreaming. You will just have to trust my judgement. I assure you that I asked myself that very same question.' The answer was then as it is now. The sound and the wind were *not* a figment of my imagination.'

His journal goes on to describe what some would say was an image but what he is convinced was a vision. Again it happened at night, the time when he did much of his praying in those early days. These prayer times were in 'colour' . . . and these colour sensations have stayed in his mind just as he recorded them in his journal. Usually the predominent colour was red but on this particular night it was purple . . . 'a beautiful deep purple that drew my eyes forward. Again it was not an illusion or my imagination. This felt as if it was inside my eyes. The colour alone was fantastic. It was there when I closed my eyes and there when I opened them again despite the dark room.

'There was movement in it. I've not seen the Northern Lights but this is how I imagine them to be – the ebb and flow. It was like a delicate curtain blowing on a gentle breeze – and this alone was spectacular'. But there was more to come. The moving colour sequence stopped and in a split second Steve says he had a glimpse of the Lord. 'The colour was now brown, an autumnal shade – I couldn't see his face but recognised him. He wore a robe and in the background was a landscape of hills. He looked down and the words came: Peace, *Prince of Peace*.'

Steve believes that these experiences he wrote down serve as assurance for him: then, during a time of spiritual battle and personal turmoil, and now, when he needs it. As he began to open up to God and his fellow Christians Steve soon learnt that suffering was inevitable for his growth and maturity, not only for him but also the church. 'I discovered that if you prod areas where it hurts, it's like prodding a dragon and horrid noises come back at you.' Since these initial experiences, Steve has continued with his journal, not necessarily daily but 'as it comes.'

He finds as problems come up at school and in his personal ministry that when he hands them over to God and admits his own inability to cope, then God is able to change the situation and use it positively. From the journal he obtains tremendous reassurance and encouragement to journey onwards.

★ ★ ★

Jenny has found tremendous comfort through her journal. A single parent, she has two children, aged five and four years old. More than anyone else I have met, I think she has had to cope with extreme physical and emotional hardships. In her own words she has been 'in some very dark places'. For some time she has written letters to God, dating them and beginning 'Dear Jesus' leaving lines occasionally for him to reply. The letters are in a notebook in which she has poured out her feelings of anger, frustration, fear and joy. 'It helps to clear my mind. I am more specific and honest with God this way and when I look back I can see he does keep his promises to me. Sometimes his answers are delayed but there's a reason for this and they do come.'

While at a Christian centre for healing, Jenny decided to keep a journal as she felt she was making a journey through something special. On the first page there was very little, but as the days went on the writing released her and she began to put down reams and reams, pouring out her heart to God.

Out of one such writing experience, one night the words came to her . . . 'If this is my darkest hour, can't the morning be very close.' It was, and that morning someone gave Jenny a song about mountains. Mountains to Jenny represent hope and it reminded her of a promise that God had given to her through the picture of a mountain. 'I don't write in it every day. A month may go by but I find if I don't write things down they fly away. I can remind God too. Re-reading it makes it all fresh again and I gain tremendous help in times of discouragement.'

★ ★ ★

Now, I would really like to be like Deborah, an organised person. She keeps a journal because she likes to know where she is spiritually and can see how she has grown as she looks back. She writes in the morning, sometimes on a Sunday after a good sermon, and includes Bible verses that are significant, poems, newspaper and magazine cuttings and anything that 'speaks personally to her'. She began when she first became a Christian and in those early days her writing was prolific. 'Everything I read spoke to me.' For some time Deborah was in South Africa and the Philippines, where she found Christian teaching challenging. To begin with her journal was very simple, but gradually it included accounts of more difficult and hurtful periods. Writing this down helped her to find a reason in the hurts and she found it encouraging to record the 'valley' and the 'high point' experiences. She gave up the journal for a long time but has started one again this year. 'I am concentrating more on prayer, trying to be more specific, recording answers and writing down the names of those I want to remember in prayer. It was such a simple thing that started me off again. I just happened to say to God: "Oh, I wish I could hear from this friend in Australia". Shortly after this, on my birthday, she phoned me. I was thunderstruck. You don't expect people to phone all that way, do you? That's what started me off on the journal again.'

★ ★ ★

When Angela renewed her commitment to follow God totally and asked the Holy Spirit to flood into her life and use her, she began a spiritual journal. She was also influenced by a Christian aunt who had written two books which helped many people and Angela could see that something wonderful had come from this aunt's suffering. She writes in her journal when God touches her in a special way through sermons, Bible readings and personal experiences, and when sharing something of her Christian life with others.

The contents cover an 'abundant life'. They include gratitude for wonderful Christian friends after a weekend away . . . a list of hymns for her wedding service . . . thoughts after being stuck in an underground train on her way back from work

. . . reactions after meeting a friend who had just become a Christian . . . thoughts the day after her church in Richmond had been broken into by a satanist and the Bible, banners and crosses had been desecrated. She has recalled memories of a Pathfinder camp in the Lake district where she and her husband were helpers in the cook house. There is a description of feelings that she was drifting away from God and an expression of need for God to help her to be 'an obedient servant'. Crossroads appear for Angela and her husband. She writes in the journal for help in keeping in God's will. There is a poem from a friend and thoughts after the birth of her daughter, 'I loved her before she was born—such a gift.' Then details of a friend's funeral service.

'I would encourage others to keep a journal. I love looking through mine from time to time and when I am depressed some of my thoughts and notes are very helpful.'

★ ★ ★

There are very few spare moments in Barbara's day as she looks after her two small daughters. She and her husband are musicians, both contributing an enormous amount of time, talent and energy to our local church, so her journal needs to be short and to the point. It's her kitchen calendar, whichever one happens to be given to her for Christmas (either her writing is very small or she is given an enormous calendar). Recently, when passing through a particular spiritual and personal crisis, she felt it important to keep a special note of what was going on within herself. She asked God specifically what to do about it and back came a clear answer: 'Just wait and watch me work.' She did. He worked. The record of this healing experience is an encouraging reminder of how God has worked in her life and re-reading it increases her faith.

★ ★ ★

Sylvia has just retired from teaching to take on a new family which includes three of her own children, now grown-ups and three adult step-sons plus husband Doug. It's a large household to run and has 'expanding walls' to embrace all the friends that come with it. She has experienced God's healing power in her life and seen him work through much suffering. It did not surprise me that she kept a journal, though it surprised her when I asked. She shared the following with me:

'My spiritual journal records my spiritual journey, my search for a deeper relationship with God. It records days of joy and days of sadness: times when I feel deep thankfulness and praise; times when I cry out "Why? Why do such terrible things happen?"

'Sometimes it's like writing a love letter. Sometimes it's a discipline. It's a laying bare of oneself in complete truth (as far as I can). God's will for my life shows through in it.

'I pose questions, and note the answers given to me (not always as quickly as I would want but they always do come).

'Sometimes I write only in note form; for example:

November 25 1987: 'After meditation. Purity. Water. Whiteness. The woman at the well. Living Water. The whiteness of the table-cloth at Communion. The purity of the flute music at Wells Cathedral. The white lotus flower. The white jasmine that Doug gave me. Need to be washed clean – to be made pure.'

'I find that when I read the notes they mean as much to me as sentences would and I can remember the meaning exactly.

'Sometimes I look back on my rather painful childhood and then at my present happiness and thank God for all the ways in which he healed and soothed my pain.

'Sometimes I write about points that niggle me. . . . I write about the books that I find helpful and meaningful . . . One day I wrote pages about death.

'I also write about things I find amusing. I don't see that a spiritual journal must be entirely serious . . . I write about Bible passages that have suddenly 'come alive' to me.

'It is nine years since I first started keeping a journal. Maybe I don't do it properly but what is 'properly' anyway? Any journal that leads us to a closer relationship with God, closer to our families and each other, with a deep, secure understanding of ourselves and God's love must be doing it 'properly'. That can be my goal and my prayer.'

Chapter Ten

SELF-AWARE AND HONEST

by

JENNY COOKE

Jenny Cooke, a busy wife and mother, has published three books, including *The Cross Behind Bars* which was in the religious best-seller charts for several months. She lives near Manchester, and has for years been a contributor to *Renewal* magazine.

'For the Christian the journal's main function is to record the unfolding relationship between our Creator and ourselves. We feel that God is so important that if he has any dealings with us, they are worth recording.'

It was the usual kind of English lesson. The teacher jerked into the room, desk lids scraped and boredom settled round my heart. No doubt it would be précis again, or a comprehension passage, or adverbial clauses. We waited, without quite catching the teacher's eye; thirty second-year pupils in a rather dark post-war classroom. The teacher stood stock still in front of the empty blackboard and said into the chalk-hazed air, 'I've got to take 2B today instead of you. Their teacher's away. You can get on with some reading.' She indicated a pile of books on her table.

The library books were doled out; books with dull covers and no pictures, books given out with no choices allowed on our part. We had what we were given, willy-nilly. The close printed paragraphs were to be read in silence for forty minutes.

I picked up my book and stared at the cover. I had never heard of the author and was oblivious of the fact that he was a well-known First World War poet. Unsure even of how to pronounce his name, I said under my breath: Siegfried Sassoon, *The Memoirs of a Fox-Hunting Man.* It meant nothing to me. Nothing, that is, until I began to read. Immediately I was absorbed, enmeshed in the text, transported to the world of a young and lonely boy. As I read, it was like a quenching drink of water in my arid life. It was like reading about myself. I forgot the girls around me. Time lost its meaning, the words held me with power, with . . .

The door banged. The teacher shot back in. 'All right 2A,' she yelled. 'Books to the front!' Hands lingering, reluctant, I waited till the end. But it was no good. The book had to be passed in. I never saw that book again in my entire school career.

If I'd had the confidence and the self-awareness at that age of twelve, I would have written up the experience in a journal or a spiritual diary. To have stumbled across a book, with true meaning, that spoke to me at the deepest level and explored my predicament as a human being was riches indeed. It was in fact my first grown-up experience of the kind of reading that brings enlightenment to the soul. But I wasn't to gain that confidence nor the self awareness for many years. To write a journal we need encouragement, we need enough confidence in ourselves to believe our life is *worth* recording. This presupposes another important point: to write a journal suggests powerfully that our life has meaning and shape and purpose. In the pages of a spiritual diary we begin to assert and discover that meaning; to catch the meaning in a net and display the silver fish.

Strangely enough I hunted through my local library a few years ago to find *The Memoirs of the Fox-Hunting Man.* At last I discovered the golden book and bore it home, awaiting a feast of reading.

Yet when I pored over the pages and examined the text minutely, I was surprised. First surprised and then disappointed. My memory of the lonely young man was only scarcely apparent. He seemed so ordinary and lacking in the profound meaning I had held. I almost wondered if it were the same book. But search as I can I cannot find any other book it could have been, and I would have been unlikely to dream up any such title and author out of the top of my head. This taught me that timing in life is important. The timing and juxtaposition of events in our lives can have significance at one time, yet appear ordinary at another. So in keeping a record of significant moments we assert their meaning and, more important, don't lose them.

No one can write any kind of diary without using the personal pronoun; the 'I'. When I was brought up I was told that using 'I' too much in a letter, and presumably therefore in an essay or even in conversation, was too personal. It would bore the reader or the listener. So the 'I' had to be squashed and hidden and put away tidily in a drawer. But the 'I' refuses to be squashed and bursts out in all its primary colours, determined to be noticed and have meaning attached to it. So very often the keeping of a journal is an assertion of the 'I'; a statement of the meaning that person finds within himself. 'I' is a powerful influence. 'I' is a very important person. This can mean that the diary can in a way become (though usually does not) a self indulgence, almost an over statement. I find that complete recourse to honesty and self-examination will largely prevent this happening.

One of the factors in writing a diary is that we are

not detached. Indeed how could we be? There is no discipline in the work, because it is so immediate and not tempered by time or distance. It is not an autobiography, where distance, selectivity and detachment are necessary in the creative process that goes into making the autobiography a work of art. Yet without the raw material of the journal probably many an autobiography would be on the thin side. A journal is immediate and instant. A mountain may be given equal space and importance as a molehill. It is only when we read back that we can discern the everyday crises from the underlying landmarks and pathways that God calls us to take.

I began my spiritual journal in 1976, when I had been a Christian for about nine years. My first entries were two quotations: one a school prayer reaching back to the early grammar school years when I had read Siegfried Sassoon. It was the prayer of St Ignatius Loyola:

> Oh Lord, teach me
> To give and not to count the cost;
> To fight and not to heed the wounds;
> To toil and not to seek for rest;
> To labour and not to ask for any reward,
> Save the joy of knowing
> That we do thy will.

The other was from the New Year sermon given by the Vicar of Macclesfield, Frank Haslam. He quoted Jeremiah 9:

> Thus says the Lord:
> Let not the wise man glory in his wisdom,
> Let not the mighty man glory in his might,

Let not the rich man glory in his riches,
But let him who glories, glory in this,
That he understands and knows me,
That I am the Lord, who practice
Steadfast love, justice and righteousness in the earth;
For in these things I delight, says the Lord.

My diary has always gone in leaps and bounds, with great tracts of uncharted time. There are notes on plays seen, lists of books read with relevant quotations, dreams recorded, verses from the Bible that hold a special meaning, holiday memories, and a quest to discover the meaning of my inner life. All this is linked to day-to-day family activities, highlights of a particular year, problems, joys, relationships with family and friends—they all jostle in an untidy juxtaposition in the large pages of my journal. For example in the first six months of 1976 I wrote about *Godspell, Henry V*, Catherine Marshall on 'God is in everything', an interview with a bedridden Anglican nun report in the *Church Times*, my son's reaction to Samuel Whiskers, a book about the painter Edvard Munch, and a *Horizon* progamme about grief and C S Lewis.

Overall in my journal I have tried to have an attention to scrupulous honesty and self-examination. But to write, even for oneself, with scrupulous honesty, is not at all easy. It demands a certain kind of confidence; the ability not to be too worried if one appears in a poor, even sinful light. I have not always been able to do this. I kept my first diary for several months in 1973; but then abandoned it after my daughter was born and I had no time to write. This first diary is moving in the direction of total honesty, but it is interesting as much in what was not said as what was. Problems of relationships within the family are not mentioned at all, even though I know from memory that they were the big issue of the time.

The 1973 diary is almost like a public-private diary, not that it has ever been shown to anyone. I was trying (and unaware of trying) to live up to the acceptable self-image of the charismatic good wife and mother. There was much reference to prayers, verses, apparent 'words' from the Lord, and witnessing. Yet in a couple of places I do record that the 'word' from God wasn't fulfilled and that the witnessing didn't appear to bear fruit. So, at least, an honesty was appearing, though it didn't go as far as questioning of such 'words', nor apparently see the need for Christian maturing and discernment.

The question of honesty is important. A journal should, I believe, train us in self-awareness and honesty: train us to face all the small truths of our lives as we endeavour to follow the Lord who is Truth. But if we are unconsciously posturing with roles, then it becomes difficult. The diariest needs to learn how to write down simply and clearly events, thoughts, feelings, impressions *as they are.* Not necessarily as Christian leaders say they ought to be. But as they are. This eventually trains us in maturity and transparency before God, like the seeds showing in the silvery-buff seed case of the honesty plant. It trains us in humility as we read back and see our own weakness, wilfulness and petulance. This can even raise a smile in retrospect. Contrary to what we might think, honesty does not lead to wallowing in self-pity and regret. The very writing down with honesty helps in facing up to the truth of what we are. This can then be offered to God, cleansed, forgiven and restored. And indeed be put right behind us and forgotten. Forgotten that is until we read about it in back pages of the journal and marvel at God's goodness and love towards us.

In 1976 I began my journal again and have written in it every year since. On August 12, 1979, I wrote about two books I had been reading. One was *Born Again* by Charles Colson, which I enjoyed in hospital after the birth of my second daughter. I remember being impressed by him changing his plea to guilty during the Watergate trial. He was sent to prison, but rose immeasurably in my estimation as a man of integrity and personal truthfulness. Becoming a follower of Christ enabled him to bear and speak truth. The other book I read was by Leonard Woolf, husband of Virginia Woolf the novelist, when quixotically I began with his last volume of autobiography 1939–1969. It has the curious and thought-provoking title: *The Journey Not The Arrival Matters.*

He quotes Montaigne (1533–1592):

> Amongst all other vices there are none I hate more than cruelty, both by nature and judgement, as the extremest of all vices. But is is with such an yearning and faintheartedness, that if I see but a chickin's neck pulled off, or a pigge stickt, I cannot chuse but grieve, and I cannot well endure a seelie, dew-bedabbled hare to groan, when she is seized upon by hounds.

In this very personal account, almost diary-like, Montaigne shows his intense awareness and passionate interest in the individuality of himself and of others; and even when referring to animals, he writes about his hatred of cruelty and pain. Leonard Woolf wrote this about Montaigne:

> . . . Montaigne was the first completely modern man of the Renaissance . . . before then, in all previous civilisations the individuality of the individual human being was only dimly realised and counted for little or nothing in the ethics and organisation of Society. People were in no sense 'I's. They were anonymous, impersonal members of classes or castes. The combination of Montaigne of intense hatred of cruelty and intense awareness of individuality is not fortuitous. There is no place for pity or humanity in a society in which human beings are not regarded as individuals . . . It is the acute consciousness of my own individuality which makes me realise that I am I and what pain, persecution and death means for this I.

I would have remembered none of this if I had not quoted it all in my journal. I suppose we are all inheritors to some extent of Montaigne's sense of individuality and also of the emphasis of Martin Luther and the Reformation on personal faith. We are justified by faith alone, and this pre-supposes individual faith: *my* faith in *my* Lord.

We write diaries because we inherit a belief in ourselves as individuals. There are no, or virtually no, personal accounts written before Montaigne. There are *The Confessions of St Augustine,* and personal accounts recorded by the historian Eusebius, but these are centuries before Montaigne, linked really in feel to New Testament times. Montaigne seems the first modern man, writing as *we* feel.

Samuel Pepys and John Evelyn wrote diaries too in the seventeenth century and often wrote of public events, London-centred, in the days when there were no newspapers, when they recorded public information and observation. We know about the Great Frost of 1684 because John Evelyn wrote: 'The frost continuing more and more severe, the Thames before London was still planted with booths in formal streets, as in a city or continual fair, all sorts of trades and shops furnished, and full of commodities, even to a printing press where the people and ladies took a fancy to have their names printed and the day and year set down, when printed on the Thames . . .'

A few years before, in 1666, John Bunyan wrote a famous spiritual journal-cum-autobiography called *Grace Abounding to the Chief of Sinners.* It is still in print. The editor of the Everyman edition of 1963 wrote: '*Grace Abounding* is the record of the inner spiritual experience which turned an unlearned artificer into a leader of saints . . . John Bunyan was both puritan and artist, and in both of the greatest.'

In 1870 the Rev Francis Kilvert wrote a now famous and televised diary. This had quite a different function from the diaries of Evelyn and Bunyan. It is personal, detailed about nature and more in fact like our own diaries. He is sensitive to nature and, unlike the earlier diarists, records it simply in its beauty. Kilvert was obviously influenced by Wordsworth. On Tuesday November 3, 1874, he wrote: 'As the sun shone through the roof of beech boughs overhead the very air seemed gold and scarlet and green and crimson in the deep places of the wood and the red leaves shone brilliant standing out against the splendid blue of the sky.'

I notice though that many of us city and suburban bred people can write about the beauty of nature without also seeing it fully in reality. We are influenced by Beatrix Potter and television and 'ooh' and 'aah' over baby animals, without realising that some of the gambolling lambs are bred for food. Intense personal awareness can, without sound judgement, lead to a cosy view of life wrongly rooted in false reality. We need to have clear vision and pray always to walk in the light of good discernment, love and true reality.

In this century we have read Bonhoeffer's *Letters and Papers From Prison; A Grief Observed* and *Surprised By Joy* by C S Lewis; *The Diary of Anne Frank.* All these and others too, are intensely personal, serious, believing in their own dignity and discovering meaning in their lives as individuals.

Other types of diaries exist, some fictitious. The Rt Hon James Hacker MP writes about politics and makes us laugh. Adrian Mole reveals all. The Edwardian Country Lady paints beautiful illustrations of plants and countryside, but writes rather banal statements about the seasons.

The Bible has the last, and the first word. Long before Montaigne, and even Augustine, when hundreds of thousands of people had lived and died unmarked and unrecorded in cruel empires, Ezekiel was able to write in the first person, the 'I'. So did Nehemiah, and Jeremiah in Lamentations. These prophets and writers were so close to God that they became aware of their personal worth, their meaning in the world and his purpose for them. Part of that purpose was to write down their inspired experiences and prophecies, now part of holy Scripture. But part of it too was a recognition of the 'I' and the importance of the individual's personal experience.

The New Testament gleams and shocks by its constant inclusion of ordinary people (not just kings and potentates and VIPs). The Gospels instill the importance of the individual and are full of accounts of individual men's and women's conversions and apprehensions of God. The Acts have Luke writing in the first person at one point. Paul in 2 Corinthians shares deeply his personal and spiritual 'autobiography'. He doesn't wallow in it. He simply uses it as an illustration of what God was doing in his life and why.

> We do not want you to be uninformed brothers, about the hardships we suffered in the province of Asia. We were under great pressure, far beyond our ability to endure, so that we despaired even of life. Indeed, in our hearts we felt the sentence of death. But this happened that we might not rely on ourselves but on God, who raises the dead.

Finally, John writes in the first person in Revelation.

The Bible does bear testimony to the importance of the God of the 'I'. For he too is personal and we are made in his image. He is also corporate in the Trinity, and the Bible has much to say about groups and commuity and corporate church life.

Perhaps this is why scrupulous honesty, even if only to oneself—and that can be hard enough—is so important. For John calls us to walk in the light, because God is light and in him is no darkness at all. God is utter truth and utter light and how can we approach knowing him unless we first have clean hands and a pure heart? Unless we first come in repentance and faith?

This then is one of the major functions of the spiritual journal: to train us in honesty. Honest talk between God and me. This develops quite naturally into honest dealings between me and others. Shakespeare had Polonius say words to this effect: 'To thine own self be true and then thou shalt be false to no man.' This sums up one function of the diary neatly; which is truthfulness at all times. Not that this necessarily means we always have to tell all to everybody. Simply that between God and ourselves there is complete verbal openness.

Writing it down can help. Saying it may be more or less hard, but one way or another we are called to walk in the light; to keep short accounts with God and man and so to be guileless; to be as wise as serpents and as harmless as doves. For if we follow the truth and get to know God, that is the beginning of wisdom. Our lack of guile may cause us a few problems along the way as we deal in life from time to time with people who are deceitful and full of guile. The nett and end result for us, however, is as described by Gordon Macdonald, who incidentally writes about keeping a journal in his book, *Ordering Your Private World.* He said that we can become persons full of deep spiritual insight, like deep wells with deep inner reserves, able to pour out Christ's living water to others. He also said that such persons might pass unnoticed in the often sensationalist

(Christian) media world.

Honesty may demand many words as we write down all the nuances of truth as perceived by us: about prayer, a relationship, a reaction and so on. But such honesty will train us, help us to deal with our anger and fear, and to learn from our unconscious self as we write down our significant dreams.

In July 1978 I wrote, 'Why do I always get in touch with very strong personalities?' I later listed four people, two men and two women, with whom I didn't feel fully at ease; in fact of whom, when I was able to bear the revelation, I realised I was afraid. At later intervals I record briefly different encounters, some ongoing, with these four. As I read my diary now I see how often in the earlier part I use words like 'caution', 'timid', 'hesitate'. Then I become aware of this and face the implications. These words become gradually more infrequent, and largely unnecessary. In their place there is now a tendency to use phrases associated with decision, decisiveness and assertiveness. 'I've made up my mind to . . .'

Encounters with these four helped, and help, me in this life-long process of God changing my character into greater balance and wholeness. I guessed early on that it was no good praying away the difficulties I had with this gang of four. God allowed the problems, used those people to train me in honest speech and in a learning of how not to be afraid. This then is another function of the journal. It teaches us through our honesty and God's grace to become mature, more relaxed, more at peace with ourselves and with others, more able to bear and face our own weaknesses, and be humbled and freed by the knowledge.

But what is it that drives us, drives me, to keep a record of our private life? Is it a sort of catharsis, a purging through writing down and observing our own sufferings and pains? The Greeks thought watching tragic plays would do this and maybe a diary can have this function. Is it a need to explain and prove the existence of the kindly, fascinating and voluble inner man (or woman) as opposed to his solid, silent, humdrum, taken-for-granted exterior? The difference between the private and the public face? Perhaps we organise our lives by our journals and hope to explain to future great-grandchildren what it was like in 1988 for great-grandma. Do we want to inform and tell the true account, hoping that family and maybe just the odd close friend might one day read it and so understand? Is it our bid for a little immortality? Or is it, simply to remind us of memorable events and red-letter days? Such aspects all have their place, I think.

Primarily for the Christian I feel sure that the journal's main function is to record the unfolding relationship between our Creator and ourselves. Instinctively we feel that God is so important, so real, so vast and so personal, that if he has any dealings with us, they are worth recording. We want to remember them.

All this, however, presupposes a belief in the Christian God in the first place. In watching a series on television called *Ten Great Writers,* I have been struck by how deep was these authors' search for meaning and how tragic their anguish if they couldn't find it. Joseph Conrad wrote about a man called Mr Kurtz, who was the so-called colonial light to the Africans in the story. But Mr Kurtz has no light. His values are those of hypocrisy. So the book is called *The Heart of Darkness.* T S Eliot quoted from this book in his poem, *The Hollow Men.* Even the titles these authors choose speak of pain and meaninglessness. Thomas Mann and Ibsen in their different ways wrote about the search for meaning. But it seemed hopeless.

Many of these writers foresaw the disintegration and destruction of the old ways of life through the two great wars of this century. Their works in a way warned mankind. Yet they were apparently, except for Eliot, written without the light of Christ. Theirs was a deep anguish, one which, in my own way, I have felt and understood. Part of the *angst* of some modern writers and painters is that they don't believe in God and so have no belief in the ultimate meaning of the universe. But they still perceive their own worth and value, despite the meaninglessness. This gives rise to tremendous conflict and pain. They still make their personal statement, although they believe really that chance rules all. And idealism is a poor reed to hold up against the trap of anxiety and the wind of change. In their world there is no final authority, no final right and wrong. Their works sum up the spirit of the age.

For many years, even as a Christian, I identified at heart with this point of view. I couldn't shake it off. I wrote in my journal in 1978: 'Going through a long, dark intellectual struggle. Does God exist etc? Feel a sense of peace. Know I shall emerge with a stronger intellectual grasp. It's uncomfortable . . . An intense longing keeps sweeping over me. It has done so frequently for the last year or so. It's often at night, just as I am dropping off to sleep and it jerks me vividly awake. Francis says he has felt it too. It is something to do with a desperation to find God, an agony of fleeting pain and grief at not finding him at the heart's level . . .'

On April 20, 1983, I wrote, '. . . I fear death. I fear "Nothing" being there. but I have prayed with passion for God to show me such truth as to counterbalance this.' It was hard for me to write this. I had been a Christian for fifteen years and had spoken in tongues for fourteen. But the search for freedom spurred me on.

The answer to all those years of being troubled by an inner darkness came rather sooner than I expected. That year my mother became terminally ill with cancer in the May and I suddenly realised that my grief for her was of a 'clean' and ultimately healing variety. The grief I felt about the meaninglessness of the universe had quite a different feel. It was typical of my mother that even in her dying she was enabled to point the way to life and health for me.

In early September of the same year I wrote a long entry: 'My battle with darkness. I oust it. It's gone in Jesus' name. I dance for joy, for joy. It's stayed gone. I've found out that that area where I was brought up was (and is?) renowned for witchcraft. It all fits in. Our family's unhappiness and *that* house . . . it's as if since childhood I've been haunted by a spirit of despair. I realise now that much of my thought on darkness, death and meaninglessness was the antithesis of having the renewed mind, the mind of Christ. I remember now back in March that I decided once and for all to declare war on the desperation of my darkness. Human grief and/or loneliness is different from this. The quality and essence and root are different. I felt panic-stricken because I felt that at the bottom of me was not simply a lake of tears but a dark river of sorrow from which root sprang everything else about me . . . I tell Francis and my friend, Sue. They discern evil at the base of my despair. Suddenly I see it. The evil that has always sought to destroy me. I decide to fight it and declare war on it. Very quietly pray with Francis for release and its demise. I can't exactly remember it. I "see" an image of a shrivelling root, shrivelling up, away from the life-river until it's almost gone. Then painlessly, the Gardener lifts out the weed. It's gone. The soil settles down as if the branching roots had never been. The soil is clear. The river is crystal clear. I realise one morning that the "thing" has *gone.* Nothing grieves me with an agony of sorrow late at night as before. I find myself dancing on the landing of our house for joy. I'm freed. I'm freed. Praise God.'

Why God let so many years of Christian life pass by before the truth was revealed to me and I was set free, I don't know. But two things I do know. I have stayed completely free for over five years. And I have learned and understood through long years the central pain of our times. Quite simply, I understand these great secular authors in their search. And that is important. Why I never understood the book of Revelation before, with its vivid explanations of evil against the back-cloth of the unchanging glory and sovereignty of God, I don't know. But the joy is that not only do I understand it now, I believe it.

Jung wrote this in *Memories, Dreams and Reflections:* 'Meaninglessness inhibits fullness of life and is therefore equivalent to illness. Meaning makes a great many things endurable, perhaps everything.' Yes, I can add, I agree. And Jesus said, 'I am the truth and the truth shall set you free.'

So my diary has helped me to win the battle with darkness. It has helped me to see the meaning and shape of my life and the great meaning and purpose of the universe itself, of God's call to man to follow him and be at peace with him. It has helped me to believe in the eternal value of my life (and therefore of other people's lives) and its value to God and to others. It's helped me to see the importance of detail and to pin down my experience so it is not lost in time, inaccuracy and vague memory. It has helped me to come to terms with my own limitations and have the occasional mature smile at my intense earlier days. Yet that intense young person was and is the me who writes now. My diary helps me to welcome and love that person, that child I was, so that nothing is hidden, nothing is lost and nothing is wasted. All is embraced into that unique person whom God has made and loves. Praise to be God!

I still keep my diary. As I read back over it it lifts me away from the personal and towards Jesus Christ, the author and finisher of our faith, the Word made flesh, the Alpha and Omega, the beginning and ending of all things. One of my last entries was on January 12, 1988. It reads: 'Bleak, lashing rain days and dark. Felt bad today. No income coming in. Bad letter from lawyer. Every day Francis and I pray together and God sends something to lift me up: letter from Shirley and encouraging enclosure from her friend about my writing; letter from Sue; letter from Edward; read Genesis 22 re testing of Abraham and Isaac; phone call from Nicholas; read 'I will send my angel before you and make your mission successful'; flowers from my sister, Liz.'

As I re-read it now I find I had forgotten the bleakness of this January—and all the help and love I had received. Now things are better all ways round. I am lifted up. I am at peace again. I am thankful to God and to my friends and to my diary. Praise be to God!